GUE ONE

ПЕРВЫЙ

Диалог

LOGUE

eone

DIALOGUE
ONE

DIALOGUE

Диалог

РВЫЙ

Dialogue

ONE

ПЕРВЫЙ ДИАЛОГ  DIALOGUE ONE

Д.Д. Рикс
Ю.Ю. Дешериева
Л.Б. Трушина

Первый Диалог

Учебник русского языка

Часть·1

В МОСКВУ НА ОЛИМПИАДУ ПО РУССКОМУ ЯЗЫКУ

МОСКВА. „РУССКИЙ ЯЗЫК“
ЛОНДОН И ВЕЛЛИНГБОРО. „КОЛЛЕТС“
1989

D.J.Rix
Y.Y. Desheriyeva
L.B.Trushina

Dialogue One

A Russian Course

Part·1

TO THE RUSSIAN-SPEAKING COMPETITION IN MOSCOW

MOSCOW. RUSSKY YAZYK PUBLISHERS
LONDON & WELLINGBOROUGH. COLLETS
1989

ББК 81.2P-96
 Р50

© RUSSKY YAZYK PUBLISHERS
1/5 STAROPANSKY PEREULOK, 103012 MOSCOW
Third Edition 1989

ISBN 0569 08772-4

U. K. COLLETS.
       DENINGTON ESTATE,
       WELLINGBOROUGH, NN8 2QT,
       NORTHANTS

Printed in the USSR

Р $\frac{4306020102-110}{015(01)-89}$ Без объявления

ISBN 5-200-00835-2
(СССР)

Introduction

1. Heathrow. Sunday, 21st June, 10.00 a. m. Flight BA 710 is about to take off for Moscow.

Hello. I'm Fiona McKenzie. Pleased to meet you... I'm in the sixth form at Leith Academy... yes... Edinburgh ... bonny Scotland!

Why am I going to Moscow? Well, I'm going to take part in the Olympiad...
Oh no, it's got nothing to do with sport! I'm not going to be running the 100 metres or anything like that... It's a Russian-speaking competition...

Yes, I can speak Russian... We learn it at our school... And I went in for the national competition organised in Britain by ATR — that's the Association of Teachers of Russian — and I was fortunate enough to be one of the winners...

There are seven of us altogether... Steve and Susan over there are in our group... and that's our leader, Mr. Johnson... He's a teacher of Russian...

In the international finals we'll be competing with winners from all over the world — East and West Europe, America, Africa, India, Japan — from over thirty different countries, I think...

Who runs it? Well, it's organised by MAPRYAL — that's the International Association of Teachers of Russian — and it's held at the Pushkin Institute in Moscow.

Yes, I think it will be an interesting experience... We'll be there for about a week, so we'll have time for visits and sightseeing, I expect... I'm going to write an article about the trip in the school magazine when I get back, so I'm going to keep a diary...

Well, here we go... seat belt... take off... we're on our way!

2. Moscow. Sunday, 21st June, 2.30 p. m. Moscow time. A bus is bowling along Leningrad Highway, heading for Sheremetyevo Airport...

Hello. I'm Yura — Yura Maslov. I'm just going out to the airport with some friends from my class at school. We're in the ninth grade at English Special Secondary School No 1. We like learning English, and we can speak it fairly well, so we're going to meet the English and American groups who are coming for the International Russian-Speaking Olympiad. I expect they're all pretty good at Russian... But we'll be helping out during the Olympiad and going on trips with them. My friend Borya, who was in on the previous Olympiad three years ago, says it was great fun, and he made a lot of friends. So I'm really looking forward to it. And they'll be here in about an hour...

ЗДРАВСТВУЙТЕ!
HELLO!

??
**Как сказáть?
How do I say
it?**

Meeting people:
What do I say when I meet a Russian person? How do I say
"Hello"? How should I respond to an introduction? How do
I introduce myself, say what my name is, and ask what the
Russian person is called?

Здравствуй, Москва!
Hello, Moscow!

На Олимпиа́де
At the Olympiad

АЭРОПО́РТ ШЕРЕМЕ́ТЬЕВО – МЫ В СССР!

Sunday, 21st June, 5.30 p. m. Moscow time. Our BA Trident Two has touched down at Sheremetyevo Airport... We go through passport control and customs, and then to the exit. At the barrier we're welcomed by a young lady of about twenty five, and a group of young people from a Moscow school carrying flowers...

1 The young lady greets us, smiling...

Ни́на Ива́новна. Здра́вствуйте!

А́лан. Здра́вствуйте!

2 She introduces herself to our group leader, Mr. Johnson...

Ни́на Ива́новна. Меня́ зову́т Ни́на Ива́новна. А вас?

А́лан. А́лан. А́лан Джо́нсон.

Ни́на. О́чень прия́тно.

А́лан. О́чень прия́тно.

3 One of the Russian boys presents Susan with a bunch of flowers...

Ю́ра. Меня́ зову́т Ю́ра. А вас? Как вас зову́т?

Сью́зан. Сью́зан.

Ю́ра. О́чень прия́тно.

Сью́зан. О́чень прия́тно.

4 Nina Ivanovna introduces herself to Susan, Steve, and the rest of our group...

Ни́на. Меня́ зову́т Ни́на Ива́новна. И́ли про́сто Ни́на.

Сью́зан. Сью́зан.

Стив. Стив. О́чень прия́тно.

Образе́ц
Generator

1. Introducing myself and asking what the other person's name is.

| – Меня́ зову́т | Ни́на Ива́новна.
Та́ня.
Ю́ра.
Сью́зан.
Стив. | А вас? |

2. Asking what someone is called.
"Pleased to meet you".

— Фийо́на.
— Как вас зову́т? — Стив.
— Сью́зан.

— О́чень прия́тно. — О́чень прия́тно.

3. "You can call me ..."

| — Меня́ зову́т | Ни́на Ива́новна. Татья́на. Ю́рий. | Йли про́сто | Ни́на. Та́ня. Ю́ра. |

🌐 Поговори́м, поигра́ем
Talk and play

I. Role playing
1. Imagine you are one of the Olympiad finalists arriving at Moscow airport. Respond to an introduction from Tanya:
— Меня́ зову́т Та́ня. А вас? Как вас зову́т?
— ...
— О́чень прия́тно.
— ...

Introduce yourself to Yura:
— ...
— Ю́ра.
— ...
— О́чень прия́тно.

2. With your partner, play the part of individual members of the British delegation — Alan, Fiona, Steve, Susan — and the Russians welcoming you — Nina Ivanovna, Tanya, Yura. Introduce yourselves.

3. Look at the following list of Russian names and pick out some which you like. Use these to practise introducing yourself and asking what your partner's name is. Say that your partner can call you by the diminutive form of your name (if there is one, and if you like it).

Full	BOYS Diminutive	Full	GIRLS Diminutive
Алекса́ндр	Са́ша, Шу́ра	А́нна	А́ня
Алексе́й	Алёша	Ве́ра	
Анто́н		Екатери́на	Ка́тя
Бори́с	Бо́ря	Еле́на	Ле́на

BOYS		GIRLS	
Full	Diminutive	Full	Diminutive
Влади́мир	Воло́дя	Ири́на	И́ра
Дми́трий	Ди́ма, Ми́тя	Людми́ла	Лю́да, Ми́ла, Лю́ся
Ива́н	Ва́ня	Лари́са	Ла́ра
Лев	Лёва	Мари́я	Ма́ша
Михаи́л	Ми́ша	Ната́лья	Ната́ша
Никола́й	Ко́ля	Ни́на	
Пётр	Пе́тя	О́льга	О́ля
Серге́й	Серёжа	Татья́на	Та́ня
Юрий	Ю́ра	Юлия	Юля

II. Matching

Look at these Russian names and pair up the correct diminutive forms with the full forms.

Example

Татья́на — Та́ня

Ива́н	Бо́ря	Еле́на	Ната́ша	Екатери́на	Воло́дя
О́льга	А́ня	Серге́й	Ле́на	Алексе́й	Ма́ша
Бори́с	Ва́ня	Ната́лья	Ко́ля	Мари́я	Ка́тя
А́нна	О́ля	Никола́й	Серёжа	Влади́мир	Алёша

III. Role playing

Now assume some of these Russian names and practise introductions further like this:

— Меня́ зову́т Екатери́на. И́ли про́сто Ка́тя. А вас?

— Пи́тер. И́ли про́сто Пит.

— О́чень прия́тно.

— О́чень прия́тно.

IV. Puzzle

КРОССВО́РД

Complete the crossword by filling in the full or diminutive form of the names given as the clues.

Example

1. Across: Влади́мир. Fill in: Воло́дя.

You can refer to the list of Russian first names to check the forms and spelling.

По горизонта́ли:
  1. Влади́мир.
  4. Екатери́на.
  6. Ни́на.
  7. Мари́я.
  9. Ната́ша.
  11. Ири́на.

По вертика́ли:
  2. О́льга.
  3. Дми́трий.
  5. Та́ня.
  8. А́ня.
  10. Ко́ля.

(The solution is in the Keys section at the back of the book on page 379.)

Почита́ем
Reading

I. И́мя и о́тчество

There are certain famous Russians whose name and patronymic are known to everybody in the Soviet Union. For example, the following great figures have made an outstanding contribution to Russian culture and civilisation:

Алекса́ндр Серге́евич Пу́шкин

Лев Никола́евич Толсто́й

Анто́н Па́влович Че́хов CHECKOV

12

Пётр Ильи́ч Чай-
ко́вский

Алексе́й Макси́мо-
вич Го́рький

Ю́рий Алексе́евич
Гага́рин

1. Read the names, patronymics and surnames and try to memorise them.
2. If you meet names **Л. Н. Толсто́й, П. И. Чайко́вский** in a text, then say just
   Толсто́й, Чайко́вский. Remember that, when reading Russian aloud, you should
   not read out a person's initials.

II. „Алфави́т телефони́ста“

You are no doubt familiar with the system British switchboard operators use
for checking the spelling of a name or address, e. g. "N for Nelly", "S for
sugar".

Here is the system of names and words which Soviet telephone operators use,
and which may prove useful if at any time you have to dictate a name or
address on the telephone when the line is bad.

А́нна	ёж	Михаи́л	Татья́на	Шу́ра
Бори́с	Же́ня	Никола́й	Улья́на	щаве́ль
Влади́мир	Зи́на *Zena*	О́льга	Фёдор	Э́мма
Григо́рий	Ива́н	Пётр	Харито́н	Ю́ра
Дми́трий	Константи́н	Рома́н	ца́пля	Я́ков
Еле́на	Людми́ла	Степа́н	ча́йник	

Ludmilla

1. Read through the list and write down the letter each name or word stands for.
2. Look through the list again. There are no Russian names beginning with...
   which letters?
3. Which names in the list are boys' names, and which are girls' names?
4. **Же́ня** and **Шу́ра** are diminutive forms of **Евге́ний** or **Евге́ния** and **Алекса́ндр**
   or **Алекса́ндра** and can be both masculine and feminine names.
5. **Ёж** means 'hedgehog'.
6. **Ца́пля** means 'heron'.
7. **Ча́йник** means 'teapot'.
8. **Щаве́ль** means 'sorrel'.

13

III. Магази́ны

In Moscow there are shops for ladies called:

„Мари́на", „Людми́ла", „Татья́на", „Ната́ша", „Светла́на"

and men's shops called:

„Русла́н", „Тиму́р".

1. Read these names of shops and say what you think they might sell.
2. Do you know Pushkin's poem „Русла́н и Людми́ла" and Glinka's opera of the same name?
3. The shop called „Тиму́р" is named after the main character in a story by Gaidar „Тиму́р и его́ кома́нда". This story of a boy in the Pioneers is well known to all Soviet schoolchildren.

IV. Цветы́

In Russian, the names of certain flowers contain first names of people. For example:

аню́тины гла́зки, маргари́тка, ива́н-да-ма́рья.

People may also be named after flowers:

Ро́за, Ли́лия.

Can you say what these five flowers are called in English?

**Страноведе́-
ние
Background
information**

ABOUT THE USSR

How can I begin to tell you about the USSR? My country is so vast, and contains so many different republics and regions, spread over eleven time zones. If you travel by express from Moscow to Vladivostok, you will spend a week living on the train.

The USSR's northern coastline is frozen nearly all the year round. About five thousand kilometres to the south you will see palm trees and vineyards on the Black Sea's warm coast.

And in the different regions of the USSR you will see many races—Ukrainians, Latvians, Uzbeks, Armenians, Georgians and so on—and hear various languages spoken. There are over a hundred and thirty languages in my country!

I expect you know that "USSR" is an abbreviation for the Union of Soviet Socialist Republics. Do you know the names of some of the fifteen Union Republics, and where they are in the USSR?

Северный Ледовитый океан
The Arctic Ocean

Черноморское побережье
The Black Sea coast

You know from my country's name that they are all socialist republics. There are no privately-owned factories, farms, shops, hospitals or schools in the USSR—all these are state-owned.

If you are already familiar with these general facts, perhaps you will be interested to hear more about everyday life in the Soviet Union. Well, as you follow the events of the Olympiad, you will not only see the sights of Moscow, but also have the chance to learn more about Soviet young people.

The foreign participants in the Olympiad and Soviet schoolchildren will tell you about their life at home and school, their hobbies and interest in sport and music. Perhaps you will find that you have much in common as well as differences.

Урок

втоῤой

ПОЗНАКОМЬТЕСЬ...
COME AND MEET...

??
Как сказáть?
How do I say it?

Meeting people:
I can introduce myself, but how do I introduce someone else, or all my friends when there's a group of us?

На Олимпиаде. Это мои друзья
At the Olympiad. These are my friends

16

На Олимпиаде
At the Olympiad

НО́ВЫЕ ЗНАКО́МЫЕ

Outside the airport building, buses are waiting to take Olympiad participants into Moscow. As we get into our bus, we find that the American group is already there, talking to other young people from a Moscow school—an English Special Secondary School.

2

1 Nina Ivanovna introduces Mr. Johnson to the American group leader...

Ни́на. А́лан, познако́мьтесь. Э́то Дейв.

Дейв. Дейв Лью́ис.

А́лан. А́лан Джо́нсон. О́чень прия́тно.

2 One of the Russian boys, called Yura, introduces Susan and Steve to some of the American group...

Ю́ра. Ла́рри, Кэ́рол, познако́мьтесь. Э́то Сью́зан и Стив.

Ла́рри. О́чень прия́тно.

Стив. О́чень прия́тно.

3 As we take our seats, Tanya introduces me to her friend...

Та́ня. Фийо́на, познако́мьтесь. Э́то моя́ подру́га, Ната́ша.

Фийо́на. О́чень прия́тно.

Ната́ша. О́чень прия́тно.

Образе́ц
Generator

1. Introducing someone to someone else.

– Познако́мьтесь, э́то	Дейв.
	Ла́рри.
	Кэ́рол.
	Ни́на Ива́новна.
	Та́ня и Ю́ра.
	Сью́зан и Стив.

2. Introducing my friend(s) to someone.

– Познако́мьтесь, э́то	мой друг,	Ю́ра.
	моя́ подру́га,	Ната́ша. Кэ́рол.
	мои́ друзья́,	Та́ня и Ю́ра. Сью́зан и Стив.

2–125

17

Поговорим, поиграем
Talk and play

I. Role playing

1. In groups of four, play the parts of the British, American and Russian characters.
You are in the airport bus — introduce each other.

Example

    Ни́на: Дейв ⟷ А́лан
    Ни́на. Дейв, познако́мьтесь. Э́то А́лан.
    Дейв. О́чень прия́тно.
    А́лан. О́чень прия́тно.
Ю́ра: Кэ́рол ⟷ Та́ня
Та́ня: Стив ⟷ Кэ́рол
Фийо́на: Ю́ра ⟷ Сью́зан
Стив: Та́ня ⟷ Фийо́на
Ю́ра: Сью́зан ⟷ Ната́ша
Сью́зан: Ната́ша ⟷ Стив
Ю́ра: Фийо́на ⟷ Ла́рри
Ни́на: Ла́рри ⟷ Сью́зан и Стив
Ни́на: А́лан ⟷ Ла́рри и Кэ́рол

2. Play the part of Tanya. Introduce some of your friends (girls) **Оля, Ка́тя, А́ня, Ма́ша** to Steve.

Example

    — Стив, познако́мьтесь. Э́то моя́ подру́га, **Ле́на.**
    — О́чень прия́тно.
    — О́чень прия́тно.

3. Play the part of Yura. Introduce some of your friends (boys): **Бо́ря, Серёжа, Воло́дя, Алёша** to Carol.

Example

    — Кэ́рол, познако́мьтесь. Э́то мой друг, **Ко́ля.**
    — О́чень прия́тно.
    — О́чень прия́тно.

4. Play the part of Tanya or Yura, and introduce some of your friends (boys and girls): **Оля и Бо́ря, Ка́тя и Серёжа, А́ня и Воло́дя, Алёша и Ма́ша, Ната́ша и Ми́ша** to Susan.

Example

    — Сью́зан, познако́мьтесь. Э́то мои́ друзья́, **Ле́на и Ко́ля.**
    — О́чень прия́тно.
    — О́чень прия́тно.

II. Family tree

Russians have a name, a patronymic and a surname. The patronymic is formed from the father's name, for example:

Ива́н:
Ни́на Ива́новна,
Ю́рий Ива́нович

Серге́й:
А́нна Серге́евна,
Бори́с Серге́евич

Work out the full name and patronymic of each person numbered in the family tree below.

(Check your answers in the Keys section at the back of the book.)

III. Puzzle

„СЕМАФО́Р"

1. Look at the chart to see which signals represent which letters in the Russian version of semaphore:

2. Write down the Russian letters to interpret the following message. Look at the chart.

3. Signal some other Russian words for your partner to interpret. You can use lines to indicate flag positions, e. g. $\diagup \diagdown$ = **A**, — = **Б**, — = **В**, and so on.

IV. "Higher mathematics"

1. Numbers 0 — 10

0 — ноль	3 — три	6 — шесть	9 — де́вять
1 — оди́н	4 — четы́ре	7 — семь	10 — де́сять
2 — два	5 — пять	8 — во́семь	

2. The arithmetic here shouldn't give you too much trouble! But can you write the answers out correctly in Russian words?

1) два плюс два — ...
2) четы́ре плюс три — ...
3) два плюс четы́ре — ...
4) три плюс два — ...
5) пять плюс четы́ре — ...
6) де́сять ми́нус два — ...
7) де́вять ми́нус шесть — ...
8) во́семь ми́нус семь — ...
9) де́вять ми́нус пять плюс шесть — ...
10) де́сять ми́нус пять плюс шесть — ...
11) четы́ре плюс шесть ми́нус во́семь — ...

V. Football results

1. Listen to these Russian football league results and fill in the scores as they are read out.

„Дина́мо" (Москва́)	— „Черномо́рец" (Оде́сса)	3 : 2
„Арара́т" (Ерева́н)	— „Торпе́до" (Москва́)	
„Дина́мо" (Тбили́си)	— „Зени́т" (Ленингра́д)	
„Шахтёр" (Доне́цк)	— „Пахтако́р" (Ташке́нт)	
ЦСКА	— „Дина́мо" (Минск)	
„Спарта́к" (Москва́)	— „Дина́мо" (Ки́ев)	

2. Now can you predict (or just guess!) the outcome of these English/Scottish league matches? Jot down whether you think it will be a home win (H), away win (A), or draw (D).
(If you are an expert on football, you might like to predict the scores as well!)
Then listen to the results.

Арсенал	Тоттенем
Ковентри	Астон Вилла
Лестер Сити	Сандерленд
Ливерпуль	Норидж Сити
Ипсвич Таун	Манчестер Сити
Вест Хэм Юнайтед	Куинс Парк Рейнджерс
Лутон Таун	Манчестер Юнайтед
Ноттингем Форэст	Шеффилд Юнайтед
Ньюкасл Юнайтед	Саутгемптон
Эвертон	Лидс Юнайтед
Абердин	Сэлтик
Рейнджерс	Данди

Почита́ем Reading

I. Кинотеа́тры, гости́ницы, магази́ны, рестора́ны

In Moscow many cinemas, hotels, shops and restaurants bear the names of Soviet republics and their capital cities, or cities of other countries. For example:

кинотеа́тры: „Казахста́н", „Таджикиста́н", „Ки́ев", „Та́ллин", „Ташке́нт", „Росси́я", „Софи́я", „Варша́ва", „Пра́га";
гости́ницы: „Минск", „Ленингра́д", „Росси́я", „Варша́ва", „Будапе́шт", „Украи́на";
рестора́ны: „Баку́", „Гава́на", „Берли́н", „Софи́я", „Узбекиста́н";
магази́ны: „Бухаре́ст", „Ле́йпциг", „Ва́рна", „Ленингра́д", „Минск", „Москва́".

1. Can you find among these names the cities of countries outside the USSR?
2. Now look at a map of the USSR and find the republics and the capital cities included.
Did you notice any difference in the names of the republics as they are written on the map?

Таджикиста́н — Таджи́кская ССР, Узбекиста́н — Узбе́кская ССР, Казахста́н — Каза́хская ССР.

People usually use the first form when they refer to a republic in speaking. The second form is the full, official title of the republic.
3. Is it usual in Britain to give cinemas, hotels, shops or restaurants the names of cities or countries? What about streets?

II. Кинотеа́тры и кинофи́льмы

On the streets of Moscow you will see posters giving information about all the films being shown during the week. Here is an extract from one of the posters.
1. What are these three cinemas named after?
2. Can you see any English or French films on the poster?

ТАДЖИКИСТАН УЛ. КАТУКОВА, 8 МЕТРО „ЩУКИНСКАЯ" ТЕЛ. 499-15-11	4—7	Большой зал ЖЕРТВА КОРРУПЦИИ (Франция) 11, 13, 15, 17, 19, 21 Малый зал БЕЛЫЕ ВОЛКИ (СФРЮ—ГДР) Д-3 14, 16, 18, 20 МУЛЬТФИЛЬМЫ Д-1, Д-2, Д-3 10, 12
ТАЛЛИН СЕВАСТОПОЛЬСКИЙ ПРОСПЕКТ, 33 ТЕЛ. 127-10-44	4—6 7	С ТЕХ ПОР, КАК МЫ ВМЕСТЕ (Ленфильм) хх 13-40, 16, 18, 20 ШЛЯГЕР ЭТОГО ЛЕТА (Таллинфильм) х 16
ТАШКЕНТ 1-ая НОВОКУЗЬМИНСКАЯ УЛ., 1 МЕТРО „РЯЗАНСКИЙ ПРОСПЕКТ" ТЕЛ. 371-65-87	5—7 4	ВОЗВРАЩЕНИЕ БАТТЕРФЛЯЙ (ст. им. А. Довженко) Д-3 10, 12, 14-30, 17, 19 АРАБСКИЕ ПРИКЛЮЧЕНИЯ (Англия) Д-2- Д-3 10-30

III. Кинофестива́ли

International film festivals are held regularly in Moscow.
The 13th film festival was held in 1983.

ЦЕНТРАЛЬНЫЙ ДЕТСКИЙ **КИНОТЕАТР** УЛ. БАХРУШИНА, 25 МЕТРО „ПАВЕЛЕЦКАЯ" ТЕЛ. 233-42-06	7	ВНЕКОНКУРСНЫЙ ПОКАЗ ДЕТСКИХ ФИЛЬМОВ XIII МЕЖДУНАРОДНОГО КИНОФЕСТИВАЛЯ В МОСКВЕ

Look at the poster and say:
1. In which cinema were children's films shown during the festival? (**внеко́н-курсный пока́з** means the films were shown, but not entered for awards in the festival).
2. Where is this cinema situated?
3. Which is the nearest metro station to the cinema?
4. Are there special cinemas, or film shows, for children in Britain?

ENGLISH SPECIAL SECONDARY SCHOOL No 1

2

Perhaps you're wondering what kind of school this is and what its name means? Well, briefly, Special Schools are schools where a particular subject, like English, Mathematics, Biology and so on, has a special place in the syllabus and more time is given to it.

Yura and I both go to English Special Secondary School No 1 at Sokol'niki in Moscow. It's "No 1" because it was the first school of its kind to be set up. At this school we start learning English from the 2nd year—that's at the age of eight, since we start school in the 1st grade at the age of seven. (In secondary schools English is usually taught from the 4th year.)

Девятиклассники у здания английской спецшколы № 1
Ninthformers near English Special School No 1

We have an English lesson almost every day, and we learn English for nine years, until we are seventeen in the 10th grade and leave school. Many of us like English, and after studying it for all these years I suppose you could say that we speak it pretty well.

На уроке геометрии
A geometry lesson

Прощай, школа!
Good-bye, school!

Like Yura, I'm in the International Friendship Club at school, and I expect that's another reason why we were lucky enough to be asked to help at the Olympiad and meet British and American groups. They must all be good at Russian, since they're in the competition finals, but I hope we'll get a chance to speak English with them as well, sometimes.

Their programme of visits includes a trip to our school at Sokol'niki, so you'll learn more about English Special School No 1 when they come to see us.

Урок

3

третий

ЧТО ЭТО?
WHAT IS IT?

??
Как сказáть?
How do I say it?

Identifying places or things:
When I see something and want to know what it is, how do I ask to find out?

Экскурсия по Москве
A tour of Moscow

25

На
Олимпиáде
At the
Olympiad

 В АВТÓБУСЕ

The bus rolls along the broad Leningrad Highway, then turns down from Leningrad Prospect into Gorky Street and heads for the centre of the city...

Larry is asking Yura about some of the things we see from the window...

Лáрри. Юра, что э́то такóе?
Юра. Вокзáл. Э́то Белорýсский вокзáл.

As we reach Pushkin Square, Steve asks Tanya about a statue he sees on the left-hand side.

Стив. А э́то? Что э́то?
Тáня. Э́то пáмятник Пýшкину.
Стив. Пýшкин — ваш вели́кий поэ́т?
Тáня. Да, как ваш Шекспи́р.

Образéц
Generator

Asking and saying what something is.

– Что э́то?	– Э́то	кинотеáтр.
– Что э́то такóе?		магази́н.
		кафé.
		музéй.

Поговори́м,
поигрáем
Talk and play

I. Talk about the pictures
You are looking out of the window of the bus as it drives through Moscow. Ask Tanya / Yura about what you see.

Пáмятник
А. С. Пýшкину.

Библиотéка
и́мени В. И. Лéнина.

Большóй теáтр.

II. Puzzle

„ЧТО ЭТО ТАКОЕ?"

Fill in the nine horizontal lines with words for places you have just seen through the bus window, and the vertical column will produce another one. (If you need clues, look below.)

10

1. М А Г А З И Н
2. В О К З А Л
3. Р Е С Т О Р А Н
4. Л О С Т А
5. С Т А Д И О Н
6. П А М Я Т Н И К
7. К И Н О Т Е А Т Р
8. Б Т А Н З И Н
9. К А Ф Е

Clues

1. Buying and selling.	4. Need a stamp?	7. Silver screen.
2. A train to catch.	5. Sports arena.	8. Take the metro.
3. Eating out.	6. Lest we forget.	9. Cup of coffee?
		10. Home for tourists.

(Solution is in the Keys section.)

III. Game

NUMBER BINGO

1. Numbers 11 — 20

In these numbers, **де́сять** contracts to **дцать**; so eleven is "one on ten":

11 — оди́ннадцать — оди́н-на-дцать
12 — двена́дцать — две-на-дцать
13 — трина́дцать — три-на-дцать
14 — четы́рнадцать — четы́р(е)-на-дцать
15 — пятна́дцать — пят(ь)-на-дцать
16 — шестна́дцать — шест(ь)-на-дцать

27

17 — семна́дцать — сем(ь)-на-дцать
18 — восемна́дцать — восем(ь)-на-дцать
19 — девятна́дцать — девят(ь)-на-дцать
20 — два́дцать — два-дцать

In which instance is the stress not on the **на** part of the word? What do you notice about the Russian for 'twelve'? In which instances is a soft sign dropped? Where? Where is there **always** a soft sign, in all these numbers?

5		14	9	12
11	2	15	7	
16	10		18	4
	1	20	6	17
8	13	19		3

2. Pick out four of the numbers and write them down on a piece of paper. Tick off your numbers as they are called out by your teacher, or place a counter on the square. Call out **ко́нчил(а)** if you win the game.

IV. Clock subtraction

Draw a clockface, and then a line to join up the times which are opposite each other on the face.
Take the smaller number away from the larger.

Example

Оди́ннадцать ми́нус пять. Ско́лько бу́дет?

What is the result each time?

8	3	4
1	5	9
6	7	2

V. Magic Square

„СКО́ЛЬКО БУ́ДЕТ?"

Add up the numbers (add them up in Russian!) in horizontal, vertical and diagonal lines. What do you get?

📖 **Почита́ем**
Reading

I. А. С. Пу́шкин
There are many places in the USSR linked with the name of Pushkin — cities, streets, squares, theatres are named after him. The Russian Language Institute in Moscow bears his name. There are many statues to him.

There are many places which have strong associations with Pushkin both in Moscow, where he was born, and also in Leningrad (formerly called St. Petersburg), where he spent a large part of his life. Look at the photographs and read the names of these places in Moscow which are named after Pushkin.

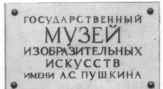

II. А. С. Пу́шкин и Н. В. Го́голь

A hundred years ago the families of two great Russian writers, **А. С. Пу́шкин** and **Н. В. Го́голь** became related by marriage.

1. Look at the chart and read the surnames, names and patronymics of the descendants of Pushkin and Gogol.

2. What do you know about Pushkin and Gogol? Have you read any of their works in English translation, or seen any of their works performed at the cinema, theatre, or on the television?

Странове́дение
Background information

GORKY STREET

Moscow's streets are very busy—streams of cars, buses, trolleybuses and taxis—but it doesn't seem as bad as in London. Perhaps that's because the main roads are so wide and the squares so large.

You won't see any big, red, double-decker buses in Moscow—they're all different single-deckers.

Moscow's main street is called Gorky Street. It is named after Gorky, the famous Soviet writer. Have you read any of his books?

Gorky Street is a wide, long main road. It runs from the square called "the 50th Anniversary of the October Revolution" to the Byelorussky railway station. Gorky Street runs through Mayakovsky Square, Pushkin Square and Soviet Square, and leads straight into Red Square.

A lot of shops, hotels, theatres, restaurants and cafés are found on Gorky Street. You'll see Pushkin's and Mayakovsky's statues, and, naturally, Gorky's

Советская площадь. Здание Моссовета
Soviet Square. The Moscow Soviet building

Памятник Юрию Долгорукому
The Yury Dolgoruky monument

Улица Горького. Площадь Маяковского
Gorky street. Mayakovsky Square

Памятник М. Горькому
Gorky's statue

here, as well. There's also a statue of Prince Yury Dolgoruky who founded Moscow in the 12th century.

On public holidays, like May Day, Gorky Street is closed to traffic and long processions of people walk along the street to Red Square.

Have a look at the photos and you'll see some of the places on the route.

Урок

4

четвёртый

КАК ЭТО ПО-РУССКИ?
HOW DO YOU SAY THAT IN RUSSIAN?

??
Как сказа́ть?
How do I
say it?

Finding the right word for it:
I can't possibly learn all the words in the Russian language at once, can I? So if I'm stuck for a word or phrase, how can I ask a Russian person to tell me how to say it?

**Интервью на Олим-
пиаде**
**An interview at the
Olympiad**

ИНСТИТУ́Т РУ́ССКОГО ЯЗЫКА́ И́МЕНИ А. С. ПУ́ШКИНА

**На
Олимпиа́де
At the
Olympiad**

After crossing the city, the bus finally pulls up at its destination on Volgin Street...

4

1 Nina Ivanovna tells us we have arrived...

Ни́на. Это у́лица Во́лгина. Вот Институ́т ру́сского языка́ и́мени А. С. Пу́шкина. А э́то ва́ше общежи́тие, гости́ница. Вы зна́ете, что тако́е общежи́тие?.. Как э́то по-англи́йски?

Сью́зан. Hostel. А гости́ница — hotel.

Ни́на. Да. Пра́вильно. Вы хорошо́ зна́ете ру́сский язы́к...

2 Nina, Tanya and Yura see us up to our rooms in the lift...

Ни́на. Девя́тый эта́ж. Здесь ва́ши ко́мнаты. По-ру́сски — девя́тый эта́ж. А как э́то по-англи́йски?

Стив. Eighth floor.

Кэ́рол. А америка́нцы говоря́т: "Ninth storey..."

Стив. Ни́на, а как по-ру́сски lift?

Ни́на. Лифт.

Стив. Про́сто. Как по-англи́йски.

Ла́рри. А мы говори́м: "Elevator".

**Образе́ц
Generator**

1. Asking how to say something in Russian or English.

Hostel. Hotel. Monument. Station.		по-ру́сски?
	Как э́то	
Общежи́тие. Гости́ница. Па́мятник. Вокза́л.		по-англи́йски?

33

3–125

2. Asking what the Russian equivalent is for an English word or vice-versa.
Telling.

– Как	по-ру́сски	hostel?	– Общежи́тие.
		lift?	– Лифт.
		shop?	– Магази́н.
		street?	– У́лица.
		post-office?	– По́чта.
	по-англи́йски	рестора́н?	– Restaurant.
		музе́й?	– Museum.
		ко́мната?	– Room.
		стадио́н?	– Stadium.
		па́мятник?	– Monument.

⊕

Поговори́м, поигра́ем
Talk and play

I. Game

Steve and Tanya have been playing a game on the bus, trying out each other's knowledge of Russian and English vocabulary. Take a role each and see who gets most right. Change roles after number six.

1. С т и в. Как по-англи́йски **вокза́л**?
2. Т а́ н я. Как по-ру́сски **cinema**?
3. С т и в. Как по-англи́йски **по́чта**?
4. Т а́ н я. Как по-ру́сски **restaurant**?
5. С т и в. Как по-англи́йски **ста́нция метро́**?
6. Т а́ н я. Как по-ру́сски **museum**?
7. С т и в. Как по-англи́йски **па́мятник**?
8. Т а́ н я. Как по-ру́сски **shop**?
9. С т и в. Как по-англи́йски **гости́ница**?
10. Т а́ н я. Как по-ру́сски **street**?
11. С т и в. Как по-англи́йски **ко́мната**?
12. Т а́ н я. Как по-ру́сски **hostel**?
13. С т и в. Как по-англи́йски **лифт**?
14. Т а́ н я. Как по-ру́сски **stadium**?

Now try testing each other without looking at your books, and see who wins.

II. Talk about the pictures

1. Use the phrase **Как это по-русски?** to ask your teacher the Russian words for these objects.
2. Now ask each other in pairs. If you can't remember a word, check from the key below.
3. Which of the Russian words are similar to the English equivalents?

телефо́н
сла́йды
фотоаппара́т
магнитофо́н
кассе́та
калькуля́тор
телеви́зор

кинока́мера
прои́грыватель
пласти́нка
видеомагнито-
   фо́н
компью́тер

III. Game

"ALPHABETICAL CHAIRS"

1. Ordinal numbers 1st — 10th

Cardinal numbers	Ordinal numbers	
оди́н	1-й	пе́рвый
два	2-й	второ́й
три	3-й	тре́тий
четы́ре	4-й	четвёртый
пять	5-й	пя́тый
шесть	6-й	шесто́й
семь	7-й	седьмо́й
во́семь	8-й	восьмо́й
де́вять	9-й	девя́тый
де́сять	10-й	деся́тый

Which of the ordinal numbers are stressed on the last syllable, and what is the ending for all these words? Compare the spelling of 7 — 7th, 8 — 8th; what happens in these instances?
After 10th, the pattern is completely logical and consistent. Can you continue the sequence — 11th, 12th, 13th?

3*

2. Now listen as your teacher reads out the row and seat numbers, and write down the appropriate letter each time. Which word do you get?

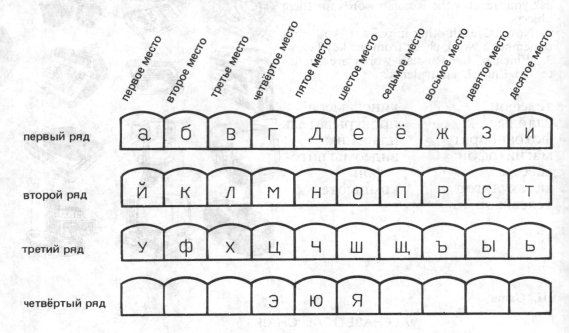

	первое место	второе место	третье место	четвёртое место	пятое место	шестое место	седьмое место	восьмое место	девятое место	десятое место
первый ряд	а	б	в	г	д	е	ё	ж	з	и
второй ряд	й	к	л	м	н	о	п	р	с	т
третий ряд	у	ф	х	ц	ч	ш	щ	ъ	ы	ь
четвёртый ряд					э	ю	я			

IV. Do you know ...?
Can you say what these objects are called in English?

— Вы зна́ете, что э́то тако́е?
— Зна́ю. Э́то спу́тник.
— А как э́то по-англи́йски?
— ...

— Вы зна́ете, что э́то тако́е?
— Зна́ю. Э́то рубль.
— А как э́то по-англи́йски?
— ...

— Вы зна́ете, что э́то тако́е?
— Зна́ю. Э́то копе́йка.
— А как э́то по-англи́йски?
— ...

— Вы зна́ете, что э́то тако́е?
— Зна́ю. Э́то самова́р.
— А как э́то по-англи́йски?
— …

1 М Г И О О
2 Р С О а
3 К Л Ь У Я О
4 М Г З Н
5 Т Л е И О
6 Г С И И а
7 Л С И К
8 у И а
9 Р И Р В Т Л
10 П Ч а
11 о Щ Ж Т е
12 ф Т ап а а

V. Puzzle

„ЧТО Э́ТО ТАКО́Е?"

Can you complete these words? (Technical equipment and places.)
(Solution is in the Keys section.)

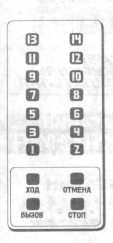

VI. Using the lift

„ВВЕРХ И ВНИЗ"

The Institute hostel is fourteen storeys high, so, unless you have a thing about keep-fit, you need to use the lifts a lot. Look at the button panel inside the lift. The button marked **ход** closes the doors and sets the lift in motion. The button marked **отме́на** can be used to change the direction of the lift when it has stopped at a particular floor. Which button would you press to stop the lift in an emergency, and which one to call for help?
Now practise with your partner what you would need to say in a lift.

1. You get in the lift between floors. You ask the people already in it whether it's going up or down.

— Вверх?
— Нет, вниз.

2. You are operating the buttons, and you ask people which floor they want as they get in, or they just tell you and you press the button for them.

— Какой (этаж)?
— Десятый.

**Почитаем
Reading**

I. Магазины

You can often tell immediately from a Soviet shop sign what is sold there.
1. Look at these shop signs and say what you can buy in each shop.
2. Do you see many shop signs of this kind in Britain?

 РАДИО
 ФИЛАТЕЛИЯ ГАЗЕТЫ ЖУРНАЛЫ
 ВОДЫ СОКИ
 МОЛОКО

 ФРУКТЫ
 МЕБЕЛЬ
 ЗООМАГАЗИН
 ПИАНИНО РОЯЛИ

II. Из окна автобуса

If you take a bus ride along Lenin Prospect, here are some of the signs you will see from the window.
1. Which signs contain words similar to English words?
2. Which of these places would you go to if you wanted to:

    a) send your parents a telegram?
    b) send your friend a postcard?
    c) see a film?
    d) buy a radio set?
    e) buy a vase as a present for your mum?

 ПОЧТА ТЕЛЕГРАФ
 Гостиница СПОРТ
 Междугородный ТЕЛЕФОН
 ГАЗЕТЫ ЖУРНАЛЫ ФИЛАТЕЛИЯ
 АПТЕКА
 МАГАЗИН ЭЛЕКТРОНИКА
 КИНОТЕАТР КАЗАХСТАН
 МАГАЗИН ИНТЕРЬЕР

THE PUSHKIN RUSSIAN LANGUAGE INSTITUTE

Our Institute is fairly new. It was opened in 1973. It's both a research and a teaching institute. We carry out linguistic research, develop new teaching methods, produce Russian textbooks and materials for teachers of Russian as a foreign language. And we have a lot of students, about a thousand every year, who come here to study the language. They come from all over the world — from Europe, Asia, North and South America and Africa... Perhaps it will be interesting for you to know that we've just had a group of students here from British universities. They were here for three months improving their Russian. British and American students regularly come to our institute.

Институт русского языка имени А. С. Пушкина
The Pushkin Russian Language Institute

The students live in a fourteen-storey hostel which is part of the Institute.
But now, of course, the hostel is full of Olympiad finalists, and many of the Institute staff are helping to organise the competition. I'm conducting some of the oral tests. A lot of the children are doing very well, and I hope they will win medals.

Урок

5

ПЯТЫЙ

КТО ЭТО?
WHO IS IT?

??

Как сказáть?
How do I say it?

Identifying people:
How do I ask who someone is, what someone's name is?
How do I tell a Russian person about my family?

Правнук Л. Н. Толстого с участниками Олимпиады
Leo Tolstoy's great grandson with the Olympiad participants

40

Моя Semya = my family

МОЯ СЕМЬЯ

When everyone has settled into their rooms, Nina explains the arrangements for the Olympiad, and the programme of visits and excursions, to Mr. Johnson and Mr. Lewis. Meanwhile we sit and chat with Yura and Tanya, and we soon all get to know each other well.

1 So Tanya suggests...

Та́ня. Ребя́та, дава́йте на ты. Хорошо́?

Сью́зан. Дава́йте. Нет!.. Дава́й.

Ю́ра. Да. Коне́чно, на ты.

2 Susan and Carol are getting along very well with Tanya. Susan has brought some photographs of her family back home and is showing them to her...

Сью́зан. Та́ня, э́то моя́ ма́ма... а э́то мой па́па...

Та́ня. А э́то? Кто э́то? Твой брат?

Сью́зан. Да, мой брат. Его́ зову́т Джим.

Та́ня. А э́то кто?

Сью́зан. Моя́ сестра́.

Та́ня. Как её зову́т?

Сью́зан. Ама́нда, Ма́нди.

3 Carol is obviously very keen on animals, because she's brought some photos of her pets as well...

Кэ́рол. Э́то моя́ соба́ка. Её зову́т Ла́сси...

Ю́ра. Краси́вая!

Кэ́рол. Э́то моя́ ко́шка...

Ю́ра. Как её зову́т?

Кэ́рол. Смо́ки.

**Образе́ц
Generator**

1. Asking and saying who someone is.

мase. **МОЙ** MOY	па́па. *papa* брат. *brother*	друг. сын. *son*
female **моя́** MY-YA	ма́ма. сестра́. подру́га.	ба́бушка. дочь. *daughter*
plural **мой** MY-EE	друзья́. подру́ги.	

– Кто э́то? – Э́то

41

2. Asking and saying what someone's name is.

– Как	его	зовут?	– Борис.
	её		– Лена.
	их		– Ваня и Коля. – Нина и Катя.

**Поговорим,
поиграем
Talk and play**

I. Talk about the pictures
Yura is showing Fiona a picture of his family taken during a weekend gathering at their dacha just outside Moscow. Ask / say who they are.
Here are the names of all the people in the picture of Yura and his family:

Юра,
его мама Анна Борисовна,
его папа Антон Сергеевич,
его брат Максим и жена брата
   Лариса,
их дочь Люся,
её кошка Мурка,
его бабушка Мария Ивановна
   и дедушка Борис Петрович,
его собака Бобик,
его сестра Катя и муж сестры
   Алексей

II. Puzzle

„КАК ИХ ЗОВУТ?"

Tanya is showing Larry a photograph of her family.
Read the dialogue and see if you can fill in the correct names and patronymics in the blanks.
Таня. Это мама.
Ларри. Как её зовут?

42

Та́ня. Маргари́та Ива́новна. А э́то па́па.
Ла́рри. Как его́ зову́т?
Та́ня. Фёдор Никола́евич. Э́то де́душка, оте́ц ма́мы.
Ла́рри. Его́ зову́т ... ?
Та́ня. Да, ... Семёнович. А э́то де́душка, оте́ц па́пы.
Ла́рри. Его́ зову́т ... ?
Та́ня. Да, ... Серге́евич. А тепе́рь скажи́, как моё о́тчество.
Ла́рри. ... .
Та́ня. Пра́вильно.
(Check your answers in the Keys section.)

III. Do you know ... ?

„КТО Э́ТО?"

1. Look at these photographs.
Do you know who these people are?
Ask / Say who they are.

2. Now practise asking each other in pairs.
   — Ты зна́ешь, кто э́то?
   — Зна́ю. Э́то ... .

3. Now can you match up these printed names to the photographs?
Read the name, and say the photograph number it goes with.

У. Шекспи́р   П. И. Чайко́вский   Ч. Да́рвин
Л. Н. Толсто́й   И. Нью́тон   Ю. А. Гага́рин

(You can check your answers in the Keys section.)

IV. Quick quiz

„КТО Э́ТО?"

Can you match up the names of famous Russian people with the following clues?

1. Author of "Anna Karenina".	В. В. Терешко́ва
2. The first man in space.	А. С. Пу́шкин
3. A famous Russian dramatist.	А. П. Че́хов
4. The first woman in space.	Л. Н. Толсто́й
5. Great Russian poet.	П. И. Чайко́вский
6. World chess champion.	Г. К. Каспа́ров
7. Author of "Crime and Punishment".	Ф. М. Достое́вский
8. Composer of the ballet "Swan Lake".	Ю. А. Гага́рин

V. Puzzle

„ЧТО Э́ТО ТАКО́Е?"

Fill in the words across and the vertical column will produce another word. Which?

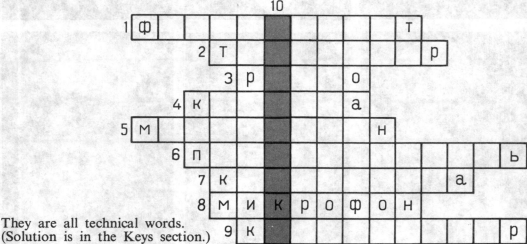

They are all technical words.
(Solution is in the Keys section.)

44

VI. Connections
Match up the questions with the replies.

 **КАК ВАС ЗОВУТ?**

 **ВОКЗАЛ.**

 **ЧТО ЭТО ТАКОЕ?**

 **СЬЮЗАН. А ВАС?**

 **КТО ЭТО?**

 **МЕТРО.**

 **КАК ПО-РУССКИ „МЕТRO"?**

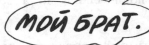

 **МОЙ БРАТ.**

Грамма́тика
Grammar
rules, OK?

This section of the course will help you to have a clear understanding of language patterns which you will use in speaking and writing Russian. It will also help you to build up your knowledge of the Russian language, so that you will be able to recognise and understand other forms in wider listening and reading.

Here are some points arising from lessons 1 — 5.

1. Articles
Russian people learning English often have great difficulty in knowing when to use the definite article 'the', the indefinite article 'a', or when to use no article. Why will you have no difficulty with articles in learning Russian?

2. The verb 'to be'
Why will you have no difficulty with Present Tense forms of this verb in Russian?

3. The gender of nouns
As in French, German, Spanish and Italian, each noun in Russian belongs to a particular gender. There are three genders in Russian: masculine, feminine and neuter. You will naturally want to know whether it is easy to recognise the gender of a noun in Russian instantly, or whether you have a lot of memorising to do.

Find out through the following steps.

1) Firstly, look at these masculine and feminine names:

Бори́с	Михаи́л	Ни́на	Ве́ра
Ива́н	Ю́рий	А́нна	Мари́я
Ви́ктор	Никола́й	Лари́са	Ната́лья

Can you see any pattern?
What do these masculine and feminine names end in?

2) Now look at these nouns:

подру́га	пласти́нка	по́чта	ста́нция	
друг	теа́тр	лифт	магази́н	музе́й

3) Which ones are masculine, and which feminine?
The following nouns are neuter. What can you say about them?

   метро́, кино́, кафе́, ме́сто, общежи́тие

4) Can you now formulate a rule about the gender of nouns in Russian? What are the endings for masculine, feminine and neuter nouns?

5) The only instance where you may be in doubt about gender concerns a relatively small number of nouns ending in a soft sign which may be either masculine or feminine.

Examples

   рубль, прои́грыватель, день (day) — masculine
   мать (mother), пло́щадь (square) — feminine

6) Returning to names, what do you notice about these short, diminutive forms of boys' names?

   Бо́ря, Ва́ня, Ви́тя, Ми́ша, Ю́ра, Ко́ля

Does the form of **па́па** make Dad any less masculine?

46

7) Now test your knowledge by identifying the gender of the following nouns. Write them out in three columns under the heads: masculine, feminine, neuter.

ко́шка	па́мятник	брат	метро́
музе́й	сестра́	рубль	копе́йка
ста́нция	кафе́	компью́тер	ме́сто
соба́ка	общежи́тие	прои́грыватель	день
у́лица	самова́р	пло́щадь	ко́мната
стадио́н	па́па	рестора́н	ма́ма

4. The plural of nouns

1) Masculine nouns ending in a hard consonant and feminine nouns ending in **-a** normally have a plural form ending in **-ы.**

$$\text{магази́н} — \text{магази́ны}$$
$$\text{ко́мната} — \text{ко́мнаты}$$

There is, however, a rule in Russian which says the letter **и** must be written after the consonants **г, к, х, ж, ч, ш, щ.**

подру́га   — подру́ги
пласти́нка — пласти́нки
ко́шка   — ко́шки
соба́ка   — соба́ки
мяч (ball) — мячи́
каранда́ш — карандаши́
(pencil)

2) Almost all masculine nouns ending in a soft sign or **-й,** and feminine nouns ending in a soft sign or **-я** will have a plural form ending in **-и.**

рубль   — рубли́
музе́й   — музе́и
пло́щадь — пло́щади
ста́нция   — ста́нции

3) Neuter nouns ending in **-о** have a plural form ending in **-a.**
Those ending in **-e** have a plural form ending in **-я.**

ме́сто   — места́
общежи́тие — общежи́тия

Several neuter words of foreign origin, for example, **метро́, кафе́, кино́** never change their form at all, and the plural is the same as the singular.

5. Possessive pronouns мой, твой, наш, ваш

1) These must agree in gender with singular nouns.
The plural form is the same for nouns of all genders.

мой	твой	наш	ваш	друг
моя́	твоя́	на́ша	ва́ша	подру́га
моё	твоё	на́ше	ва́ше	ме́сто
мои́	твои́	на́ши	ва́ши	друзья́, подру́ги, места́

47

2) Note that you do not have to learn separate forms for, e. g. 'my' and 'mine' in Russian:

| Это мои́ пласти́нки. | These are my records. |
| Э́ти пласти́нки — мои́. | These records are mine. |

3) Test yourself by writing out combinations which are both correct and sensible, using the following words with possessive pronouns **мой, наш.**

Examples

мой самова́р, на́ша у́лица

ко́мната	брат	кассе́ты	общежи́тие
друзья́	соба́ка	семья́	прои́грыватель
ме́сто	места́	эта́ж	сестра́
пласти́нки	ко́мнаты	ма́ма	па́па

??▲❶ Прове́рьте себя́ Test yourselves

This part of the course is to help you assess your own progress and to check how well you remember language learned in previous lessons. You can ask your teacher if there is anything you are not clear about, or brush up individual points by referring back to the Generators in the Lessons.

Do you remember how to:
1. Say what your name is.
2. Ask someone what he / she is called.
3. Make a polite response when someone introduces himself, or is introduced to you, for the first time.
4. Take the initiative and introduce yourself to someone.
5. Ask what something is (e. g. some building, monument or object unknown to you).
6. Ask who someone is (e. g. a person you haven't met before, someone in a photograph or a portrait on the wall).
7. Ask how to say something in Russian (e. g. pointing out some object).
8. Ask what the Russian equivalent for an English word is.

Почита́ем Reading

I. „Ты и вы"

Read this verse of one of Pushkin's poems called „Ты и вы".

Пусто́е *вы* серде́чным *ты*
Она́, обмо́лвясь, замени́ла
И все счастли́вые мечты́
В душе́ влюблённой возбуди́ла...

1. Ask your teacher to read this verse aloud to you, and to explain its meaning.
2. Does it help you to appreciate the importance of the distinction between **вы** and **ты** in Russian?

II. На́дя Ру́шева

The name of Nadya Rusheva is well-known in the Soviet Union. She was a young girl artist with a remarkable talent. Unfortunately, she died in 1969 at the age of seventeen. But in her short life she produced more than 10,000 drawings. Nadya's first drawings were published when she was eleven.

One of Nadya's favourite subjects was **А. Пу́шкин.** Here you can see some of Nadya's drawings from a cycle called „**Пушкиниа́на**".

Can you read the titles which Nadya gave her drawings? If you do not understand, ask your teacher to help you.

Поэт с сестрой.

Поэт в тринадцатилетнем возрасте.

Поэт в возрасте шестнадцати лет.

Поэт в тридцатилетнем возрасте.

Странове́дение
Background
information

MOSCOW

Moscow is our capital city. It is a historical centre, founded in 1147. But it is also a modern city, with new buildings going up everywhere, and each year it gets bigger and bigger. Over eight million people live in Moscow, and each year new blocks of flats are built for hundreds of thousands of Muscovites.

If you asked me what I would show you in Moscow, I wouldn't know where to start, as there's so much: Red Square, the Kremlin, the Bolshoi Theatre, the University, Sokol'niki Park, the old Arbat, Kalinin Prospect, the Exhibition of Economic Achievements, Ostankino TV Tower, as well as examples of traditional Russian architecture, and so on.

4–125

Проспект Калинина
Kalinin Prospect

Одна из улиц старой Москвы
A street in the old part of Moscow

Кузнецкий мост
Kuznetsky Most

Останкинская телебашня
Ostankino TV Tower

But perhaps everyone has a soft spot for the place where they were born, the street and house where they spent their childhood. This is where I was born—a small street in the centre of Moscow called Kuznetsky Most ("Blacksmiths' Bridge"). The name of this street is linked with its past. A long time ago, in the 15th century, there was a river here, called the Neglinnaya, and there was a bridge across it. Blacksmiths lived here. Then, in the 19th century buildings were constructed over the river and the bridge became a street. If you look at the photograph, you won't see any bridge, but I think you will get the feel of Moscow as it was in the past.

Урок

6

шестой

ВЫ НЕ ЗНАЕТЕ, ГДЕ ...?
CAN YOU TELL ME WHERE ...?

??
Как сказать?

Asking for or giving information:
How do I ask or tell where something or someone is?

Гостиница «Украина» в Москве
The hotel "Ukraine" in Moscow

В ОБЩЕЖИТИИ

Tomorrow morning, on the first day of the Olympiad, we're going to have a sightseeing tour of Moscow. So Yura has brought a map of Moscow with him, and is showing Carol where some of the places are...

1 Carol is keen on ballet, and Yura points out on a map where the Bolshoi is...

Юра. Кэрол, ты зна́ешь, где здесь Большо́й теа́тр?

Кэрол. Нет, не зна́ю.

Юра. Вот он. Ви́дишь?

Кэрол. Ви́жу.

2 Well, it's been a long day—a hot June day—and, after the flight and bus drive, Larry and Steve feel like a cool drink. They ask the dezhurnaya (the lady on duty) on our floor where the snack bar is...

Ла́рри. Скажи́те, пожа́луйста, где здесь буфе́т?

Дежу́рная. Буфе́т? Внизу́. На второ́м этаже́.

Стив. Спаси́бо.

Дежу́рная. Пожа́луйста.

3 Susan asks Tanya where Steve and Larry have got to...

Сью́зан. Та́ня, ты не зна́ешь, где Стив и Ла́рри?

Та́ня. Они́ в буфе́те.

Образец

1. Asking whether someone knows where a place is.
Saying whether I do or don't.
Pointing the place out.

– Ты зна́ешь,	где	Юра? Большо́й теа́тр? университе́т?
– Вы зна́ете,		Та́ня? Кра́сная пло́щадь? пло́щадь Свердло́ва?
		на́ше общежи́тие?

– (Да.) Зна́ю.

– (Нет.) Не зна́ю. – Вот | он.
| она́.
| оно́.

– Ви́дишь? (Ви́дите?) | — (Да.) Ви́жу.

2. Asking for directions to a place which is in the vicinity.
Thanking the person. Acknowledging thanks.

	газе́тный кио́ск?
– Скажи́те, пожа́луйста, где здесь	кинотеа́тр?
	магази́н ,,Пода́рки"?
	по́чта?
	у́лица Во́лгина?
	кафе́?

он.		
–Вот	она́.	– Спаси́бо.	– Пожа́луйста.
оно́.		

3. Asking whether someone knows where someone is. Saying
whether I do or don't.
(You use the question form with **не** when you want to
find something out.)

		Кремль?		он.
		Ла́рри?		
		Стив?		
– Ты не зна́ешь,	где	у́лица Го́рького?	– Вот	она́.
		Кэ́рол?		
– Вы не зна́ете,		Ни́на?		
		Та́ня и Ю́ра?		они́.
		Сью́зан и Стив?		
		А́лан и Дейв?		

Поговорим, поиграем

I. Talk about the pictures
Practise in pairs.
Yura is pointing out places on a map of Moscow.

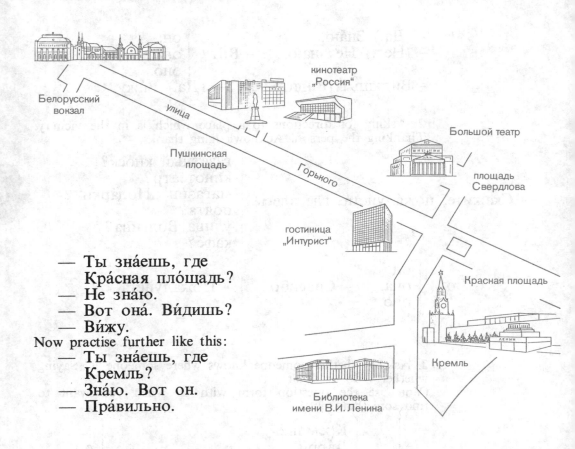

Белорусский вокзал

улица

кинотеатр „Россия"

Пушкинская площадь

Горького

Большой театр

площадь Свердлова

гостиница „Интурист"

Красная площадь

Кремль

Библиотека имени В.И. Ленина

— Ты зна́ешь, где
   Кра́сная пло́щадь?
— Не зна́ю.
— Вот она́. Ви́дишь?
— Ви́жу.

Now practise further like this:

— Ты зна́ешь, где
   Кремль?
— Зна́ю. Вот он.
— Пра́вильно.

II. Role playing

„СКАЖИ́ТЕ, ПОЖА́ЛУЙСТА, ГДЕ ЗДЕСЬ ... ?"

Practise in pairs, taking it in turns to ask for directions.
You have just left the hostel to explore the area around Volgin Street.
1. You are looking for the local post office—you want to buy some stamps.
2. You want to find out where the nearest metro station ("Kaluzhskaya") is, so you will know how to get into the centre of Moscow quickly.
3. You are looking for a newspaper kiosk, because you want to buy a map of Moscow.
4. Someone stops you, and asks where, e. g. a café, is. What do you say?
5. Now you have lost your bearings, and are not sure which way to get back to Volgin Street.
6. You do get back, and feel like a cup of coffee, so you ask the dezhurnaya where the snack bar is.

III. Puzzle

RUSSIAN WORDSEARCH

How many places can you find in the square? Each word goes in a straight line: across, down, up or down diagonally. No words are written backwards. Write each word down as you find it.
(Solution is in the Keys section.)

г	а	п	о	ч	к	л	м	р	а	н	ш	о
д	о	э	м	а	г	а	з	и	н	в	р	б
к	е	с	ы	г	о	б	щ	е	л	т	и	щ
и	ж	с	т	а	д	и	о	н	е	ь	ф	е
н	и	т	ю	и	ф	е	и	м	т	а	ц	ж
о	п	е	д	м	н	к	я	с	к	н	д	и
т	м	а	г	а	у	и	й	к	а	м	о	т
е	у	т	б	т	ц	з	ц	т	с	у	п	и
а	з	р	с	н	к	ь	с	а	т	з	о	е
т	ц	о	а	ж	и	а	з	г	а	е	ч	а
р	г	т	е	а	р	у	ф	о	н	й	т	с
о	с	т	а	д	м	ь	т	е	а	н	а	е
л	м	р	е	с	т	о	р	а	н	о	ш	ь

6

IV. Role playing

„ВЫ НЕ ЗНА́ЕТЕ, ГДЕ ... ?"

1. You are looking for people in the hostel, e. g. Nina, Alan Johnson, Dave Lewis, Carol, Larry, Steve, Fiona, Susan.
You ask someone you know, e. g. Tanya or Yura.
   — Ты не зна́ешь, где ... ?
2. Now you ask, e. g. the dezhurnaya, where things are.
   — Вы не зна́ете, где ... ?

You're looking for the telephone.
You're trying to find the buffet.
You want to know where room 12 is.
You've lost the lift.
You're looking for room 19.

3. Now ask the dezhurnaya where various room numbers are, using:

— Скажи́те, пожа́луйста, где ... ?

4. Imagine you are looking for friends from your class. Ask/point out where they are, using:

— Скажи́, пожа́луйста, где ... ?

— Вот он / она́ / они́.

V. Do you know ... ?

Ask whether your partner knows where these cities are on the map of the USSR.

1—РСФСР; 2—Украинская ССР; 3—Белорусская ССР; 4—Узбекская ССР; 5—Казахская ССР; 6—Грузинская ССР; 7—Азербайджанская ССР; 8—Литовская ССР; 9—Молдавская ССР; 10—Латвийская ССР; 11—Киргизская ССР; 12—Таджикская ССР; 13—Армянская ССР; 14—Туркменская ССР; 15—Эстонская ССР.

Example

— Ты зна́ешь, где Москва́?

— Коне́чно, зна́ю. Вот она́.

1. Москва́. 2. Ленингра́д. 3. Ки́ев. 4. Новосиби́рск. 5. Свердло́вск. 6. Волгогра́д. 7. Баку́. 8. Ташке́нт. 9. Ирку́тск. 10. Владивосто́к.

Which of these cities are in the RSFSR?
Which of them are capital cities of the Union Republics?
Which city is farthest from Moscow, and which nearest?
What do you think is the meaning of **-град** in the names **Ленингра́д, Волгогра́д?**

VI. Magic square

„СКО́ЛЬКО БУ́ДЕТ … ?"

1. Numbers 20—100
20 — два́дцать — два-дцать
30 — три́дцать — три-дцать
40 — со́рок
50 — пятьдеся́т — пять-десят

60 — шестьдеся́т — шесть-десят
70 — се́мьдесят — семь-десят
80 — во́семьдесят — восемь-десят
90 — девяно́сто
100 — сто

What does the contraction for **де́сять** become after 20 and 30? Is there a soft sign in the words for 50, 60, 70, 80? Where is it?

16	2	3	13
5	11	10	8
9	7	6	12
4	14	15	1

2. Add up the numbers in Russian, horizontally, vertically and diagonally.

**Грамма́тика
Grammar
rules, OK?**

1. Personal pronouns
1) These forms of the pronouns are used as the subject of a sentence.

| я | ты | он | она́ | мы | вы | они́ |

Example

Я зна́ю, где теа́тр.
subject

2) These forms of the pronouns are used for the direct object of a sentence:

| меня́ | тебя́ | его́ | её | нас | вас | их |

Example

Ни́на зна́ет меня́.
subject   direct object

What are the subject and direct object forms of Personal pronouns in English?

57

Figure it out

Can you identify the subject and direct object forms in these Russian sentences?

1. Я зна́ю его́.
2. Они́ не зна́ют меня́.
3. Я не ви́жу её.
4. Он не ви́дит их.

2. Verbs (1st and 2nd conjugations)

There are just two conjugations in Russian.
The Present Tense of verbs of the 1st conjugation.
Example: the verb **знать,** 'to know'.

Я	зна́ю,	кто э́то.
Ты	зна́ешь,	что э́то тако́е.
Он / Она́	зна́ет,	как э́то по-ру́сски.
Мы	зна́ем,	как её зову́т.
Вы	зна́ете,	где Большо́й теа́тр.
Они́	зна́ют,	где гости́ница.

The Present Tense of the 2nd conjugation
Example: the verb **ви́деть,** 'to see'.

Я	ви́жу
Ты	ви́дишь
Он / Она́	ви́дит
Мы	ви́дим
Вы	ви́дите
Они́	ви́дят

3. Formality and informality

Like the use of 'vous' and 'tu' in French, Russian has **вы** and **ты** forms for polite or informal ways of talking to people.

The polite **вы** is the normal mode of address, and **ты** is reserved for the family circle, close friends, children and talking to the dog.

You should use **ты** in talking to each other in class, but **вы** when you speak to your teacher.

In the USSR it is advisable always to use **вы** unless students, for example, suggest „Дава́йте на ты".

Here is a summary of formal and informal equivalents you have met in lessons:

Formal **вы**	Informal **ты**
Здра́вствуйте.	Здра́вствуй.
Как вас зову́т?	Как тебя́ зову́т?
Познако́мьтесь, э́то ...	Познако́мься, э́то ...
Вы зна́ете, где ...?	Ты зна́ешь, где ...?
Скажи́те, пожа́луйста, ...	Скажи́, пожа́луйста, ...

Почитаем

I. Спекта́кли

The titles of many plays and operas contain names and surnames.

1. Read the titles on the programmes.
2. Which of these titles are familiar to you?
3. Can you name the composers of any of these works?
4. Have you seen any of them performed in Britain, in the theatre or on television?

II. Моско́вский Кремль

The Moscow Kremlin is a remarkable complex of historic buildings and monuments. But the Kremlin is also the place where **Верхо́вный Сове́т СССР** and **Сове́т Мини́стров СССР** work.

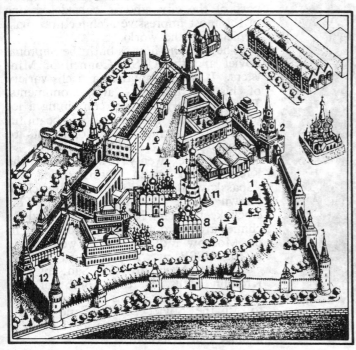

1 — памятник В. И. Ленину; 2 — Спасская башня; 3 — Кремлевский Дворец Съездов; 4 — здание Совета Министров СССР; 5 — Большой Кремлевский Дворец (здесь заседает Верховный Совет СССР); 6 — Соборная площадь; 7 — Успенский собор; 8 — Архангельский собор; 9 — Благовещенский собор; 10 — Колокольня Ивана Великого; 11 — Царь-колокол; 12 — Оружейная палата.

Look at the map of the Kremlin, and try to find some of the things named in the key.

1. Can you find:
   a) the buildings where the Council of Ministers of the USSR and the Supreme Soviet of the USSR work?
   b) the statue to Lenin?
   c) the Uspensky Cathedral?
   d) the bell tower of Ivan the Great?
   e) the Tsar bell?
   f) the Spasskaya Tower?
2. Ask your teacher about other things in the key which you do not understand.

✖ Страноведе-
ние

THE KREMLIN AND THE TOMB OF THE UNKNOWN SOLDIER

Кремлёвские куранты
The Kremlin Chimes

Do you know the derivation of the word "kremlin"? Kremlins were fortresses for defending cities. Some still remain in old Russian cities such as Novgorod, Pskov, Tula and Gorky.

The Moscow Kremlin is the oldest part of the city, and is considered one of the most impressive architectural masterpieces in the world.

The Kremlin houses both the Supreme Soviet and the USSR Council of Ministers. It also contains a rich variety of historic buildings and monuments. These include museums, containing a lot of jewels and treasures, and beautiful cathedrals — architectural monuments to Russia's past.

There are twenty towers round the Kremlin. The main tower, called the "Spasskaya Bashnya" contains the clock known as the "Kremlin Chimes". This clock keeps exact Moscow time, and its chimes are heard at midday and midnight on Moscow radio. It is as well-known in the USSR as "Big Ben" in Britain.

In the Alexandrovsky Sad, by the Kremlin walls, is the Tomb of the Unknown Soldier. This is a memorial to all the Soviet soldiers and people who lost their lives in the 1941-45 War against Nazi Germany.

Могила Неизвестного солдата
The Tomb of the Unknown Soldier

An eternal flame burns over the Tomb day and night, and nearby are blocks of granite in which earth from the Hero Cities has been placed. The title "Hero City" is awarded only to Soviet cities which were heroically defended by their own local population fighting with the Soviet Army throughout the Great Patriotic War. This title has been awarded to the cities of Moscow, Leningrad, Volgograd, Kiev, Minsk, Odessa, Sevastopol', Novorossiysk, Kerch', Tula and Brest.

One can always find lots of fresh flowers on the Tomb. It is customary for young newlyweds to go to the Tomb of the Unknown Soldier after their Wedding Ceremony to place flowers there.

Урок

7

седьмой

У КОГО ЕСТЬ ...?
WHO'S GOT ...?

??
Как сказать?

Inquiring:
How do I ask whether someone has, for example, a camera; or whether he's got it with him; whether a shop has the thing I want to buy?
If I don't have something I need, how can I ask to borrow it?

Подарки от наших новых друзей
Presents from our new friends

На Олимпиаде

ЭКСКУ́РСИЯ ПО МОСКВЕ́

Monday, 22nd June. The morning dawns bright and sunny... Today we're going into the heart of Moscow, to see Red Square and the Kremlin, and the weather is just right for sightseeing and taking photographs...

1 Before we set off, Susan goes to buy an illustrated map of Moscow from a newsstand nearby on Volgin Street. She can't see one on display in the kiosk...

Сью́зан. Скажи́те, пожа́луйста, у вас есть план Москвы́?

Киоскёр. Есть. Во́семьдесят копе́ек.

Сью́зан. Спаси́бо.

2 As we get into the bus, Tanya wants to make sure that Larry has got his camera with him...

Та́ня. Ла́рри, у тебя́ есть фотоаппара́т?

Ла́рри. Есть. Вот он.

Та́ня. Хорошо́.

3 On the way into the centre of Moscow, Carol wants to get her bearings and check the route...

Кэ́рол. Ребя́та, у кого́ есть план Москвы́?

Сью́зан. У меня́. Вот он.

Кэ́рол. Дай, пожа́луйста.

Сью́зан. Пожа́луйста.

Образец

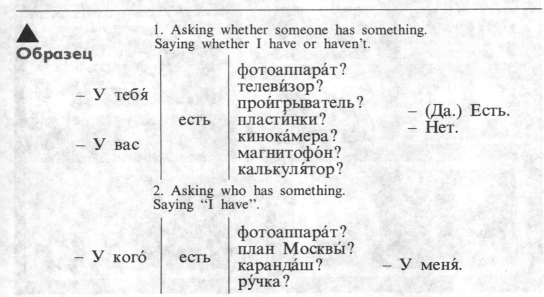

1. Asking whether someone has something.
Saying whether I have or haven't.

| – У тебя́
– У вас | есть | фотоаппара́т?
телеви́зор?
про́игрыватель?
пласти́нки?
кинока́мера?
магнитофо́н?
калькуля́тор? | – (Да.) Есть.
– Нет. |

2. Asking who has something.
Saying "I have".

| – У кого́ | есть | фотоаппара́т?
план Москвы́?
каранда́ш?
ру́чка? | – У меня́. |

63

I. Role playing

„У ВАС ЕСТЬ ... ?"

You are at a newspaper kiosk in Moscow.
Ask the lady in the kiosk whether she has the following things.
The lady tells you the price:

1. Газе́та „Изве́стия" — четы́ре копе́йки.
2. Журна́л „Сове́тский Сою́з" — во́семьдесят копе́ек.
3. План Москвы́ — во́семьдесят копе́ек.
4. План метро́ — два́дцать копе́ек.
5. Каранда́ш — две копе́йки.
6. Ру́чка — три́дцать пять копе́ек.
7. Откры́тки „Москва́" — се́мьдесят копе́ек.
8. Откры́тки „Метро́" — пятьдеся́т копе́ек.
9. Газе́та „Комсомо́льская пра́вда" — три копе́йки.

II. Game

Look at the denominations in coins and notes, then play a game to help you learn them. Pick out four items and write them down. Put a counter on the coin or note when you hear it called out.

III. Puzzle

„КАКО́Е Э́ТО СЛО́ВО?"

1. Look at the pictures and ask each other or your teacher how to say this in Russian:

— Как э́то по-ру́сски?

2. Write the words down in the same order on a piece of paper.
3. Take the first letter of the first word, the second letter of the second word... and form a new word.

Како́е э́то сло́во?

(Solution is in the Keys section.)

IV. Puzzle

„СЕМЬЯ"

All the words in this crossword are for members of the family, and pets. The number in each box corresponds to a particular letter in the Russian alphabet. Start with the letter **ж** and work out your first word. This will then tell you the letters which correspond to other numbers. Once you get started, you should be able to solve the complete puzzle.

								12	8	12	14	15	3
	1							13		11			
	3							17		10			
	1	5	4 ж							3			
	3		8							2			
			17		10	15	3	14					
	6	3	6	3									
				10									
	7	8	7	5	18	2	3						
	11		18										
	9		2	11	18	2	3						
	16		3										

(Solution is in the Keys section.)

V. Game

„У КОГО́ ЕСТЬ ... ?"

Select six objects and write down the words for them on a piece of paper. Listen carefully and place, e. g. a counter or small coin on each picture when the word is called out.

VI. Game

"THINK OF A NUMBER ... "

Think of any number from 1 to 63 on this "magic chart".

Tell your teacher which columns the number appears in, and see whether he can tell you the number you thought of.

А	Б	В	Г	Д	Е
1	2	4	8	16	32
3	3	5	9	17	33
5	6	6	10	18	34
7	7	7	11	19	35
9	10	12	12	20	36
11	11	13	13	21	37
13	14	14	14	22	38
15	15	15	15	23	39
17	18	20	24	24	40
19	19	21	25	25	41
21	22	22	26	26	42
23	23	23	27	27	43
25	26	28	28	28	44
27	27	29	29	29	45
29	30	30	30	30	46
31	31	31	31	31	47
33	34	36	40	48	48
35	35	37	41	49	49
37	38	38	42	50	50
39	39	39	43	51	51
41	42	44	44	52	52
43	43	45	45	53	53
45	46	46	46	54	54
47	47	47	47	55	55
49	50	56	56	56	56
51	51	57	57	57	57
53	54	58	58	58	58
55	55	59	59	59	59
57	58	60	60	60	60
59	59	61	61	61	61
61	62	62	62	62	62
63	63	63	63	63	63

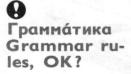

Граммáтика
Grammar rules, OK?

1. The Interrogative pronoun кто?

1) Can you say why this is called an 'interrogative' pronoun? What is it used for?

2) When this pronoun is used as the direct object of a sentence it takes the form **кого?** (The change of form arises from the case system used in Russian which you will learn about in the next Lesson.)

Example

Who(m) does he know?

Кого́ он зна́ет?

direct
object   subject

3) The same form is used after the preposition **у** in the construction **У кого́ есть ...?**

Example

Who has / Who's got a stamp?

У кого́ есть ма́рка?

In Russian, this construction is used to denote possession instead of a verb 'to have'. It asks, literally, "In the possession of whom is there... a stamp?"

2. Personal pronouns

You already know the subject and direct object forms of these pronouns. The table below also includes the forms you will use in answer to the question **У кого́ есть ... ?**

Кто зна́ет?	я	ты	он	она́	мы	вы	они́
Кого́ он зна́ет?	меня́	тебя́	его́	её	нас	вас	их
У кого́ есть ма́рка?	У меня́	тебя́	него́	неё	нас	вас	них

Do you notice any differences between the forms of the object pronouns and those used in answer to the question **У кого́ есть ... ?** Can you think why the **н** creeps in? Does it make these forms easier to say? Try it, with and without the **н**.

Почита́ем

I. Райо́ны Москвы́

The population of Moscow is more than eight million. The city occupies an area of 878.7 square kilometres, and is divided into regions or districts.

1. Look at the map of Moscow and read the names of the districts.
2. Which districts are situated in the city centre?
3. Can you find **у́лица Во́лгина** and say which district **Институ́т ру́сского языка́ и́мени А. С. Пу́шкина** is in?
4. Note that Muscovites do not say "I live in the North / South of Moscow". They name the street.

69

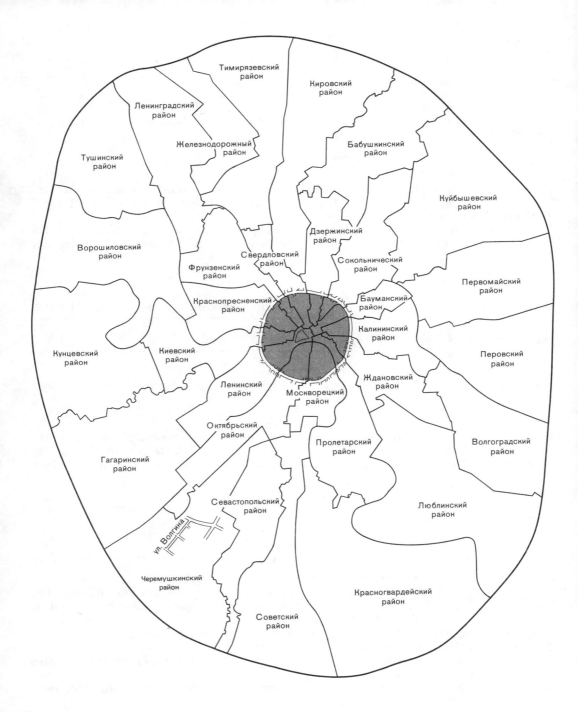

Тимирязевский район

Кировский район

Ленинградский район

Бабушкинский район

Железнодорожный район

Тушинский район

Куйбышевский район

Дзержинский район

Ворошиловский район

Свердловский район

Сокольнический район

Первомайский район

Фрунзенский район

Краснопресненский район

Бауманский район

Калининский район

Кунцевский район

Киевский район

Перовский район

Жданоский район

Ленинский район

Москворецкий район

Октябрьский район

Пролетарский район

Волгоградский район

Гагаринский район

Севастопольский район

Люблинский район

ул. Волгина

Черемушкинский район

Красногвардейский район

Советский район

70

II. О Москве́

Here are some lines about Moscow written by the great Russian poets **А. С. Пу́ш-кин** and **М. Ю. Ле́рмонтов.**

> Москва́... Как мно́го в э́том зву́ке
> Для се́рдца ру́сского слило́сь!
> Как мно́го в нём отозвало́сь!
>
> А. С. Пу́шкин

> Москва́, Москва́!.. люблю́ тебя́ как сын,
> Как ру́сский, — си́льно, пла́менно и не́жно!
>
> М. Ю. Ле́рмонтов

Do you know of any poems or songs about London which are similar in sentiment?

7

Страноведе-ние

RED SQUARE

Here we are in Red Square, right in the centre of Moscow. In Old Russian "krasnaya" (red) meant "beautiful". Isn't it a unique and fascinating place?

Кра́сная пло́щадь
Red Square

Участники Олимпиады у Мавзолея
В. И. Ленина
The Olympiad participants in front of Lenin's
Mausoleum

Участники Олимпиады у собора Василия
Блаженного
The Olympiad participants in front of St. Basil's
Cathedral

This is Lenin's Mausoleum near the Kremlin Wall. By the entrance there are wreaths and flowers and two soldiers stand permanently on guard. Millions of Soviet people and visitors from all over the world visit this Mausoleum.

By the Mausoleum, in front of the Kremlin Walls, one can visit the graves and monuments of outstanding Soviet statesmen and heroes of the Great October Socialist Revolution, and the Civil and Great Patriotic Wars.

Red Square is the place where Soviet people celebrate the great events in their history. In June, 1945, the Victory Parade was held here. And every year there is an impressive parade here to mark the anniversary of the 1917 October Revolution. In 1961, it was on Red Square that the Soviet people applauded Yury Gagarin, the first Soviet cosmonaut.

At the far end, we can see our unique St. Basil's Cathedral, with its vividly-coloured, onion-shaped domes.

At the moment there are lots of tourists from all over the Soviet Union and abroad in Red Square, sightseeing and taking photographs.

Let's take a photograph of the Olympiad participants on Red Square.

Урок

8
восьмой

ДАЙТЕ, ПОЖАЛУЙСТА...
COULD I HAVE...?

??
Как сказать?

Asking for something:
How do I ask for something, for example, at a street kiosk or in a shop?
How do I address the shop assistant, and ask to have a look at something? How do I point out the item I want?

«Московский дом книги» на проспекте Калинина
The-bookshop "Moskovsky Dom Knigi" on Kalinin Prospect

СУВЕНИ́РЫ

We spend a fascinating morning at Red Square seeing the Kremlin walls and towers, the Lenin Mausoleum, the History Museum, GUM, the Cathedral of the Intercession (St. Basil's Cathedral) — what amazing architecture! We go into the Kremlin and see the golden-domed cathedrals, the museums, the Armoury... We have a little time to buy souvenirs and postcards before we return to the hostel for lunch...

1 Larry buys a set of stamps for his younger brother Tim from a kiosk on the street...

Ла́рри. Да́йте, пожа́луйста, э́ти ма́рки.

Киоскёр. „Тра́нспорт" и́ли „Ко́смос"?

Ла́рри. Нет, „Спорт".

Киоскёр. Пожа́луйста. Рубль пятьдеся́т.

2 Susan sees an attractive packet of postcards in a souvenir shop and asks to have a look at them...

Сью́зан. Покажи́те, пожа́луйста, э́ти откры́тки.

Киоскёр. Пожа́луйста.

3 Carol is attracted by the badges...

Кэ́рол. Да́йте, пожа́луйста, э́тот значо́к.

Киоскёр. Пожа́луйста. Де́сять копе́ек.

Кэ́рол. Спаси́бо.

4 Alan wants to catch up on the news...

А́лан. У вас есть „Изве́стия"?

Киоскёр. Да, есть.

А́лан. Да́йте, пожа́луйста.

Киоскёр. Пожа́луйста.

А́лан. Спаси́бо.

Образец

Asking for something, or to have a look at something, in a shop.
Indicating which one(s) I want.

– Да́йте,		
		э́тот
	пожа́луйста,	
– Покажи́те,		э́ти

э́тот	значо́к. каранда́ш. план Москвы́. журна́л.
э́ти	ма́рки. откры́тки. фотогра́фии. пласти́нки.

$$- \text{Э́тот?} \quad | \quad \text{Пожа́луйста.}$$
$$- \text{Э́ти?} \quad |$$

**Поговорим,
поиграем**

I. Talk about the pictures
You are at a newspaper kiosk. Ask for / ask to have a look at the items on display. Specify the one(s) you want, pointing at the picture and using э́тот / э́ти.

II. Role playing

„ГАЗЕ́ТНЫЙ КИО́СК"

A. You are yourselves, taking part in the Olympiad. You are gathered at the newspaper stand by the entrance to the hostel cafeteria, after breakfast.
1. You ask to have a look at one of the sets of stamps on sale: there's an attractive looking set on dogs.
2. You want a newspaper to catch up on the latest European Cup results. Ask for a copy of "Soviet Sport".

3. You want to buy a souvenir: a colourful wooden model of a samovar.
4. You want a copy of "Izvestiya". You can't see one. Ask.
5. You buy a badge: the Kremlin one.
6. You want to look at the set of postcards showing views of Moscow.
7. You want a football supporter's badge: "Dynamo".
8. You'd like to see the postcards of the Moscow underground: "Metro".
9. You ask for a set of stamps on space exploration: "Kosmos".

B. You are the lady who works at the newspaper stand in the hostel of the Pushkin Institute.
These are some of the things you have on sale, with the prices:

газéты
„Прáвда" — 4 коп.
„Извéстия" — 4 коп.
„Совéтский спорт" — 3 коп.

журнáлы
„Совéтский Союз" — 80 коп.
„Крокодúл" — 30 коп.
„Москвá" — 90 коп.

откры́тки
„Москвá" — 60 коп.   „Кремль" — 70 коп.
„Метрó" — 50 коп.   „Ленингрáд" — 60 коп.

мáрки
„Кóсмос" — 60 коп.   „Трáнспорт" — 60 коп.
„Спорт" — 1 руб. 20 коп.   „Собáки" — 1 руб. 30 коп.

значкú
„Москвá" — 15 коп.   „Кремль" — 20 коп.
„Динáмо" — 10 коп. „Спартáк" — 10 коп.

сувенúры
матрёшка — 1 руб. 50 коп.
самовáр — 9 руб. 60 коп.

III. Puzzle

„КАКÓЕ ЭТО СЛÓВО?"

1. Look at the pictures and say what they represent. If you don't know some of the words, ask how to say them in Russian.
2. Now take the first letter of the first word, the second letter of the second word, etc. and form a new word.
(Solution is in the Keys section.)

IV. Role playing
"ASK A POLICEMAN"

A. You are a militsioner (policeman) on duty on Gorky Street. Foreign tourists seem to be pretty thick on the ground today... they keep asking you for directions. You're a genial sort of chap, so point out the places for them.

B. You are yourselves. You're looking for places on Gorky Street, but it's a big, long street...

There's a militsioner standing near the traffic lights. Go up to him and ask. You are looking for:

1. Магази́н „Пода́рки".
2. По́чта.
3. Кинотеа́тр „Росси́я".
4. Па́мятник А. С. Пу́шкину.
5. Ста́нция метро́ „Маяко́вская".
6. Гости́ница „Минск".
7. Рестора́н „Ара́гви".
8. Пу́шкинская пло́щадь.
9. Гости́ница „Интури́ст".
10. Зал Чайко́вского.
11. Магази́н „Эфи́р".
12. Па́мятник Юрию Долгору́кому.

8

V. Magic Square

„СКО́ЛЬКО БУ́ДЕТ?"

Add up the numbers in horizontal, vertical and diagonal lines, then state your conclusion in Russian.

21	1	12	7
11	8	20	2
5	10	3	23
4	22	6	9

❗ Грамма́тика
Grammar rules, OK?

1. The Demonstrative pronoun э́тот, 'this / this one'

1) Can you say why this pronoun is called 'demonstrative'? What is its function?

2) This pronoun, like the Possessive pronouns **мой, твой, наш, ваш,** must agree in gender with singular nouns. The plural form is the same for all genders.

Masc.	э́тот	значо́к
Fem.	э́та	пласти́нка
Neut.	э́то	ме́сто
Plur.	э́ти	значки́, пласти́нки, места́

77

3) Careful! Do not confuse the use of these forms with the use of **э́то** + noun to mean 'This is/These are ...'. Compare these sentences:

Э́то мой значо́к.	Э́тот значо́к — мой.
This is my badge.	This badge is mine.
Э́то моя́ пласти́нка.	Э́та пласти́нка — моя́.
This is my record.	This record is mine.
Э́то моё ме́сто.	Э́то ме́сто — моё.
This is my seat.	This seat is mine.
Э́то мой ма́рки.	Э́ти ма́рки — мой.
These are my stamps.	These stamps are mine.

In the examples on the left, does the form of **э́то** ever change?

4) The Demonstrative pronoun **э́тот** can also be used on its own, without a noun, like this:

— Да́йте, пожа́луйста, значо́к.
— Э́тот?
— Да.

— Да́йте, пожа́луйста, ма́рки.
— Э́ти?
— Да.

What would the English equivalents for **э́тот** and **э́ти** be in these examples?

2. Introduction to Cases

Russian, like Latin and German, has a case system. There are six cases in Russian. You have so far made some use of three of them:

1) The Nominative Case, to indicate the subject of a sentence.
2) The Accusative Case, to indicate the direct object of a sentence;
3) The Genitive Case, to indicate possession in the construction „**У меня́ есть ...**".

Figure it out

Can you find Nominative, Accusative and Genitive forms in these sentences?

1. Познако́мьтесь, э́то моя́ подру́га.
2. У тебя́ есть фотоаппара́т?
3. Да́йте, пожа́луйста, э́ти откры́тки.
4. Кто э́то? Э́то мой брат.
5. Вы хорошо́ зна́ете ру́сский язы́к.
6. У кого́ есть каранда́ш?
7. Покажи́те, пожа́луйста, э́ти ма́рки.
8. Она́ не зна́ет меня́.
9. У тебя́ есть значо́к?

Почита́ем

I. Газе́тный кио́ск

Look at the photograph of the newspaper kiosk and say which newspapers and magazines you can buy there.

II. Газе́тный стенд

On the streets of Soviet cities you will see display units with newspapers pinned up in them.

Which newspapers can you see displayed in the photograph?

MOSCOW STREETS

**Страноведе-
ние**

It's fascinating strolling down Moscow streets... Green trees, lovely buildings...

You must cross these wide, busy streets only by the subway, or at special pedestrian crossings with traffic lights. If you are silly enough to try to cross somewhere else, or when the lights are at red, a militsioner (policeman) may well blow his whistle and tell you to go back. Moscow policemen look very different from English policemen. They wear light blue uniforms.

Садовое кольцо
The Garden Ringroad

Проспект Маркса
Karl Marx Prospect

You won't find round, red pillarboxes on the pavement as in London. In Moscow postboxes are on the walls of buildings and they're painted blue.

I noticed earlier that there are various kiosks on the pavement selling all kinds of things. Newspapers and magazines are usually sold at "Soyuzpechat'" kiosks. You can also buy maps, postcards, birthday cards, stamps, envelopes, badges and souvenirs at these kiosks.

There are kiosks where you can buy theatre tickets and tickets for concerts or sporting events. There are also flower kiosks. At this time of year they have bunches of colourful gladioli, roses, carnations...

And on a warm summer day it's nice to stop for a drink — maybe a fizzy drink from an automatic vending machine, or you might come across a kiosk selling traditional Russian "kvas".

But what I like most of all, is Russian ice-cream. So I'm going to stop at that kiosk over there, and get myself a nice, cool "Eskimo".

9

АЛЛО!
HELLO!

??
Как сказать?

Using the telephone:
What do I say when I pick up the receiver? When I make a phone call, how do I ask who is speaking, or ask for the person I want to talk to?

Важный разговор
An important con-
versation

**На
Олимпиаде**

ЗА́ВТРА ОТКРЫ́ТИЕ ОЛИМПИА́ДЫ

Well, we've had a day to get acquainted with Moscow and see some of the sights. Tonight we're going to see an ice show, then tomorrow the actual Olympiad begins...

1 Yura rings up Tanya at home to make arrangements to meet her and go to the Opening Ceremony together, but she's out...

Та́нина ма́ма. Слу́шаю.

Ю́ра. Э́то Та́ня?

Та́нина ма́ма. Нет, э́то её ма́ма.

Ю́ра. Здра́вствуйте. Э́то Ю́ра. Скажи́те, пожа́-
луйста, Та́ня до́ма?

Та́нина ма́ма. Нет, Ю́ра, она́ в шко́ле. Позво-
ни́ ещё раз...

Ю́ра. Хорошо́.

2 Yura rings again some time later...

Та́ня. Алло́. Ю́ра, э́то ты?

Ю́ра. Да. Та́ня, за́втра открытие Олимпиа́ды.
Где мы встре́тимся?

Та́ня. В метро́. Ста́нция „Университе́т". В де́вять
часо́в. Хорошо́?

Ю́ра. Хорошо́. Пока́.

Та́ня. Пока́.

3 Alan and Dave check with Nina where exactly the Opening Ceremony will take place...

Дейв. Ни́на, где бу́дет открытие Олимпиа́ды?

Ни́на. В университе́те.

Дейв. В МГУ?

Ни́на. Да, в конфере́нц-за́ле.

Образец

1. Answering the telephone, and saying who is speaking.

– Алло́. / Слу́шаю. – Э́то | Ю́ра.
                              | Та́ня.

2. Asking whether someone is at home.
Saying where someone is.

– Ю́ра
– Та́ня | до́ма?   – Да, до́ма.

			университе́те.
			шко́ле.
			теа́тре.
– Нет,	он	в	библиоте́ке.
	она́		па́рке.
			бассе́йне
			клу́бе.
			кино́.

I. Role playing

Поговорим, поиграем

„ТЕЛЕФО́Н"

A. 1. You are yourself. Tanya offered to go round the shops with you tomorrow.

You are now ringing her from a coin box in the hostel to find out where and when to meet. You dial her number, the phone rings and you insert your two copecks. You start (dzin', dzin').

2. There's a ping-pong table in the room where the phones are, so you have a couple of games, then ring again (dzin', dzin').

B. 1. You are Sveta, Tanya's younger sister.

You are at home watching TV. Tanya has just popped out to the library. The phone rings and you answer it. Tell the caller to ring back.

Your partner starts.

2. Now you are Tanya, back from the library. Tomorrow you are going to take some of the English group round the shops. You want to meet them at the metro station "Biblioteka Lenina". At 10 o'clock.

The phone rings and you answer it.

Your partner starts.

II. Find out

„ГДЕ ОНИ́?"

You are looking for people.

1. Ask / tell where they are, like this:
— Где Андре́й?
— В шко́ле.

and fill in the blanks on your half of the chart.

2. Then use the information in your charts to practise further like this:
— Скажи́, пожа́луйста, ты не зна́ешь, где Андре́й?
— Он в шко́ле.

3. And like this when addressing, e. g. Nina:
— Скажи́те, пожа́луйста, вы не зна́ете, где Андре́й?
— Он в шко́ле.

III. Do you know ... ?
Ask whether your partner knows where these cities are.
Select the appropriate country from the column on the right.
Example

— Ты зна́ешь, где Нью-Йо́рк?
— Коне́чно, зна́ю. В Аме́рике...

Ты зна́ешь, где ... ?

Йорк	в Шотла́ндии	Мадри́д	во Фра́нции
Э́динбург	в Кана́де	Мила́н	в Швейца́рии
Ва́шингтон	в А́нглии	Жене́ва	в Испа́нии
Торо́нто	в Аме́рике	Пари́ж	в Ита́лии

Де́ли	в Австра́лии		
Ме́льбурн	в Болга́рии	Амстерда́м	в Финля́ндии
Москва́	в И́ндии	Копенга́ген	в Япо́нии
Со́фия	в СССР	То́кио	в Да́нии
		Хе́льсинки	в Голла́ндии

IV. Puzzle

„ГДЕ ОНИ́?"

Nina is looking for people, and she asks if you know where they are. Tell her.
— Скажи́, пожа́луйста, ты не зна́ешь, где А́лан и Дейв?
— Зна́ю. Они́ в `у` `и` `ер` `и` `ете`

— Скажи́, пожа́луйста, ты зна́ешь, где Ю́ра и Та́ня?
— Зна́ю. Они́ в `иб` `ио` `е` `е`

— Скажи́, пожа́луйста, ты не зна́ешь, где Сью́зан и Фийо́на?
— Зна́ю. Они́ в `к` `м` `ат`

— Скажи́, пожа́луйста, ты зна́ешь, где Ла́рри и Кэ́рол?
— Зна́ю. Они́ внизу́, в `у` `ете`

V. Game

"THINK OF A NUMBER"

Do this in pairs. Each thinks of any number from 1 to 9. Multiply it by 5, add 7, and then multiply by 2.
You each then whisper any other number from 1 to 9 to your partner. You each add this number to your total.
(Don't let your teacher hear it!)

Example

$$3 \times 5 = 15$$
$$15 + 7 = 22$$
$$22 \times 2 = 44$$
$$44 + \mathbf{8} \text{ (whispered number)} = 52$$

You then each say your total number in Russian.
Can your teacher tell you the number you first thought of, and the number
which your partner whispered to you?

**Граммáтика
Grammar
rules, OK?**

1. The Prepositional Case
This case is so called because it is used only with prepositions,
mostly the prepositions **в** and **на** to indicate location: 'in',
'on', 'at'. (Prepositions are also used with other cases.)

1) The majority of masculine, feminine and neuter nouns have a Prepositional
form ending in **-e**.

парк — в пáрке
шкóла — в шкóле
мéсто — на мéсте

2) Feminine nouns which end in a soft sign or in **-ия** (many names of countries),
and neuter nouns which end in **-ие** have a Prepositional form ending in **-и**.

плóщадь   — на плóщади
Áнглия   — в Áнглии
общежúтие — в общежúтии

3. As you know, some neuter nouns of foreign origin do not change.

метрó — в метрó
кинó   — в кинó
кафé   — в кафé

2. The Possessive pronouns: его, её, их, 'his, her, their'
1) Unlike **мой, твой, наш, ваш** these third person Possessive pronouns never change
and the same forms are used with nouns of any gender, singular or plural.

егó подрýга, мéсто, друг, пластúнки, сестрá

её подрýга, мéсто, друг, пластúнки, сестрá

их подрýга, мéсто, друг, пластúнки, сестрá

2) Get it clear in your mind: these third person Possessive pronouns have the
same form as the direct object Personal pronouns.

Э́то егó брат.   Я знáю егó.
Э́то её мáма.   Я знáю её.
Э́то их друзья́.   Я знáю их.

Which sentences contain the equivalents of the English 'his, her, their', and which
the equivalents of 'him, her, them'?

Почитаем

I. МГУ
Here is an information guide for students who wish to enter Moscow State University.

Look at the information and say:

1. How many departments there are at Moscow University.
2. How many of them you can identify.
3. Which area of study most interests you personally.

II. Ма́рки
There are a lot of enthusiastic stamp collectors in the USSR.

The Society of Philatelists has a very large number of members from all over the USSR. If you are interested in stamps yourself, have a browse through this advertising material published by the Central Philatelic Agency of "Soyuzpechat".

1. Can you pick out some of the things on offer?
2. Can you find the reference to match-box labels?

3

OK
USING THE TELEPHONE

**Страноведе-
ние**

Tanya gave me her telephone number and asked me to call her at home. So here I am in a telephone box, and I've got her number written down in my notebook right here somewhere... Yes, here it is: 255-19-70. I guess all Moscow numbers must have seven figures like that...

Now what do I have to do? It's all down here in the instructions... First I insert a two-copeck coin in the slot... Then I pick up the receiver... and listen for the dialling tone... Right. Then I dial the number... and... what's this?.. short rings... Ah, that must be the engaged tone... I'll give it another try. That's better, long, slow rings... Now I wonder whether she's at home...

9

— Алло́!
— Та́ня, э́то ты?
— Да, Кэ́рол, здра́вствуй!..

There we are! Easy, isn't it?

ТЫ ОТКУДА?
WHERE ARE YOU FROM?

??

Как сказать?

Giving information about myself:
How do I tell a Russian where I am from, my nationality, and where I live in my country; and ask other people?

**В Москве мы нашли
общий язык
In Moscow we found
a common language**

88

МЫ ИЗ РА́ЗНЫХ СТРАН

Tuesday, 23rd June. The Opening Ceremony started at ten o'clock this morning in the conference hall at the University. The hall is packed with about three hundred participants. And the press and photographers are here, of course, and the Olympiad organisers give welcoming speeches and greetings... I wonder how they managed to get so many flowers! Then the ceremony ends, and there is a general hubbub of conversation as the participants mingle and meet people from other countries...

10

1 Larry is talking to a dark-haired girl...

Ла́рри. Меня́ зову́т Ла́рри. А тебя́?

Нико́ль. Нико́ль.

Ла́рри. О́чень прия́тно. Нико́ль, ты отку́да?

Нико́ль. Из Фра́нции.

Ла́рри. А-а! Ты францу́женка!

Нико́ль. А ты отку́да?

Ла́рри. Из США.

2 Susan makes a new acquaintance...

Ане́та. Как тебя́ зову́т?

Сью́зан. Сью́зан. А тебя́?

Ане́та. Ане́та.

Сью́зан. Я из А́нглии. А ты отку́да?

Ане́та. Из Болга́рии.

Сью́зан. Из Софи́и?

Ане́та. Да. А э́то Ле́на. Она́ ру́сская.

Сью́зан. О́чень прия́тно.

3 A girl from Bucharest is talking to an Indian girl...

Ма́рта. Ты из И́ндии?

Гу́пта. Да. Из Де́ли. А ты отку́да?

Ма́рта. Из Румы́нии. Я живу́ в Бухаре́сте.

4 Steve makes friends with a blond Danish girl...

Стив. Я англича́нин. А ты?

Ки́рстен. Датча́нка. Я живу́ в Копенга́гене.

Стив. А я живу́ в Йо́рке.

5 While the group leaders get to know each other over a cup of coffee...

Дейв. Меня́ зову́т Дейв. А вас?

Ха́ри. Ха́ри Нири́на.

Дейв. Я из Аме́рики. А вы отку́да?

Ха́ри. Из Мадагаска́ра.
Дейв. А э́то А́лан. Он из А́нглии...
А́лан. О́чень прия́тно.
Ха́ри. О́чень прия́тно.

Образец

1. Asking where someone is from.
Saying which country I am from, and stating my nationality.

– Ты – Вы	откýда?

– Я из			Я	
	А́нглии.			англича́нин. англича́нка.
	Шотла́ндии.			шотла́ндец. шотла́ндка.
	США.			америка́нец. америка́нка.
	СССР.			ру́сский. ру́сская.

2. Asking where someone lives.
Saying which country / city I live in.

– Где	ты живёшь? вы живёте?

– Я живу́	в	А́нглии / Ло́ндоне. Шотла́ндии / Э́динбурге. США / Нью-Йо́рке. СССР / Москве́.

**Поговорим,
поиграем**

I. Talk about yourself
1. First ask each other these questions:
— Как тебя́ зову́т?
— Меня́ зову́т ... .

90

— Ты откýда?
— Я из ... .
— В какóм гóроде ты живёшь?
— Я живý в ... .

2. Repeat this, using **вы** forms:
— Как вас зовýт?
— Меня́ зовýт ... .
— Вы откýда?
— Я из ... .
— В какóм гóроде вы живёте?
— Я живý в ... .

3. You are meeting some of the participants from other countries at the Opening Ceremony. A French boy introduces himself to you.
— Меня́ зовýт Пьер. А тебя́?
— ... .
— Óчень прия́тно. Ты откýда?
— ... . А ты откýда?
— Из Фрáнции. Я живý в Парúже. А ты?
— ... .

4. This time you take the initiative in introducing yourself to one of the participants.
— Меня́ зовýт ... . А тебя́?
— Анéта.
— Óчень прия́тно. ... ?
— Из Болгáрии. А ты откýда?
— ... . Я живý в ... . ?
— А я живý в Софúи.

5. You are talking to one of the group leaders and you use **вы** forms in your replies. The group leader starts.
— Как тебя́ зовýт?
— ... . А вас?
— Марúя. Марúя Пачéлли. Ты откýда?
— ... . А вы откýда?
— Я из Итáлии. Я живý в Милáне.

II. Talk about the pictures

„ОТКУ́ДА ОНИ́? В КАКО́М ГО́РОДЕ ОНИ́ ЖИВУ́Т?

III. Find out

1. Ask your partner where these Olympiad participants are from, and where they live in their countries.

Example

— Отку́да Ки́рстен?
— Из Да́нии.
— В како́м го́роде она́ живёт?
— В Копенга́гене.

2. When you have filled in your charts, practise further like this:

— Ки́рстен, ты отку́да?
— Из Да́нии.
— В како́м го́роде ты живёшь?
— В Копенга́гене.

IV. Matching

Now match up the correct nationality to each of these participants. Write out each name with the correct nationality.

Ки́рстен	новозела́ндка
Николь	кана́дка
Хосе́	австрали́ец
Ханс	испа́нец
Анто́нио	голла́ндец
Доло́рес	болга́рка
Анета	францу́женка
Джилл	датча́нка
Брус	италья́нец
Джейн	испа́нка

V. Role playing

„ПОЗНАКО́МЬТЕСЬ"

Working in groups of three or four, introduce the new people you have met
a) to Nina Ivanovna; b) to Tanya or Yura.

Examples

— Ни́на Ива́новна, познако́мьтесь. Э́то Ки́рстен. Она́ из Да́нии.
— Ты датча́нка? В како́м го́роде ты живёшь?
— В Копенга́гене.

— Та́ня, познако́мься. Э́то Хосе́. Он из Испа́нии.
— Ты испа́нец? В како́м го́роде ты живёшь?
— В Мадри́де.

93

VI. Puzzle

„У КОГО́ ЕСТЬ ... ?"

Ask each other who has what.
Examples

1. У кого́ есть гита́ра?
2. Что есть у Бори́са?

94

Грамма́тика Grammar rules, OK?

1. The Genitive Case

1) Singular noun forms.

The Genitive ending for masculine and neuter nouns is **-а** or **-я**. The Genitive ending for feminine nouns is **-ы** or **-и**. (Remember that the rule: always write **и** after the letters **г, к, х, ж, ч, ш, щ** also applies here, as well as to the plural of nouns.)

Now look at the form of the nouns in these examples of uses of the Genitive Case which you have met in Lessons:

2) After the preposition **из**, 'from' a place, in reply to the question **отку́да?**

Ло́ндон		Ло́ндона	Москва́		Москвы́
Пари́ж		Пари́жа	Кана́да		Кана́ды
Нью-Йо́рк	из	Нью-Йо́рка	Аме́рика	из	Аме́рики
Эдинбург		Эдинбурга	Англия		Англии
Ливерпу́ль		Ливерпу́ля	Фра́нция		Фра́нции

How does the Genitive form of a noun like **Англия** compare with its Prepositional form?

3) In phrases involving the names of places or events:

Masc.	Fem.
у́лица Во́лгина	откры́тие Олимпиа́ды
пло́щадь Свердло́ва	план Москвы́
фотогра́фии Ленингра́да	Музе́й Револю́ции

4) In the construction **У кого́ есть ... ?**

		Masc.	Fem.
Nom.	Кто э́то?	Бори́с	Ни́на
		Андре́й	Та́ня
Gen.	У кого́ есть ру́чка? У	Бори́са	Ни́ны
		Андре́я	Та́ни

(Note that girl's names like **Сью́зан, Джейн** do not decline in Russian.)

5) After numbers 2, 3, 4 and other numbers ending in 2, 3 or 4, for example: 22, 23, 24.

	Masc.	Neut.		Fem.
два	бра́та	ме́ста	две	сестры́
три	рубля́	общежи́тия	три	копе́йки
четы́ре	музе́я	ме́ста	четы́ре	ста́нции

When do you use **два** and when **две**?

2. Verbs

The Present Tense of the verb **жить**, 'to live'.

Я	живу́	Ло́ндоне.
Ты	живёшь	Москве́.
Он / Она́	живёт	Аме́рике.
Мы	живём	в А́нглии.
Вы	живёте	Шотла́ндии.
Они́	живу́т	СССР.

The endings are those of the 1st conjugation. The first conjugation forms are either:
-у / -ю, -ешь, -ет, -ем, -ете, -ут / -ют
or:
-у / -ю, -ёшь, -ёт, -ём, -ёте, -ут / -ют
(if the stress is on the verb ending).
Compare the Present Tense forms of **жить** with those of the verb **знать** (grammar reference to Lesson 6).

??▲❶
Прове́рьте
себя́
Test
yourselves

This section now divides into two parts. The first part consists of language you will want to use in personal conversation, e. g. in talking about yourself, your family, your interests. The second part consists of language you will need to use in everyday practical and social situations, e. g. asking for information, meeting people, buying something in a shop.

I. Talk about yourselves

Here are some of the questions which you should now be able to put to a Russian person. Ask and answer with your partner, and make sure that you can now say everything that you want to say on these points, using both **ты** and **вы** forms.

1. Как тебя́ зову́т?
2. Отку́да ты?
3. В како́м го́роде ты живёшь?
4. У тебя́ есть бра́тья и́ли сёстры?
5. Как их зову́т?
6. У тебя́ / У вас до́ма есть соба́ка и́ли ко́шка?
7. Как её зову́т?
8. У тебя́ есть велосипе́д / фотоаппара́т / калькуля́тор?
9. У вас до́ма есть проигрыватель / магнитофо́н?
10. У вас до́ма есть телеви́зор / видеомагнитофо́н?

II. What do you say in these situations?

1. You can't find the metro station you're looking for and need to ask someone for directions. What do you say to:

96

Stop a passer-by.
Ask your question.
Thank the person for directing you.
2. You're in the souvenir shop "Podarki". How do you:
Attract the shop assistant's attention.
Ask for what you want (e. g. matryoshka).
Ask her to show you something (e. g. postcards).
Ask whether the shop has what you want (e. g. stamps).
3. You're talking to some Russians about yourself and tell them that you live, e. g. in Leeds.
Ask them whether they know where it is.
4. You make friends with someone and want to write down, e. g. his / her room number at the hostel or telephone number / address. You haven't got a pen or pencil with you. (Not very organised, are you?)
Ask to borrow one from the person you're talking to.
Ask whether anyone else around you has one.
5. You've become separated from your friends and want to find out where they've got to.
Ask Kolya whether he knows where they are.
6. You're telephoning your Russian friend Katya at home. It's not Katya who answers the phone. How do you:
Ask whether she is at home.
7. Now you're speaking to Katya on the phone.
Ask where to meet tomorrow.

Почитаем

Журна́лы
There are many magazines published in the USSR for young people.

„Зна́ние — си́ла"
„Ю́ный те́хник"
„Ю́ный натурали́ст"
„Ю́ность"
„Физкульту́ра и спорт"
„Констру́ктор"
„Те́хника — молодёжи"
„Ра́дио"
„Филатели́я СССР"
„Вокру́г све́та"
„Костёр"
„Вожа́тый"

1. Read the titles of the magazines and see how many you can understand.

2. Now look at the translation of these words, which will help you to understand the remaining titles:

зна́ние — knowledge вокру́г — around
си́ла — power свет (= Земля́) — the world, Earth
ю́ный — young вожа́тый — Pioneer leader
молодёжь — young people костёр — camp-fire

3. Which magazines published for young people in Britain do you read? Which of these might you recommend Soviet young people of your own age to have a look at?

MOSCOW STATE UNIVERSITY

I consider myself very lucky to be studying at Moscow State University — it is the most famous university in the USSR.

I am studying English in the modern languages department. Afterwards I might work as a schoolteacher or lecturer, as an interpreter, or a guide, or continue further studies as a postgraduate.

We study for five years. They say that your student days are the happiest days of your life. I'm beginning to agree — I've made a lot of new friends, and I've joined the students' English drama club where I am now playing the part of Eliza Doolittle in "Pygmalion" by Bernard Shaw.

I like English literature very much, and I think I'll probably specialise in it next year. At the moment we're doing a course on the literature of Ancient Greece and Rome...

Московский государственный университет им. М. В. Ломоносова
Lomonosov Moscow State University

But that's enough about myself, I should be telling you something about the University.

It was the first university to be established in Russia, and was founded in 1755 by Mikhail Lomonosov (that's why its full title is the Lomonosov Moscow State University). Lomonosov was the first Russian scholar and scientist to make original discoveries in physics, geography, astronomy and other natural sciences. He was also a brilliant historian and artist, and wrote poetry, laying the foundations of modern literary Russian.

Moscow State University is the largest establishment of higher education in the USSR. It has many faculties, including physics, mathematics, chemistry, biology, geology, philosophy, and linguistics. Our university is one of the most famous international scientific centres. About thirty thousand students study at the University, and I am very happy to be studying there.

11

ГДЕ Я УЧУСЬ
THE SCHOOL I GO TO

??
Как сказать?

Giving information about myself:

How do I tell a Russian boy or girl whether I go out to work or am at school or university; which school I go to, or which university I'm at; and ask other people?

1 сентября. Мы сегодня уже первоклассники
The 1st of September. This is the day we join the first form

В ШКО́ЛЕ № 1

After the opening of the Olympiad, we go back to Volgin Street for lunch, and then, in the afternoon, we visit a Moscow school. It's the school Tanya and Yura go to—English Special Secondary School No 1, out in the Sokol'niki region of Moscow. As a rule, Moscow schools don't have names like ours, but a description of the type of school it is, and a number. This school is No 1 because it was the first special school of its kind to be set up in the late 1940's. And apparently it's one of the best schools in Moscow...

English is taught from the 2nd grade—that's from age eight or nine.

Holidays had already begun for the younger children, but we were able to meet and talk to some of the sixteen and seventeen year-olds in the 9th and 10th grades, and they, of course, were eager to learn more about English and American schools...

1 Do we speak Russian or English?

Лари́са. Вы говори́те по-ру́сски?

Стив. Да, мы все говори́м по-ру́сски. Мы сейча́с в Москве́ на Олимпиа́де шко́льников по ру́сскому языку́. А ты говори́шь по-англи́йски?

Лари́са. Коне́чно. Ведь на́ша спецшко́ла англи́йская.

Стив. Хорошо́. Дава́йте говори́ть по-ру́сски и по-англи́йски.

2 Steve wants to know why the school is called "English Special school".

Стив. Ка́тя, почему́ ты говори́шь „англи́йская спецшко́ла"? Она́ ведь в Москве́.

Ка́тя. У нас англи́йский язы́к уже́ во второ́м кла́ссе, а не в четвёртом, как обы́чно.

Стив. У ва́шей шко́лы есть но́мер?

Ка́тя. Да, у всех сове́тских школ есть номера́.

3 Borya asks Susan which school she goes to in England...

Бо́ря. Сью́зан, где ты у́чишься?

Сью́зан. В Greenfields Comprehensive School.

Бо́ря. Что тако́е Greenfields?

Сью́зан. Это райо́н в Ло́ндоне.

Бо́ря. А comprehensive—э́то общеобразова́тельная?

Сью́зан. Да, пра́вильно.

4 Galya asks Larry and Carol which schools they go to...

Га́ля. Ла́рри, Кэ́рол, где вы у́читесь?

Ла́рри. Я в "High School" в Сан-Франци́ско.

Кэ́рол. Я то́же учу́сь в "High School", но в Нью-Йо́рке.

Га́ля. „Хай скул"—э́то вы́сшая шко́ла, институ́т?

Кэ́рол. Нет, э́то сре́дняя шко́ла.

Образец

1. Asking whether someone speaks a particular language.
Saying whether I can or can't.

| – Ты говори́шь | по-ру́сски? | – Да, говорю́. |
| – Вы говори́те | по-англи́йски? | – Нет, не говорю́. |

2. Asking where someone is studying.
Saying whether I am at school, institute or university.

– Где	ты у́чишься?	– Я учу́сь	в	шко́ле.
	вы у́читесь?			институ́те.
				университе́те.

11

Поговорим, поиграем

I. Talk about yourself
You meet Larissa at Special School No 1.
Larissa asks:

— Ты говори́шь по-ру́сски?

— ...

— Меня́ зову́т Лари́са. А тебя́?

— ...

— Ты из А́нглии и́ли из Аме́рики?

— ...

— В како́м го́роде ты живёшь?

— ...

— Ты у́чишься в шко́ле?

— ...

— Э́то граммати́ческая и́ли общеобразова́тельная шко́ла?

— ...

II. Role playing

1. You are Carol talking to one of the teachers of English at the school.

Учи́тельница. Ты говори́шь по-ру́сски?

Кэ́рол. ... .

Учи́тельница. Меня́ зову́т Валенти́на Серге́евна. А тебя́?

Кэ́рол. ... . О́чень прия́тно.

Учи́тельница. Кэ́рол, отку́да ты?

Кэ́рол. ... .

Учи́тельница. Ты америка́нка! В како́м го́роде ты живёшь?

Кэ́рол. ... . А вы говори́те по-англи́йски?

Учи́тельница. ... . Я учи́тельница англи́йского языка́.

2. On the drive back to the hostel you are asking Tanya about her family. Read the dialogue.

— Та́ня, у тебя́ есть брат и́ли сестра́?
— Есть. У меня́ есть сестра́.
— Как её зову́т?
— Са́ша. Алекса́ндра.
— Она́ то́же у́чится в твое́й шко́ле?
— Нет. Она́ студе́нтка.
— Студе́нтка? А где она́ у́чится?
— В университе́те, в МГУ.

3. Now you ask Yura whether he has a brother or sister.
You begin.

— ... ?
— Есть. У меня́ есть брат.
— ... ?
— Макси́м.
— ... ?
— Нет. Он рабо́тает.
— ... ?
— На заво́де. Он рабо́чий.

4. Nina is asking you about your family. Tell her about one brother and / or sister. If you haven't got any—well, invent one!

— У тебя́ есть брат и́ли сестра́?
— ... .
— Как ... зову́т?
— ... .
— ... у́чится в шко́ле?
— ... .
— Где ... ?
— ... .

III. Puzzle

„ГДЕ ЖИВЁТ А́ЛАН ДЖО́НСОН?"

Use the clues to fill in the names of the cities.
The vertical column 10 will then tell you the city where Alan lives.

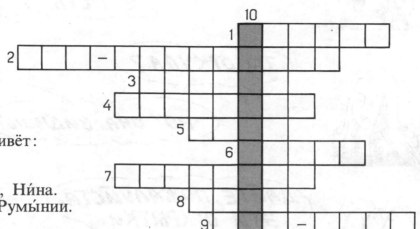

Clues

Го́род, где живёт:
1. Сью́зан.
2. Ла́рри.
3. Та́ня, Ю́ра, Ни́на.
4. Ма́рта из Румы́нии.
5. Стив.
6. Нико́ль из Фра́нции.
7. Фийо́на.
8. Гу́пта из И́ндии.
9. Кэ́рол.
А где живёт А́лан Джо́нсон?
(Solution is in the Keys section.)

IV. Find out

„У КОГО́ ЕСТЬ ... ?"

Ask questions to complete your charts like this.
Example

 — У Та́ни есть брат?
 — Есть. X
 — У Кэ́рол есть сестра́?
 — Нет. ✓

Then use the information to practise further like this:
 — У кого́ есть брат?
 — У Ю́ры и Сти́ва.

V. Connections
Match up the two parts of the conversations.

А ЗДРАВСТВУЙТЕ. ЮРА ДОМА?

ЕСТЬ.

Б

ТЫ ОТКУДА?

ВОТ ОНА. ВИДИШЬ?

В

ДАЙТЕ, ПОЖАЛУЙСТА, ЭТИ ОТКРЫТКИ.

ИЗ АНГЛИИ.

Г

У ТЕБЯ ЕСТЬ СОБАКА?

НЕТ. ОН В ШКОЛЕ.

Д

СКАЖИ, ПОЖАЛУЙСТА, ГДЕ ЗДЕСЬ ПОЧТА?

ПОЖАЛУЙСТА, ДЕСЯТЬ КОПЕЕК.

Грамматика

1. Verbs

1) The Present Tense of the verb **говори́ть,** 'to speak, to talk, to say'.

Я	говорю́	
Ты	говори́шь	
Он/Она́	говори́т	по-ру́сски.
Мы	говори́м	по-англи́йски.
Вы	говори́те	
Они́	говоря́т	

This is a verb of the 2nd conjugation.

All other verbs of the same type have an infinitive ending in **-ить,** and the endings:

-у/-ю, -ишь, -ит, -им, -ите, -ат/-ят

2) The Present Tense of the reflexive verb **учи́ться,** 'to learn, go to school/be at university'.

Я	учу́сь	
Ты	у́чишься	
Он/Она́	у́чится	в шко́ле.
Мы	у́чимся	в университе́те.
Вы	у́читесь	
Они́	у́чатся	

A reflexive verb is formed very simply in Russian: by the addition of the particle **-ся.** In two persons, the verb takes the particle **-сь.** Which ones?

Can you formulate a rule for when it is **-ся** and when **-сь?**

Which conjugation does the verb **учи́ться** belong to?

Compare the Present Tense forms of the verbs **говори́ть** and **учи́ться.** They are both 2nd conjugation verbs. Are there any spelling differences between the endings?

2. Adjectives

Adjectives must, of course, agree in gender with a following singular noun. The plural form is the same for all genders.

1) Masc.	краси́вый	дом
Fem.	краси́вая	студе́нтка
Neut.	краси́вое	общежи́тие
Plur.	краси́вые	ма́рки

2) Masc.	ру́сский	большо́й	хоро́ший	журна́л
Fem.	ру́сская	больша́я	хоро́шая	газе́та
Neut.	ру́сское	большо́е	хоро́шее	кино́
Plur.	ру́сские	больши́е	хоро́шие	ма́рки

The rule: always write **и** after **г, к, х, ж, ч, ш, щ** is again applicable. Can you find five instances of this in the table?

If an adjective is end-stressed, the masculine ending is **-ой**. Can you find an instance of this?

Stress is also important for a further spelling rule, which says that an unstressed **o** cannot follow the letters **ж, ч, ш, щ, ц** and **e** must be written instead. A stressed **o** can follow these letters. Can you point out examples of this rule in the table?

3) There is a small number of adjectives which have endings like **после́дний**, 'last':

после́дний авто́бус	после́днее сло́во
после́дняя бу́ква	после́дние уро́ки

You have met the phrase: **сре́дняя шко́ла**, 'secondary school'.

3. **Ordinal numbers** are adjectives in form, and must agree with a following noun: **пе́рвый эта́ж, пе́рвая бу́ква, пе́рвое сло́во, пе́рвые ряды́.**

Can you remember which ones have the stressed masculine form ending in **-ой**?

Тре́тий is a non-conformist and makes up its own rules: **тре́тий эта́ж, тре́тья бу́ква, тре́тье сло́во, тре́тьи этажи́.**

What is unusual about the spelling?

Почитаем

Шко́льный дневни́к

All Soviet schoolchildren have a school diary, in which they write what they are set for homework, and in which their teachers enter the marks they are given. (Marks are given on a five-point scale, with five as the top mark.)

Here you see the diary of a 10th grade pupil, with the pages completed for a week.
Look at the diary and answer these questions:
1. Which subjects are studied in the 10th grade?
2. How many maths lessons are there in the week?
3. How many physics, chemistry, and literature lessons?
4. Which of the subjects are studied in the sixth form in Britain, and which are not?

Страноведение

THE DIFFERENT NATIONALITIES OF THE USSR

This is my second visit to the Soviet Union. I've been once before with my father, who is a linguist and is writing a book about the languages of the USSR (there are more than a hundred and thirty of them!).

As my father told me before we came, the Soviet Union is a "multinational, multilingual and multicultural society".

During our trip we paid short visits to Latvia, Georgia, the Ukraine and the republics of Central Asia.

11

Советские школьники в национальных костюмах советских республик
Soviet schoolchildren in the national costumes of the Union republics

We flew from one place to another, and we seemed to be flying from one country to another. The climate was different, one heard a different language, and the people were different. In Latvia, for example, one sees a lot of people with blond hair and blue eyes, whereas in Georgia most people have black hair and dark eyes. Georgians seem to be energetic, lively people with independent southern characters. In Uzbekistan, in Central Asia, one can see Uzbek women wearing clothes which always reflect something of their own particular traditional style.

Whenever we were invited out — and Soviet people are always hospitable — we would be given national dishes to try. In Uzbekistan we had "plov", in Georgia "shashlyk" and "vareniki" in the Ukraine.

We didn't have any problem talking to people in the different republics. As well as their own native language, they all speak Russian. All children in the USSR also learn to speak Russian at school.

Урок
12
двенадцатый

ЧТО МЫ ИЗУЧАЕМ
SCHOOL SUBJECTS

??
Как сказать?

Giving information about myself:
How do I ask/tell about the subjects taken at school in the USSR and Britain? How do I say what I am studying now, at school or university, and for how long I have been taking these subjects?

Я учусь во втором классе
I'm in the second form

111

ЧТО МЫ ИЗУЧА́ЕМ В ШКО́ЛЕ

It was really very interesting to talk to the young people in the 9th and 10th grades and to compare notes, particularly on the breadth of the subjects studied or the degree of specialisation in the senior school curriculum, in the UK, USA, USSR...

1 Steve asks Seryozha about the subjects studied in the 10th grade...

С т и в. Серёжа, что вы изуча́ете в деся́том кла́ссе? Каки́е у вас предме́ты?

С е р ё ж а. Матема́тика, фи́зика, биоло́гия, хи́мия, исто́рия, литерату́ра...

С т и в. Англи́йский язы́к...

С е р ё ж а. Да, коне́чно.

С т и в. Так мно́го предме́тов?!

2 Susan is asked about sixth form subjects in English schools...

С в е́ т а. Сью́зан, что вы изуча́ете в шесто́м кла́ссе?

С ь ю з а н. В "Sixth form" мы изуча́ем ра́зные предме́ты. Я — францу́зский, ру́сский, англи́йский языки́. А Стив — матема́тику, хи́мию, биоло́гию.

С в е́ т а. А у нас все изуча́ют одина́ковые предме́ты.

3 Larry and Natasha swap information about how long they have been studying Russian / English at school...

Н а т а́ ш а. Ла́рри, скажи́, пожа́луйста, ско́лько вре́мени ты изуча́ешь ру́сский язы́к?

Л а́ р р и. Четы́ре го́да. А ты англи́йский?

Н а т а́ ш а. Во́семь лет.

Л а́ р р и. Во́семь лет? Ты, наве́рное, уже́ хорошо́ зна́ешь англи́йский язы́к...

4 Carol talks to Volodya, and the question of streaming is touched upon...

К э́ р о л. Воло́дя, ты у́чишься в девя́том кла́ссе?

В о л о́ д я. Да, в девя́том „А".

К э́ р о л. А есть ещё „Б" и „В"?

В о л о́ д я. Да, в на́шей шко́ле есть ещё девя́тый „Б" и девя́тый „В".

К э́ р о л. Ме́жду ни́ми есть ра́зница?

В о л о́ д я. Нет, никако́й.

Образец

1. Asking which subjects someone studies at school. Telling.

– Что	вы изуча́ете	в	шко́ле? институ́те? университе́те?

– Мы изуча́ем	ру́сский англи́йский францу́зский	язы́к.
	матема́тику. фи́зику. исто́рию. геогра́фию.	

12

2. Asking how long someone has been at school or university; has been studying a particular subject. Telling.

– Ско́лько вре́мени	ты у́чишься вы у́читесь	в шко́ле? в университе́те?
	ты изуча́ешь вы изуча́ете	ру́сский язы́к? матема́тику?

– Оди́н	год.
– Два – Три – Четы́ре	го́да.

– Пять – Шесть – Семь	лет.

Поговорим, поиграем

I. Talk about yourself
1. You are talking to Sveta at English Special School No 1. Sveta asks:
— Где ты у́чишься?
— ...
— А что ты изуча́ешь?
— ...

8–125

113

2. You are talking to Seryozha about your studies. Seryozha asks:
   — Где ты у́чишься?
   — ...
   — Что вы изуча́ете?
   — ...
   — Ско́лько вре́мени ты изуча́ешь ... ?
   — ...
   — Ты, наве́рное, хорошо́ зна́ешь ... ?
   — ...

3. Give an indication of your ability in individual subjects: **фи́зика, хи́мия, биоло́гия, исто́рия, геогра́фия, литерату́ра.**
Example

    математика
      — Ты, наве́рное, хорошо́ зна́ешь матема́тику.
      — Неплóхо. / Не óчень. / Нет, плóхо.

II. Dialogue variation
Read the dialogues in pairs, then change the words where indicated. Make up your own variations.
1. — Ско́лько вре́мени ты изуча́ешь **ру́сский язы́к?**
   — **Три го́да.**
2. — Ско́лько вре́мени вы изуча́ете **матема́тику?**
   — **Семь лет.**
3. — Ско́лько вре́мени ты у́чишься в э́той шко́ле?
   — **Шесть лет.**
4. — Ско́лько вре́мени вы уже́ у́читесь в **университе́те?**
   — **Год.**
5. — Ско́лько вре́мени ты живёшь в **Ло́ндоне?**
   — **Два го́да.**
6. — Ско́лько вре́мени вы живёте в **Москве́?**
   — **Четы́ре го́да.**
7. — Ско́лько вре́мени вы рабо́таете в э́той шко́ле?
   — **Де́сять лет.**
8. — Ско́лько вре́мени вы рабо́таете на заво́де?
   — **Пять лет.**

III. Game
"SPOT THE DIFFERENCE"
You do this activity in pairs.
One of you looks at picture A, the other at picture B.
(Don't look at your partner's picture.)
1. Tell each other what is in your picture and see how many differences you can find.
    — На моём рису́нке есть телеви́зор.
    — На моём то́же. / На моём нет.

2. Now try to remember all the objects in the pictures and play a memory game, like this:

    — На рису́нке я ви́дел(а) газе́ту.

See who can remember most.

IV. Role playing

"INTERVIEW"

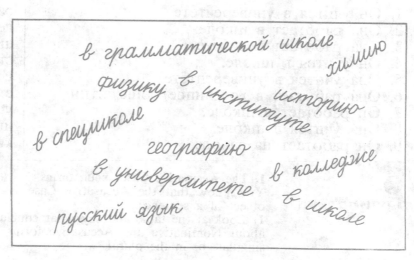

Borya and Lena want to take some pictures and tape a short interview with the visitors to their school—they are going to produce a feature on the visit for the school's "stengazeta" (wall newspaper).
Tell them about yourselves, answer their questions.

1. Скажи́те, пожа́луйста, как вас зову́т?
2. Отку́да вы? Вы все из А́нглии?
3. Где вы живёте?
4. Вы все у́читесь в шко́ле?
5. Где вы у́читесь? Вы у́читесь в граммати́ческой и́ли обще-образова́тельной шко́ле?
6. Что вы изуча́ете в шко́ле?
7. Наве́рное, вы все хорошо́ зна́ете ру́сский язы́к?
8. Ско́лько вре́мени вы изуча́ете ру́сский язы́к?
9. А где вы живёте в Москве́? В гости́нице?
10. У вас за́втра экза́мены?
11. Спаси́бо за интервью́.

12

V. Associations
Say which words or phrases go with each verb and write out sentences.

учи́ться
Я учу́сь … .

изуча́ть
Мы изуча́ем … .

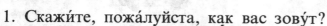

в граммати́ческой шко́ле

хи́мию

фи́зику в институ́те

исто́рию

в спецшко́ле

геогра́фию

в университе́те

в колле́дже

в шко́ле

ру́сский язы́к

VI. Do you know ... ?

„ОТКУ́ДА Э́ТА МАШИ́НА?"

Ask each other about these international distinguishing signs for motor cars. If you know what country the plate stands for, check whether your partner does:

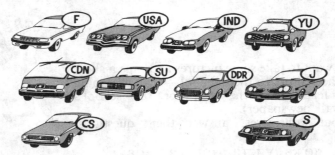

GB
— Ты зна́ешь, отку́да э́та маши́на?
— Коне́чно, зна́ю. Из Великобрита́нии.

If you don't know, ask whether your partner can tell you.

— Ты не зна́ешь, отку́да э́та маши́на?
— Из Великобрита́нии. / Нет, не зна́ю.

(Answers are in the Keys section.)

VII. Puzzle

„КТО ОНИ́?"

Select the correct word from the column on the right to fit the definition on the left.

1. Он у́чится в университе́те.	рабо́чий
2. Она́ рабо́тает в шко́ле.	дежу́рная
3. Она́ рабо́тает в кио́ске.	шко́льник
4. Он у́чится в шко́ле.	студе́нтка
5. Она́ у́чится в университе́те.	учи́тель
6. Она́ рабо́тает в гости́нице / общежи́тии.	студе́нт
7. Он рабо́тает в шко́ле.	учи́тельница
8. Она́ у́чится в шко́ле.	шко́льница
9. Он рабо́тает на заво́де.	киоскёр

Грамматика

1. The Accusative Case: noun forms
You know that the Accusative Case is used for the direct object of a sentence.
1) Look at the table and say what conclusions you can draw about Nominative and Accusative forms of nouns a) in the singular, b) in the plural.

116

Что э́то?	Masc. журна́л журна́лы	Fem. газе́та газе́ты	Neut. письмо́ пи́сьма	Sing. Plur.
Что он чита́ет?	журна́л журна́лы	газе́ту газе́ты	письмо́ пи́сьма	Sing. Plur.

2) Now look at this table consisting of just feminine nouns.

Nominative		Accusative
му́зыка		му́зыку.
матема́тика		матема́тику.
фи́зика	Он изуча́ет	фи́зику.
исто́рия		исто́рию.
хи́мия		хи́мию.

What conclusion do you draw from this table?

3) Look at these feminine and masculine nouns ending in a soft sign which do not change their form in the Accusative Case:

Э́то пло́щадь.   Я ви́жу пло́щадь.

Э́то прои́грыватель.   Я ви́жу прои́грыватель.

2. Ско́лько вре́мени ... ? How long ... ?

1) Look at these sentences and say which tense is used:

Ско́лько вре́мени ты у́чишься в шко́ле?

Ско́лько вре́мени ты изуча́ешь ру́сский язы́к?

Do you use the same tense to ask these questions in English? Can you make any further comparison with other languages, e. g. French or German?

2) Note the forms required in the replies:

(оди́н)	год
два, три, четы́ре	го́да
пять, шесть, семь...	лет

Оди́н is usually omitted, unless you want to emphasise 'one'. Include it, of course, for 21, 31, etc.

Can you remember which case is used after numbers 2, 3, 4?

If not, refer back to the reference section in Lesson 10.

Test yourself. How would you say in Russian:

For 10 years For 22 years For 21 years

For 5 years   For 4 years   For 36 years

For 11 years For 3 years   For 20 years

No preposition is needed in Russian. Do you always have to say the 'for' in English?

Почитаем

„За́падная кла́ссика" — рису́нки На́ди Ру́шевой

Nadya Rusheva produced a large series of drawings based on the works of the following authors, as well as many others:

У. Шекспи́р, Д. Ба́йрон, Ч. Ди́ккенс, М. Твен, В. Гюго́, Ш. Перро́, Ж. Верн, А. Дюма́, Р. Ки́плинг, Г.-К. А́ндерсен, А. де Сент-Экзюпери́.

1. Read the captions to the illustrations.
2. Can you say which literary works they illustrate?

Маленький принц с Розой   Козетта

Страноведение

LESSONS

Here's my 9th year timetable. As you can see, we have our work experience (**УПК**) on Mondays. This includes both theoretical and practical work. Then ordinary subjects from Tuesday to Saturday. How does this compare with your school timetable?

РАСПИСАНИЕ УРОКОВ

Понедельник	Вторник	Среда	Четверг	Пятница	Суббота
Теория	Математика	География	Физкультура	Англ. язык	Химия
Теория	Физика	Математика	Англ. язык	История	Математика
Практика	Математика	Математика	Химия	Химия	История
Практика	Литература	История	Литература	Физика	Физика
Практика	История	Англ. язык	Литература	География	Англ. язык
	Физкультура	Физика	Биология	Литература	

ВЫ ГОВОРИТЕ ПО-РУССКИ?
DO YOU SPEAK RUSSIAN?

??

Как сказать?

Giving information about myself:
How do I say which languages I know, how long I have
been learning them, and how well I can speak them? Or ask
other people?

**Экзамен по страно-
ведению
The background in-
formation exam**

МЫ ГОВОРИ́М ПО-РУ́ССКИ

The common language in which people from different countries talk to each other during this Olympiad is, of course, Russian, but we hear so many other tongues spoken around us... It's not surprising that conversation at the supper table often turns upon languages and how people learn and use them...

1 At this moment Nina is complimenting Susan on her spoken Russian...

Ни́на. Сью́зан, ты о́чень хорошо́ говори́шь по-ру́сски...

Сью́зан. Спаси́бо.

Ни́на. А ещё каки́е языки́ ты зна́ешь?

Сью́зан. Францу́зский... Моя́ ма́ма францу́женка.

Ни́на. А па́па?

Сью́зан. А па́па англича́нин.

Ни́на. Ты, наве́рное, говори́шь по-францу́зски как францу́женка.

Сью́зан. Наве́рное...

2 Dave Lewis is deep in conversation with another guide—an attractive girl with dark eyes, very pale complexion, and long dark hair. She doesn't look Russian...

Дейв. Оле́ся, вы ру́сская?

Оле́ся. Нет, я украи́нка. Мой па́па украи́нец.

Дейв. А ма́ма?

Оле́ся. Ма́ма ру́сская.

Дейв. Вы говори́те по-украи́нски?

Оле́ся. Да, и я, и мои́ роди́тели. До́ма мы говори́м по-ру́сски и по-украи́нски.

Образец

1. Asking whether someone can speak a particular language. Saying whether I can or can't.

– Ты говори́шь	по-ру́сски? по-англи́йски? по-францу́зски? по-неме́цки? по-испа́нски? по-италья́нски? по-япо́нски? - Japanese	– Да,	говорю́. немно́го.
– Вы говори́те		– Нет,	не говорю́.

2. Asking how well someone can speak a language. Telling.

– Ты	хорошо́	говори́шь	по-ру́сски?
– Вы		говори́те	

– Да, о́чень хорошо́. *very well*
хорошо́. */ well*

– Неплóхо. *quite well*

– Не óчень. *not very well*

– Нет, плóхо. *very bad*
о́чень плóхо.

13

🌐
Поговорим, поиграем

I. Talk about yourself
1. Nina compliments you on your spoken Russian:
— Ты óчень хорошо́ говори́шь по-ру́сски.
— ...
— А ещё каки́е языки́ ты зна́ешь?
— ...
— Ско́лько вре́мени ты изуча́ешь э́тот язы́к / э́ти языки́?
— ...
— Наве́рное, ты уже́ хорошо́ говори́шь по-францу́зски / по-не-ме́цки / по-испа́нски?
— ...

2. Indicate your proficiency, if any, in these languages: **ру́сский, францу́зский, неме́цкий, испа́нский, италья́нский, япо́нский.**
Example

францу́зский язы́к
— Ты, наве́рное, хорошо́ зна́ешь францу́зский язы́к?
— Неплóхо.
— А италья́нский зна́ешь?
— Нет. Не зна́ю.

II. Find out
1. „Они́ говоря́т ... ?"
Find out from the first chart which languages the individual characters can speak, and how well.

121

Example

    — Стив говори́т по-испа́нски?
    — Да, немно́го.

2. „Ско́лько вре́мени они́ изуча́ют ... ?"
Now find out from the second how long they have been learning the various languages.
Example

    — Ско́лько вре́мени Стив изуча́ет испа́нский язы́к?
    — Год.

3. When you have completed both sets of charts, play the parts of the characters and construct dialogues like this:

    — Фийо́на, ты говори́шь по-неме́цки?
    — Говорю́.
    — Ско́лько вре́мени ты изуча́ешь неме́цкий язы́к?
    — Три го́да.
    — Ты хорошо́ говори́шь?
    — Непло́хо.

4. Now you are introduced to the following people, and enact dialogues like this.
Example

    — Франче́ска, познако́мься. Э́то Джон. Он из А́нглии.
Ф р а н ч е́ с к а. Ты англича́нин?
Д ж о н. Да. Ты говори́шь по-англи́йски?
Ф р а н ч е́ с к а. Да. / Нет. / Немно́го.

    — Мэ́ри, познако́мься. Э́то Хосе́. Он из Испа́нии.
М э́ р и. Ты испа́нец?
Х о с е́. Да. Ты говори́шь по-испа́нски?
М э́ р и. Да. / Нет. / Немно́го.

    — Джилл, познако́мься. Э́то Макси́м.
Д ж и л л. Ты ру́сский?
М а к с и́ м. Да. А ты?
Д ж и л л. Я англича́нка. Ты говори́шь по-англи́йски?
М а к с и́ м. Да. / Нет. / Немно́го.

III. Role playing

„ТЫ ЗНА́ЕШЬ ... ?"

1. Practise dialogues based on the examples and using the information in the chart below. Nina asks whether you have met an Olympiad participant from another country, or another Russian boy / girl helping out...

Examples

— Ты зна́ешь Франче́ску?
— Кого́?
— Франче́ску.
— Нет, не зна́ю. Она́ отку́да?
— Из Ита́лии. О́чень симпати́чная де́вочка.

— Ты зна́ешь Алекса́ндра?
— Алекса́ндра? Он из Гре́ции? Зна́ю. О́чень симпати́чный
ма́льчик.

Ане́та	Болга́рия	Пьер	Фра́нция
Нико́ль	Фра́нция	Брус	Австра́лия
Ки́рстен	Да́ния	Хосе́	Испа́ния
Джилл	Кана́да	Макси́м	СССР
Франче́ска	Ита́лия	Алекса́ндр	Гре́ция
Мэ́рилин	США	Гу́пта	И́ндия
Си́рка	Финля́ндия	Анто́нио	Ита́лия
Сеси́лия	Голла́ндия	Во́льфганг	ГДР (гэ-дэ-э́р)

13

IV. Do you know … ?

1. — Вы зна́ете, како́й э́то флаг?
   — Коне́чно, зна́ем. Э́то олимпи́йский
   флаг.

— Вы зна́ете, кака́я э́то ма́рка?
— Коне́чно, зна́ем. Э́то ру́сская ма́рка.

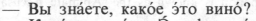

— Вы зна́ете, како́е э́то вино́?
— Коне́чно, зна́ем. Э́то францу́зское вино́.

— Вы зна́ете, каки́е э́то де́ньги?
— Коне́чно, зна́ем. Э́то англи́йские де́ньги.

123

2. Каки́е э́то стра́ны?
(Answers are in the Keys section.)

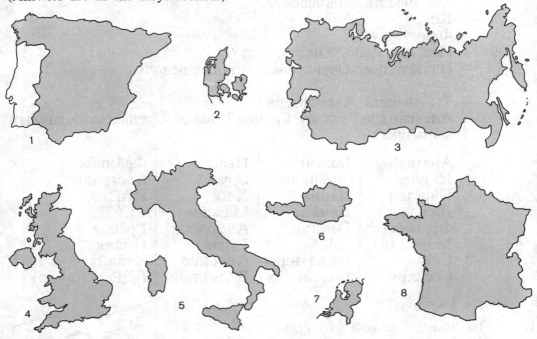

<table>
<tr><td>1</td><td>2</td><td>3</td></tr>
<tr><td>4</td><td>5</td><td>6</td><td>7</td><td>8</td></tr>
</table>

Грамма́тика

Case: the 'Animate Accusative'

You already know that masculine and neuter nouns like **журна́л, письмо́** have the same forms in the Accusative Case as in the Nominative, whereas feminine nouns ending in **-а** or **-я** change to **-у** or **-ю** respectively.

	Masc.	Fem.	Neut.
Он чита́ет	журна́л	газе́ту	письмо́

There are 'inanimate' nouns, i. e. they denote objects, not living, breathing beings. When masculine 'animate' nouns, i. e. nouns denoting people or animals, are used as the direct object of a sentence the Accusative Case form is the same as the Genitive. This phenomenon is known as the 'Animate Accusative'.

			Masc.		Fem.	
Nom.	Кто э́то?		Бори́с	Андре́й	Ни́на	Та́ня
Acc.	Кого́ ты зна́ешь?		Бори́са	Андре́я	Ни́ну	Та́ню
Gen.	У кого́ есть кни́га?	У	Бори́са	Андре́я	Ни́ны	Та́ни

124

But what about feminine singular 'animate' nouns?

Test yourself

Can you point out 'ordinary' Accusative and 'Animate Accusative' forms in these sentences?

1. Он чита́ет письмо́.
2. Ты зна́ешь Ива́на?
3. Ты зна́ешь Ната́шу?
4. Ты чита́ешь газе́ту?
5. Ты зна́ешь его́ бра́та?
6. Ты зна́ешь его́ сестру́?
7. Ты ви́дишь Валенти́ну?
8. Спроси́ Ми́шу, где кинотеа́тр.
9. Спроси́ Ви́ктора, где он живёт.

Почитаем

„Ру́сский язы́к"

In Moscow there is a publishing house called „Ру́сский язы́к" which publishes textbooks, readers, dictionaries — everything for people studying Russian.

Here is an extract from the publishers' brochure.

ЛИТЕРАТУРА ПО СТРАНОВЕДЕНИЮ

А л е к с е е в В. А. **Место встречи — Москва.** С комментарием на русском, английском, французском, испанском языках — 15

Г о л ы ш к и н В. С. **Пионерский континент.** С комментарием на болгарском языке — 16

К у д ы р с к а я Г., О я л о н М. **Первые шаги.** Самоучитель русского языка для франкоговорящих — 15

Л и н д е р В. И. **Гроссмейстерами не рождаются.** С комментарием на английском и болгарском языках — 16

С природой рядом. С комментарием на русском, немецком, французском языках — 17

Х и л т у н е н В. Р. **Я выбираю профессию.** С комментарием на английском и немецком языках — 15

ХУДОЖЕСТВЕННАЯ ЛИТЕРАТУРА

Забавные истории. Сборник с комментарием на английском, немецком, финском языках — 29

Т о л с т о й Л. Н. **Басни. Сказки. Рассказы. Кавказский пленник.** С комментарием на английском, немецком, финском языках — 29

Т у р г е н е в И. С. **Стихотворения в прозе.** С комментарием на английском языке — 29

Что я люблю. Сборник с комментарием на английском, немецком, датском языках, словарем и упражнениями — 44

Г о л ы ш к и н В. С. **ПИОНЕРСКИЙ КОНТИНЕНТ.** (Объем лексики 1500 слов.)

Более 25 миллионов мальчиков и девочек Советской страны носят красные галстуки. В 1922 году создана Всесоюзная пионерская организация имени В. И. Ленина.

О том, что представляет собой Артек, как живут и отдыхают здесь дети, в коротких рассказах повествует книга Василия Голышкина.

1. Look at the book-covers, and read the titles of the books and their authors.
2. Read the list of Russian books for beginners.
   Which titles can you understand? Which writers do you know?
3. Did you know that the English firm "Collets" sells the books produced by „Ру́сский язы́к"?

**Страноведе-
ние**

THE UKRAINE

I was born in the Ukraine. My mother is Ukrainian, and my father Russian. When I was a little girl we used to live near Kiev. Then moved to Moscow.

Kiev is the capital of the Ukraine, and I think it's a beautiful city. It's a green city, with a lot of trees, and it is situated on the bank of the River Dnieper... The main street, the Kreshchatik, is often compared to Gorky Street in Moscow. But no matter how attractive Kiev may be, no matter how beautiful

13

Киев. Крещатик
Kiev. The Kreshchatik

Украинки
Ukrainian girls

its parks, monuments and cathedrals may be, I still best remember my childhood in a Ukrainian village.

We used to live in a real Ukrainian "khata"—a white-walled cottage in the country—and our cottage stood opposite an orchard. And in summer the cherry trees would blossom, and very often one could hear someone singing. Ukrainians are famous for their singing (like the Welsh!). A lot of the best singers in the USSR come from the Ukraine.

The Ukraine is famous for its industry. It is also known as the "granary of the USSR", and there are vast wheat and cornfields, orchards and vineyards. There's a lot for the tourist as well: they may relax on the Black Sea's warm, sunny beaches. The sea is as blue as the Mediterranean. Here we find the famous Crimean seaside towns, like Yalta, Miskhor and Gurzuf. Now, I'd like to end with a few words in Ukrainian: Laskavo prosimo!—Welcome to the Ukraine!

Урок

14

четырнадцатый

ЧТО ТЫ ЛЮБИШЬ?
WHAT DO YOU LIKE?

??

Как сказать?

Expressing likes, dislikes, preferences:
How do I tell a Russian person about the things I really
enjoy or dislike, for example, pop music or football, and find
out what he likes?

Я люблю цветы...
I love flowers...

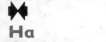
На Олимпиаде

МЫ ИДЁМ В БОЛЬШÓЙ ТЕÁТР. И НА ФУТБÓЛ...

Tonight is a big occasion for me and Susan and Carol... we're so excited... because Nina and Tanya are taking us to the Bolshoi—the home of Russian ballet. There's none better in the world... And would you believe it? Steve and Larry aren't coming... They're going with Yura to some football match instead... I ask you... football!?. They just have no aesthetic sense at all...

1 Tanya and Susan are discussing ballet on their way to the Bolshoi...

Т á н я. Сегóдня „Жизéль“. Сьюзан, ты любишь балéт?

С ь ю з а н. Óчень.

Т á н я. Ты слышала о знаменитой рýсской балерине Áнне Пáвловой?

С ь ю з а н. Да, слышала.

Т á н я. Онá былá лýчшая Жизéль.

С ь ю з а н. А кто танцýет сегóдня?

Т á н я. Екатерина Максимова.

С ь ю з а н. О, я знáю. Это прекрáсная балерина.

2 Nina is talking with Carol...

Н и́ н а. Кэрол, ты хóдишь на балéт?

К э́ р о л. Да, у нас есть New York City Ballet.

Н и́ н а. А óперу ты любишь?

К э́ р о л. Нет, не óчень.

3 Meanwhile the lads are taking the metro out to the Lenin Stadium, where "Spartak" are at home to "Dynamo Kiev" and will no doubt be playing to a capacity crowd...

Л á р р и. Юра, какóй вид спóрта ты любишь бóльше всегó?

Ю р а. Футбóл.

Л á р р и. Я тóже люблю футбóл.

Ю р а. А хоккéй?

Л á р р и. Хоккéй не óчень.

Ю р а. А я люблю хоккéй.

4 Yura finds it strange that the English play football in winter...

Ю р а. Стив, ты игрáешь в футбóл?

С т и в. Да, зимóй.

Ю р а. Почемý зимóй?! А лéтом?

9–125

Стив. Лётом мы обы́чно игра́ем в те́ннис и́ли
    крике́т.
Ю́ра. А мы игра́ем в футбо́л ле́том.
Стив. А зимо́й?
Ю́ра. Зимо́й — в хокке́й.

Образец

1. Asking whether someone likes something.
Saying whether I do or don't.

— Ты лю́бишь — Вы лю́бите	футбо́л?	– О́чень люблю́.
	спорт?	– Люблю́.
	поп-му́зыку?	– Не о́чень.
	бале́т?	– Не люблю́.
	о́перу?	– Совсе́м не люблю́.

2. Asking what someone prefers or likes best.
Stating my preferences.

– Что	ты	бо́льше	лю́бишь?
	вы	бо́льше всего́	лю́бите?

| – Я | бо́льше
бо́льше всего́ | | люблю́ | матема́тику.
теа́тр. |

**Поговорим,
поиграем**

I. Talk about yourself

1. Ask / tell each other about your likes and dislikes, and fill
in the questionnaire for yourself and your partner on a 5 point
scale: **о́чень люблю́ √√, люблю́ √, не о́чень —, не люблю́ X ,
совсе́м не люблю́ X X .**

Example

— Ты лю́бишь класси́ческую му́зыку?
— Не о́чень. – А ты?
— О́чень люблю́. √√

Иску́сство	Ты	Партнёр
кино́		
теа́тр		
бале́т		
класси́ческая му́зыка		
о́пера		

Спорт   Ты | Партнёр

Спорт	Ты	Партнёр
футбо́л		
те́ннис		
бадминто́н		
гимна́стика		
пинг-по́нг		
баскетбо́л		

Шко́льные предме́ты
- фи́зика
- францу́зский язы́к
- исто́рия
- матема́тика
- биоло́гия
- физкульту́ра

2. Now compare preferences, like this:

  — Что ты бо́льше лю́бишь, чай и́ли ко́фе?
  — Я бо́льше люблю́ чай. А ты?
  — Я то́же. / А я бо́льше люблю́ ко́фе.

футбо́л — ре́гби
те́ннис — кри́кет
нетбо́л — хокке́й на траве́
спорт — му́зыка
поп-му́зыка — класси́ческая му́зыка
хи́мия — исто́рия
фи́зика — геогра́фия
матема́тика — англи́йский язы́к
францу́зский язы́к — ру́сский язы́к
биоло́гия — физкульту́ра

3. Say which you like best.

кино́ — спорт — теа́тр — му́зыка
те́ннис — бадминто́н — сквош — пинг-по́нг
матема́тика — ру́сский язы́к — фи́зика — францу́зский язы́к
чай — ко́фе — пе́пси-ко́ла — молоко́
геогра́фия — биоло́гия — физкульту́ра — исто́рия

II. Find out

„КТО ЛЮ́БИТ ... ?“

1. Ask your partner questions to fill in the blanks on your chart.
<u>Example</u>

  — Ла́рри лю́бит хокке́й?
  — Не о́чень.

14

2. When you have completed your charts, ask each other which sport each individual character likes most.
Example

> — Какóй вид спóрта бóльше всегó лю́бит Фийóна?
> — Бадминтóн.

3. Play the roles of pairs of characters and ask each other whether you like a particular sport or which one you like most.
Examples

> Тáня. Фийóна, ты лю́бишь гимнáстику?
> Фийóна. Не óчень. А ты?
> Тáня. Óчень люблю́!

> Стив. Ю́ра, какóй вид спóрта ты бóльше всегó лю́бишь?
> Ю́ра. Хоккéй. И футбóл. А ты?
> Стив. Я бóльше всегó люблю́ футбóл и крúкет.

III. Role playing

„ОТКУ́ДА ТЫ?"

You are meeting other participants at the Olympiad after the Opening Ceremony. Ask / tell each other: your name, which country you are from, which town you live in.

A 1. You are Andrew (Andy) Holroyd. You are from England, and live in Selby, Yorkshire.
2. Your name is Marie-France (Marie) Girardot. You are from France, live in Limoges.
3. You are Raymond (Ray) Anderson. You are from Toronto, Canada.
4. Your name is Deborah (Debbie) Parker. You are from the USA, and live in Denver, Colorado.
5. You are Johann Kreiss. You are from Salzburg, Austria.
6. You are Catriona (Kate) Macpherson. You are from Scotland, live in Glasgow.
7. You are William (Bill) Rowlands. You are from Sydney, Australia.
8. You are Elizabeth (Liz) Davies. You are from Wales, and live in Llanelli.
B. 1. You are Manuela Dolores Conchita Garcia-Peres. You are from Spain and live in Barcelona.
2. Your name is Bjorn Nielson. You are from Gothenberg, Sweden.
3. Your name is Francesca Bertallozzi. You live in Turin, Italy.
4. You are Dmitru (Dima) Aleksandrov. You are from Bulgaria and live in Varna.
5. Your name is Jennifer (Jenny) Cartwright. You are from Christchurch, New Zealand.
6. You are Tino Makonnen. You are from Helsinki, Finland.
7. You are Marta Simonescu. You are from Rumania, and live in Bucharest.
8. You are Franz Heinemann. You are from Leipzig, GDR.
IV. Connections
Match the questions to the replies.

ГДЕ ТЫ ЖИВЁШЬ?

1

ТРИ ГОДА.

ГДЕ ТЫ УЧИШЬСЯ?

2

НЕМНОГО.

14

ЧТО ТЫ ИЗУЧАЕШЬ В ШКОЛЕ?

3

ОЧЕНЬ ЛЮБЛЮ!

СКОЛЬКО ВРЕМЕНИ ТЫ ИЗУЧАЕШЬ РУССКИЙ ЯЗЫК?

4

В УНИВЕРСИТЕТЕ.

ВЫ ГОВОРИТЕ ПО-РУССКИ?

5

В ЙОРКЕ.

ТЫ ЛЮБИШЬ ФУТБОЛ?

6

МАТЕМАТИКУ, ФИЗИКУ, ХИМИЮ.

1. The Accusative Case forms of: adjectives, Possessive pronouns and the Demonstrative pronoun э́тот.

1) Adjectives

Nominative		Accusative
ру́сский язы́к		ру́сский язы́к.
ру́сская му́зыка	Я знаю	ру́сскую му́зыку.
ру́сское сло́во ,,дом``		ру́сское сло́во ,,дом``.
ру́сские журна́лы		ру́сские журна́лы.

2) Possessive pronouns **мой, твой, наш, ваш**

Он лю́бит	мой	твой	наш	ваш	дом	Masc.
	мою́	твою́	на́шу	ва́шу	семью́	Fem.
	моё	твоё	на́ше	ва́ше	письмо́	Neut.
	мои́	твои́	на́ши	ва́ши	карти́ны	Plur.

As you know, the third person forms **его́, её, их** never change.

3) Demonstrative pronoun **э́тот**

Они́ лю́бят	э́тот	бале́т.	Masc.
	э́ту	о́перу.	Fem.
	э́то	вино́.	Neut.
	э́ти	пласти́нки.	Plur.

What would the Accusative form be for **после́дняя кни́га?**

2. Verbs

The Present Tense of the verb **ходи́ть,** 'to go to', e. g. the cinema, theatre.

Я	хожу́	
Ты	хо́дишь	в кино́.
Он / Она́	хо́дит	в теа́тр.
Мы	хо́дим	
Вы	хо́дите	на бале́т.
Они́	хо́дят	на футбо́л.

This is another verb of the 2nd conjugation like **говори́ть, люби́ть, учи́ться.**
Is the stress in the same position throughout in this verb?
What else happens in the first person singular?
Can you recall another verb you have met where д changes to ж in this first person form?
You use this verb when you talk about going to somewhere more than once, i. e. frequently or occasionally.
You use the preposition **в** when you talk about going to a place, e. g. the theatre, and the preposition **на** when you talk about going to some kind of performance, e. g. a football match.

134

Can you say which case is used with these prepositions to express 'going to' a place or performance?
How would you say that you go to the opera?

___

Почитаем

I. Центра́льный стадио́н и́мени В. И. Ле́нина

If you go to a football match at the Lenin Stadium, you will probably want to buy a programme. This will include the line-up of the teams playing, and also various other announcements.
Here is one of them:
Look carefully at the programme cover and the text of the announcement, and find the answers to these questions.

1. Which teams were playing on 14th July, 1983?

УВАЖАЕМЫЕ ЛЮБИТЕЛИ СПОРТА!

Лужники приглашают вас на финалы VIII летней Спартакиады народов СССР:

Универсальный спортивный зал „Дружба" по 29 июля – ШАХМАТЫ; Малая спортивная арена с 18 по 24 июля – ДЗЮДО; Дворец спорта с 26 июля по 4 августа – СПОРТИВНАЯ ГИМНАСТИКА; Большая спортив-ная арена 27, 29, 31 июля и 3 августа – ФУТБОЛ; Плавательный бассейн с 31 июля по 5 августа – ПЛАВАНИЕ. 23 июля на Большой спортивной арене – ПРАЗДНИК, посвященный торжественному открытию финаль-ных соревнований VIII летней Спартакиады народов СССР.

2. What other sports events were taking place at the Lenin Stadium during July and August?
3. What is the full title of the Spartakiad?

II. Театра́льная Москва́

You are no doubt aware that there are a lot of theatres in Moscow.
This is an extract from „Театра́льная Москва́" (Moscow's "What's On?" theatre guide).

1. How many theatres are there?
2. Find out the names of all the theatres.
3. Which shows are on in Moscow theatres?
Ask your teacher to explain any words you do not understand.

РЕПЕРТУАР МОСКОВСКИХ ТЕАТРОВ

**КРЕМЛЕВСКИЙ
ДВОРЕЦ СЪЕЗДОВ**
Спектакли
Большого театра
24 Чио-Чио-Сан
25 (у) Севильский
цирюльник

БОЛЬШОЙ ТЕАТР
(Пл. Свердлова)
23 Лебединое озеро
24 Моцарт и Сальери
25 (у) Концерт ансамбля
скрипачей
Большого театра
27 Борис Годунов
28 Анна Каренина

МХАТ
(Здание на Тверском
бульваре, 22)
24 Иванов
У и дн: 26, 28, 29 Синяя
птица
29 (в) Валентин и Валентина

МХАТ
(Здание
на ул. Москвина, 3)
Утро: 26, 29 Принц и нищий

28 (в) Тартюф

МАЛЫЙ ТЕАТР
(Пл. Свердлова, 1/6)
24 Король Лир
26 (у) Русские люди
27 Царь Федор Иоаннович

28 Вишневый сад

**ФИЛИАЛ
МАЛОГО ТЕАТРА**
(Б. Ордынка, 69)
25 Красавец-мужчина
28 Ревизор
29 (у) Конек-горбунок

**МУЗЫКАЛЬНЫЙ ТЕАТР
им. СТАНИСЛАВСКОГО
и НЕМИРОВИЧА-
ДАНЧЕНКО**
(Пушкинская ул., 17)
23 Нежность; Паяцы
26 (в) Майская ночь

**ЦЕНТРАЛЬНЫЙ
ТЕАТР КУКОЛ**
(Садовая-
Самотечная ул., 3)
27 (в) Необыкновенный
концерт
28 (в) Дон Жуан-82

**ТЕАТР
ДРАМЫ И КОМЕДИИ**
(Ул. Чкалова, 76)
23 Мать
26 (у) Тартюф
27 Десять дней, которые
потрясли мир
28 (в) Преступление
и наказание

**МОСКОВСКИЙ
ДРАМАТИЧЕСКИЙ ТЕАТР**
(М. Бронная ул., 4)
25 (в) Волки и овцы
26 (у и дн) Волшебник
Изумрудного города
27 Женитьба
28 Три сестры

**НОВЫЙ
ДРАМАТИЧЕСКИЙ ТЕАТР**
(Ул. Проходчиков, 2)
24 Не бросай огонь,
Прометей!
26 (у и дн) Необыкновенные
приключения
обыкновенного
мальчика
26 (в) Ключ

**ЦЫГАНСКИЙ
ТЕАТР „РОМЭН"**
(Ленинградский
просп., 32/2)
24 Братья
26 (в) Мы — цыгане

**ТЕАТР
ЮНОГО ЗРИТЕЛЯ**
(Пер. Садовских, 10)
23 Товарищи — дети
24 Вся его жизнь...
25 (у и дн) Сказка о царе
Салтане
25 (в) Салют динозаврам!
У и дн: 26, 29 Серебряное
копытце
27 (у и дн) Два клена
27 (в) Новенький
28 (в) Стеклянный зверинец
29 (в) Остановите Малахова!

**ДЕТСКИЙ
МУЗЫКАЛЬНЫЙ ТЕАТР**
(Просп. Вернадского, 5)
23 (дн), 24 Джунгли
26 (у) Негритенок
и обезьяна
26 (в) Мастер Рокле
29 (дн) Максимка

**МОСКОВСКИЙ
ТЕАТР КУКОЛ**
(Спартаковская ул., 26)
23 Руслан и Людмила
26 (у и дн) Машенька
и Медведь
27 Хрустальный башмачок

ТЕАТР МИНИАТЮР
(Каретный ряд, 3,
сад „Эрмитаж")
26 (в) Друзья остаются
друзьями

**ТЕАТР ЗВЕРЕЙ
им. В. Л. ДУРОВА**
(Ул. Дурова, 4)
Ежедневно,
кроме понедельника
и вторника
Для вас, ребята!
„Чудо-подарок"
„И мы — олимпийцы!"

136

ТЕАТР им. ВАХТАНГОВА
(Арбат, 26)

26 (у) Маленькие трагедии
Скупой рыцарь
Моцарт и Сальери
Каменный гость

ТЕАТР им. МОССОВЕТА
(Б. Садовая ул., 16, сад „Аквариум")

25 Братья Карамазовы
26 (у) Пчелка
29 (у и дн) Кошка, которая гуляла сама по себе

ТЕАТР-СТУДИЯ КИНОАКТЕРА
(Ул. Воровского, 33)

24 Комедия ошибок
26 (у) Горе от ума
23 29 „Здесь, на синей земле..."

ЦЕНТРАЛЬНЫЙ ДЕТСКИЙ ТЕАТР
(Пл. Свердлова, 2/7)

26 (у и дн) Сказка о рыбаке и рыбке
Сказка о мертвой царевне и о семи богатырях
28 (в) Никто не поверит

ГОСЦИРК
(На Ленинских горах)

Ежедневно,
кроме понедельника

„Космический взлет"
Большой праздничный спектакль-феерия в 2 отделениях

ГОСЦИРК
(Цветной бульвар, 13)

Ежедневно

„В семье единой"
Цирковое представление в 2 отделениях

14

Страноведение

THE BOLSHOI THEATRE

There are over thirty theatres in Moscow, but the Bolshoi is the most famous, and is known throughout the world as the home of Russian ballet and opera.

Перед началом спектакля. Before the performance

The theatre has a long history—in 1976 it celebrated its 200th anniversary.

I love this theatre. It is such a majestic, classical building, with its beautiful interior. Its tiered balconies and boxes, red velvet seats, guilded, crystal chandeliers, decorated ceilings—all of these give it its wonderful atmosphere.

The Bolshoi company has performed all over the world.

You may have seen some Russian operas, like "Evgeny Onegin" or "The Queen of Spades", or ballets, like "Swan Lake" or "Sleeping Beauty", when the company toured Britain or the USA?

Анна Павлова—лучшая Жизель
Anna Pavlova is the best "Giselle"

Soviet ballet is extremely good and very popular. Russian ballet dancers are world-famous. The Bolshoi represents the best in Russian ballet (although the Kirov ballet in Leningrad also enjoys a very high reputation). The best choreographers and dancers work at the Bolshoi.

I could talk about ballet for hours, and all the famous dancers at the Bolshoi.

But I want to say a little more about one ballerina, Anna Pavlova, who is known as "the Queen of Russian ballet".

Anna Pavlova didn't live long—only fifty years from 1881 to 1931—but she earned an outstanding place in the history of Russian ballet. Her contemporaries said that she would be immortal, as she personified Pushkin's famous phrase—"winged flight of the spirit", in her inspired dancing.

She danced in so many ballets—"Giselle", "Sleeping Beauty", "Chopiniana", "Bayaderka"... and won world acclaim as the prima ballerina.

ТЫ ИГРАЕШЬ В ТЕННИС?
ANYONE FOR TENNIS?

??
Как сказать?

Talking about leisure interests:
How do I say whether I like sport, and which games I play or watch? Which kind of music I like, and whether I can play any musical instruments? Or ask other people?

А вы играете в теннис?
Do you play tennis?

На Олимпиаде

НАЧИНА́ЮТСЯ ЭКЗА́МЕНЫ

Wednesday, 24th June. Today is the second day of the Olympiad, and this morning contestants in the younger age-group—up to fifteen—are taking their oral test. They're taking it on the second floor, in the Pushkin room, and there's a panel of four examiners asking the questions...

1 Michael is asked about sport...

Экзамена́тор. Майкл, ты лю́бишь спорт?

Майкл. Да, я игра́ю в баскетбо́л и в те́ннис.

2 Jane is asked what games she plays...

Экзамена́тор. Джейн, ты лю́бишь спорт?

Джейн. Да, о́чень.

Экзамена́тор. А во что ты игра́ешь?

Джейн. Зимо́й обы́чно в хокке́й на траве́, а ле́том в те́ннис.

3 A boy from Sri Lanka talks about music...

Экзамена́тор. Ферна́ндо, ты лю́бишь му́зыку?

Ферна́ндо. О́чень.

Экзамена́тор. Ты на чём-нибудь игра́ешь?

Ферна́ндо. Да, я игра́ю на фле́йте.

Экзамена́тор. А что ты обы́чно игра́ешь?

Ферна́ндо. Наро́дную му́зыку.

4 An Italian girl is keen on pop music...

Экзамена́тор. Франче́ска, ты лю́бишь му́зыку?

Франче́ска. О́чень.

Экзамена́тор. А каку́ю му́зыку ты обы́чно слу́шаешь?

Франче́ска. Я о́чень люблю́ поп-му́зыку.

Экзамена́тор. И танцу́ешь?

Франче́ска. Да, я хожу́ в дискоте́ку в суббо́ту и́ли в воскресе́нье.

5 A girl from Bulgaria is asked what TV programmes she watches...

Экзамена́тор. Ане́та, что ты обы́чно де́лаешь ве́чером?

Ане́та. Ве́чером я де́лаю уро́ки, а пото́м смотрю́ телеви́зор.

Экзамена́тор. А каки́е переда́чи ты смо́тришь?

Ане́та. Фи́льмы, пье́сы, но́вости...

140

6 A French boy talks about his tastes in reading...

Экзаменáтор. Пьер, ты мнóго читáешь?

Пьер. Да, довóльно мнóго.

Экзаменáтор. А какúе кнúги ты читáешь?

Пьер. Я бóльше всегó люблю́ ромáны Достоéвского, Толстóго.

Экзаменáтор. Ты читáешь по-рýсски úли по-францýзски?

Пьер. Обы́чно по-францýзски.

Образец

1. Asking which sports or games someone plays.
Telling.

– Во что	ты игрáешь? вы игрáете?	– В	футбóл. тéннис. бадминтóн.

2. Asking which musical instruments someone can play.
Telling.

– На чём	ты игрáешь? вы игрáете?	– На	пианúно. гитáре. скрúпке.

3. Asking whether someone plays a particular game or musical instrument.
Saying whether I do or don't.

| – Ты игрáешь
– Вы игрáете | в | шáхматы?
сквош?
баскетбóл?
хоккéй?
хоккéй на травé?
снýкер?
нетбóл? | волейбóл?
футбóл?
крúкет?
пинг-пóнг?
рéгби?
дартс?
тéннис? |
| | на | гитáре?
флéйте? | скрúпке?
пианúно? |

– (Да.) Игрáю. – (Нет.) Не игрáю.	А	ты? вы?

15

141

4. Asking what someone usually does in the evenings and at week-ends.
Telling.

– Что	ты	обы́чно	де́лаешь	ве́чером?
				в суббо́ту и воскресе́нье?
	вы		де́лаете	в суббо́ту ве́чером?
				в воскресе́нье ве́чером?

– Я обы́чно	игра́ю	в бадминто́н.
		в футбо́л.
		в те́ннис.
		на пиани́но.
		на гита́ре.
	слу́шаю	му́зыку.
		ра́дио.
		пласти́нки.
	чита́ю	кни́гу.
		газе́ту.
	смотрю́	телеви́зор.
	танцу́ю	в дискоте́ке.
		в клу́бе.
	де́лаю	уро́ки.

⊕

Поговорим, поиграем

I. Find out

„КТО ... ?"

1. Ask each other questions to fill in the blanks on your half of the chart.

Example

— Кто игра́ет в футбо́л?
— Ю́ра. А кто ещё игра́ет?
— Стив.

2. When you have completed your charts, use the information to ask questions like this:

— Кто хорошо́ поёт?—Сью́зан.
— Во что игра́ет Стив?—В футбо́л.
— На чём игра́ет Та́ня?—На пиани́но.

142

3. Play the parts of pairs of characters.
Examples

       Та́ня. Стив, ты лю́бишь гимна́стику?
       Стив. Не о́чень. А ты?
       Та́ня. Я о́чень люблю́.

       Ю́ра. Ла́рри, ты игра́ешь в ша́хматы?
       Ла́рри. Да, игра́ю. А ты?
       Ю́ра. Я то́же игра́ю.

       Та́ня. Кэ́рол, ты игра́ешь на гита́ре?
       Кэ́рол. Да. А ты?
       Та́ня. А я игра́ю на пиани́но.

4. Talk about yourselves. Use the material in the charts to ask each other about your own interests and activities.

II. Dialogue variation

Read the dialogues with your partner, then change the words in bold type. Include your own variations of the instruments, sports, length of time or season.

1. — Ты на чём-нибудь игра́ешь?
   — Да, я игра́ю на **скри́пке.**
   — На **скри́пке?** Ты хорошо́ игра́ешь?
   — Непло́хо. Я игра́ю в шко́льном орке́стре.

2. — Ты на чём-нибудь игра́ешь?
   — Да, я игра́ю на **гита́ре.**
   — Ты хорошо́ игра́ешь?
   — Нет, ещё учу́сь...
   — А ско́лько вре́мени ты у́чишься?
   — **Год...**

3. — Ты зна́ешь, я игра́ю в **сквош.**
   — Я то́же игра́ю. Ско́лько вре́мени ты игра́ешь?
   — **Два го́да.** А ты?
   — **Шесть лет.**

4. — Ты игра́ешь в **ша́хматы?**
   — Да, и о́чень люблю́. Я игра́ю в **ша́хматы де́сять лет.**
   — **Де́сять лет!** Ты, наве́рное, уже́ хорошо́ игра́ешь?
   — Непло́хо.

5. — Ты лю́бишь **футбо́л?**
   — **Футбо́л?** О́чень люблю́! А ты?
   — Я не игра́ю в **футбо́л,** но смотрю́ по телеви́зору.
   — А я и смотрю́, и игра́ю.

15

6. — Во что ты игра́ешь **ле́том?**
— В кри́кет. А ты?
— Я игра́ю в те́ннис.
— Где ты игра́ешь? В шко́ле?
— Нет, в клу́бе.

III. Talk about yourself

You are in the Pushkin room taking the Olympiad oral test. Your partner is one of the examiners.

— Как тебя́ зову́т?
— ...
— Отку́да ты? Из А́нглии?
— ...
— А где ты живёшь?
— ...
— Скажи́, пожа́луйста, где ты у́чишься?
— ...
— А что ты там изуча́ешь?
— ...
— Ско́лько вре́мени ты изуча́ешь ру́сский язы́к?
— ...
— Како́й вид спо́рта ты лю́бишь бо́льше всего́?
— ...
— Во что ты игра́ешь зимо́й? Ле́том?
— ...
— Хорошо́ ты игра́ешь?
— ...
— А что ты обы́чно де́лаешь ве́чером? Наве́рное, де́лаешь уро́ки?
— ...
— А ещё? Ты лю́бишь му́зыку?
— ...
— Каку́ю му́зыку ты обы́чно слу́шаешь?
— ...
— А ты на чём-нибудь игра́ешь?
— ...
— Ты лю́бишь кни́ги? Мно́го чита́ешь?
— ...
— Каки́е кни́ги ты бо́льше всего́ лю́бишь?
— ...
— Ты смо́тришь телеви́зор?
— ...

144

— Каки́е переда́чи ты обы́чно смо́тришь?
— ...
— Хорошо́. Ты непло́хо говори́шь по-ру́сски... А ещё каки́е языки́ ты зна́ешь?
— ...
— Интере́сно. Ну всё. Спаси́бо. До свида́ния.

IV. Puzzle

„А́ННА РЕ́БУС"

You know what a rebus is. Well, this is a sister puzzle — a combination of the rebus and an anagram.
The aim is to translate the following numbers code into a Russian sentence:

4, 3, 6   2, 9, 13, 12, 16, 11   1   7, 20, 1, 4, 19.

You do it this way:
1. Say the Russian words represented by the pictures, then write them down in order and spacing the letters out well.
2. Starting from the left, number the letters 1—21.

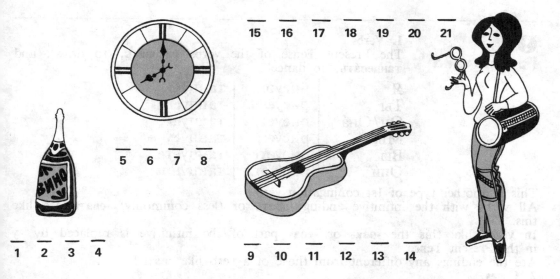

3. Match these numbers to the numbers in the code above to provide the letters which will produce the sentence, e. g. 4 = o. The sentence will tell you what Anna is doing at the moment.
(Solution is in the Keys section.)

V. Associations
Can you find three phrases which go with each of the verbs?
Write out sentences.

Example

игра́ть, в футбо́л — Я игра́ю в футбо́л.

игра́ть, говори́ть, жить, рабо́тать

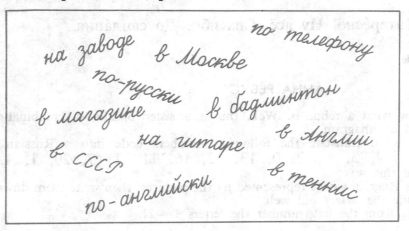

на заводе   в Москве   по телефону
по-русски   в бадминтон
в магазине   на гитаре   в Англии
в СССР   в теннис
по-английски

Грамматика

1. Verbs

The Present Tense of the verbs **рисова́ть**, 'to draw', and **танцева́ть**, 'to dance'.

Я	рису́ю	танцу́ю
Ты	рису́ешь	танцу́ешь
Он/Она́	рису́ет	танцу́ет
Мы	рису́ем	танцу́ем
Вы	рису́ете	танцу́ете
Они́	рису́ют	танцу́ют

This is another type of 1st conjugation verb.

All verbs with the infinitive ending **-овать** or (less commonly) **-евать** are like this.

In verbs like this the **-ова-** or **-ева-** part of the infinitive is replaced by **-у** in the Present Tense.

Are the endings any different from those of a verb like **знать**?

2. Cases

Note the use of:

1) The preposition **в** + noun in the Accusative Case when you talk about playing sports and games.

— Во что ты игра́ешь? — В футбо́л.

2) The preposition **на** + noun in the Prepositional Case when you talk about playing a musical instrument.

— На чём ты игра́ешь? — На гита́ре.

146

Is a similar distinction made in English? French?

Why do you think **в** becomes **во** in the question „**Во что ты игра́ешь?**".

3. The question word како́й?

The Accusative Case forms of **како́й?** follow the same pattern as for adjectives:

Masc.	Како́й	вид спо́рта	
Fem.	**Каку́ю**	му́зыку	
Neut.	Како́е	вино́	ты лю́бишь?
Plur.	Каки́е	кни́ги	

?? ▲ ❶

Прове́рьте себя́
Test yourselves

Talk about yourselves
Ask and answer with your partner on these topics:

I. Personal information and school
1. Как тебя́ зову́т?
2. Отку́да ты?
3. Ты англича́нин / англича́нка? Испа́нец / испа́н-ка? Шотла́ндец / шотла́ндка?
4. Где ты живёшь? В како́м го́роде?
5. Ты рабо́таешь и́ли у́чишься?
6. Где ты у́чишься? В шко́ле? В университе́те?
7. Ты у́чишься в общеобразова́тельной шко́ле?
8. Каки́е предме́ты вы изуча́ете в шко́ле?
9. Ско́лько вре́мени ты у́чишься в шко́ле?
10. Ско́лько вре́мени ты изуча́ешь ру́сский язы́к? Ты хорошо́ говори́шь по-ру́сски?

15

II. Your interests

Sport
1. Ты лю́бишь спорт?
2. Како́й вид спо́рта ты лю́бишь бо́льше всего́?
3. Ты лю́бишь гимна́стику / сквош / дзюдо́ / ша́хматы / бадминто́н / пинг-по́нг?
4. Ты игра́ешь в хокке́й на траве́ / футбо́л / те́ннис / ре́гби / кри́-кет...?
5. Во что ты игра́ешь ле́том? А зимо́й?
6. Ты хорошо́ игра́ешь в футбо́л / нетбо́л?
7. Ты игра́ешь в шко́льной кома́нде?
8. Ты смо́тришь спорти́вные переда́чи по телеви́зору?
9. Каки́е спорти́вные переда́чи ты смо́тришь?

Music and dancing
1. Ты лю́бишь му́зыку?
2. Каку́ю му́зыку ты лю́бишь бо́льше всего́?

3. Ты лю́бишь поп-му́зыку? А класси́ческую му́зыку?
4. Где ты слу́шаешь му́зыку? До́ма? В шко́ле? В клу́бе?
5. У тебя́ есть ,,Уо́кмен"?
6. У вас до́ма есть прои́грыватель? Магнитофо́н? Музыка́льный центр?
7. Ты слу́шаешь пласти́нки / кассе́ты?
8. Ты на чём-нибудь игра́ешь? На чём?
9. Ты хорошо́ игра́ешь?
10. Ты игра́ешь в шко́льном орке́стре?
    В анса́мбле (pop group)?
11. Ты танцу́ешь?
12. Каки́е та́нцы ты лю́бишь?
13. Где ты танцу́ешь? В шко́ле? В клу́бе?
14. Ты хо́дишь в дискоте́ку?
    Ты ча́сто хо́дишь в дискоте́ку?
15. Ты хорошо́ танцу́ешь?

Books and television

1. Ты мно́го чита́ешь?
2. Каки́е кни́ги ты чита́ешь? Рома́ны? Стихи́? Детекти́вы?
3. Ты чита́ешь ру́сские кни́ги? Ты чита́ешь на ру́сском и́ли на англи́йском языке́?
4. Ты смо́тришь телеви́зор?
5. Что ты смо́тришь? Спорти́вные переда́чи? Документа́льные фи́льмы? Детекти́вы?
6. Каки́е переда́чи ты лю́бишь бо́льше всего́?

Films and theatre

1. Ты лю́бишь кино́?
2. Ты ча́сто хо́дишь в кино́?
3. Каки́е фи́льмы ты лю́бишь бо́льше всего́?
4. Ты смо́тришь фи́льмы по телеви́зору?
5. У вас до́ма есть видеомагнитофо́н?
6. Ты лю́бишь теа́тр?
7. Ты ча́сто хо́дишь в теа́тр?
8. Каки́е спекта́кли ты лю́бишь?
9. Ты лю́бишь о́перу?
   Ты лю́бишь бале́т?
10. Каки́е ру́сские бале́ты ты зна́ешь?

А. БОРОДИН

КНЯЗЬ ИГОРЬ

Опера в 3 действиях, 5 картинах

Либретто А. БОРОДИНА

по старинной русской летописи
«Слово о полку Игореве»

Почитаем

I. „Князь Игорь"
The opera „Князь Игорь" (by
A. Бородин) includes a number of solos for individual
instruments.

15

1. Find out from the theatre programme on which instruments solos will be played.

   Соло в оркестре исполняют:
   скрипка, виолончель, арфа, гобой, кларнет, корнет-а-пистон

2. Have you heard of the famous „Слово о полку Игореве"?
   This is a poetic landmark of old Russian literature, and every Russian person
   knows about it.

II. „Лебединое озеро"
Here is an extract from a theatre programme for „Лебединое озеро" (by
П. И. Чайковский).

1. Do you know the English names for all the musical instruments?

   Соло в оркестре исполняют:
   гобой, английский рожок, кларнет, валторна.

149

2. Which is your favourite musical instrument?
3. Nadya Rusheva was fond of ballet and made many drawings about it. Which
   titles did Nadya give her drawings?

Отдых балерины.

Танец Пьеро и Коломбины.

ON THE BALL

Страноведение

On Sunday Yura took me and Larry to the Lenin Stadium, where Moscow's "Spartak" were playing at home to "Dynamo Kiev". "Dynamo Kiev" is a really good side, so there were a lot of supporters who wanted to see the match.

The "Bolshaya Arena" (The Main Arena) is the main part of a big complex of sports facilities out at Luzhniki by the bend in the River Moskva. There's also the "Malaya Arena" (Small Stadium) there, a swimming pool, a multi-purpose Sports Palace, tennis courts, football pitches, and so on. It's very impressive.

The main stadium seats over a hundred thousand spectators, and there's an athletics track around the football pitch. This means that you feel quite a long way away from the action, but you see other things as well as football. Before the kick-off and during half-time you can watch various sports competitions, for example, relay races.

But we had really come to see the football, and I must say it was a great match, played flat out for the full ninety minutes. And Muscovites get just as worked up and excited over football as British supporters.

Стадион им. В. И. Ленина. Большая спортивная арена
The Lenin Stadium. The Main Sports Arena

I really enjoyed it, and so did Larry.
"Spartak" got one in right at the last minute to win 3—2, so Yura went
home feeling pretty happy.

Урок

16

шестнадцатый

ТЫ ЛЮБИШЬ ЧИТАТЬ?
READ ANY GOOD BOOKS
LATELY?

??
Как сказать?

Leisure interests:
How do I say whether I like playing or watching some kind of sport, reading, dancing, going to the cinema or theatre, listening to music, painting, singing?
How do I tell someone which TV programmes I like watching? Or ask other people about their interests?

Любимые книги
My favourite books

152

На Олимпиаде

Well, the oral tests are still going on down there... I've talked to Michael and Jane, and they say the examiners are very friendly, and it's more like a pleasant chat rather than any sort of examination ordeal...

1 A boy from Greece talks about the TV programmes he likes watching...

Э к з а м е н а́ т о р. Алекса́ндр, ты лю́бишь смот-ре́ть телеви́зор?

А л е к с а́ н д р. Не о́чень...

Э к з а м е н а́ т о р. Но иногда́ ты смо́тришь переда́-чи?

А л е к с а́ н д р. Иногда́ смотрю́.

Э к з а м е н а́ т о р. А что ты смо́тришь, наприме́р?

А л е к с а́ н д р. Мм... Я люблю́ фи́льмы... музы-ка́льные програ́ммы... детекти́вы... но́вости... конце́рты... спорти́вные переда́чи...

Э к з а м е н а́ т о р. А ты сказа́л, что не лю́бишь смотре́ть телеви́зор!

16

2 Marilyn gets involved in explaining something a bit more difficult...

Э к з а м е н а́ т о р. Мэрли́н, ты америка́нка?

М э р л и́ н. Да.

Э к з а м е н а́ т о р. Ты лю́бишь спорт? Наприме́р, лю́бишь игра́ть в баскетбо́л?

М э р л и́ н. Я не игра́ю в баскетбо́л, но люблю́ боле́ть за на́шу шко́льную кома́нду. Я 'cheer-leader'.

Э к з а м е н а́ т о р. Что э́то зна́чит? Расскажи́, как ты боле́ешь за свою́ кома́нду...

М э р л и́ н. Мы надева́ем фо́рму, берём краси́вые бума́жные шары́... поём, кричи́м... пры́гаем...

Э к з а м е н а́ т о р. Э́то помога́ет?

М э р л и́ н. Иногда́...

Образец

Asking whether someone likes doing something.
Saying whether I do or don't.

153

	читать?	
	плавать?	
	танцевать?	– Óчень люблю́.
– Ты лю́бишь	рисовать?	– Люблю́.
	петь?	– Не óчень.
– Вы лю́бите	игра́ть в те́ннис?	– Не люблю́.
	игра́ть на гита́ре?	– Совсе́м не люблю́.
	слу́шать пласти́нки?	
	смотре́ть телеви́зор?	

🌐 **Поговорим, поиграем**

I. Talk about yourself

Compare notes with your partner on which TV programmes you like watching.

Answer **Да. / Нет. / Не óчень,** and fill in the columns for yourself and your partner.

Ты лю́бишь смотре́ть ... ?

	Ты	Партнёр
фи́льмы		
мультфи́льмы		
коме́дии		
детекти́вы		
спекта́кли		
музыка́льные програ́ммы		
конце́рты		
но́вости		
документа́льные переда́чи		
спорти́вные переда́чи		
футбо́л		
те́ннис		
гимна́стику		
кри́кет		
фигу́рное ката́ние		

Каки́е переда́чи ты лю́бишь смотре́ть бо́льше всего́?

II. Rating

ШКО́ЛЬНЫЕ ПРЕДМЕ́ТЫ

Write out a list of the school subjects given below, numbering them in your order of personal preference. Which do you think are the most / least interesting and useful? Are there any subjects missing? If so, ask your teacher how to say them in Russian: **Как по-ру́сски ... ?**

Then compare your list with your partner's and the rest of your class. Which subjects seem to be most/least popular? Are there any significant differences between the choices of the boys and the girls in your class?

Предме́ты в англи́йской шко́ле

му́зыка, фи́зика, биоло́гия, матема́тика, физкульту́ра (PE), исто́рия, рабо́та по де́реву (Woodwork), рели́гия (RE), иностра́нные языки́ (францу́зский / ру́сский / неме́цкий / испа́нский), дома́шнее хозя́йство (Dom. Sci.), хи́мия, жи́вопись (Art), англи́йский язы́к, англи́йская литерату́ра, рабо́та по мета́ллу (Metalwork)

III. Puzzle

КРОССВО́РД

All the words in this puzzle are verbs. Do you remember them all?

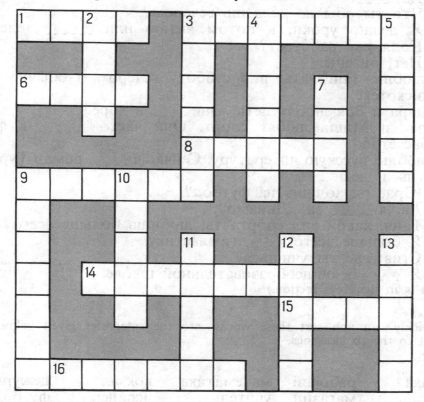

По горизонта́ли:

1. Я шотла́ндец. Я ____ в Абердѝне.
3. Лѐна о́чень лю́бит му́зыку. Сейча́с она́ _____ симфо́нию Бетхо́вена.

6. Я о́чень люблю́ танцева́ть, и ча́сто ____ в дискоте́ку.
8. — Что ты де́лаешь?
   — _____ карти́ну.
9. В шко́ле я _____ матема́тику, фи́зику, хи́мию.
14. Я рабо́чий. Я _____ на заво́де.
15. Я люблю́ чита́ть. Я ча́сто ____ кни́ги в библиоте́ке.
16. — Что _____ О́ля и Све́та?
    — Игра́ют в насто́льный те́ннис.

По вертика́ли:

2. — Посмотри́ на ка́рту. Вот ста́нция метро́ „Кропо́ткинская“. Ви́дишь?
   — Да, _____.
3. — Что ты обы́чно де́лаешь ве́чером?
   — Я де́лаю уро́ки, а пото́м чита́ю и́ли _____ телеви́зор.
4. — Ко́ля уже́ рабо́тает?
   — Нет, он ещё _____.
5. Я люблю́ танцева́ть, и в суббо́ту ве́чером я обы́чно _____ в дискоте́ке.
7. Тама́ра и Зо́я лю́бят петь. Они́ ____ в хо́ре.
9. Бори́с и Ми́ша лю́бят спорт. Они́ ча́сто _____ в футбо́л и баскетбо́л.
10. Я люблю́ ру́сскую литерату́ру. Сейча́с я _____ рома́н Турге́нева „Отцы́ и де́ти“.
11. — Ю́ра, ты хо́дишь на футбо́л?
    — Да, я ____ за „Дина́мо“.
12. — Та́ня, како́й вид спо́рта ты лю́бишь бо́льше всего́?
    — Я бо́льше всего́ _____ гимна́стику.
13. — Стив, где ты у́чишься?
    — Я ____ в общеобразова́тельной шко́ле.

(Solution is in the Keys section.)

IV. Classify
How quickly can you sort these words into the categories given below? Write them out to the six headings.

Слова́:

украи́нка	рабо́чий	матема́тика	вокза́л	дежу́рная
хокке́й	магази́н	учи́тель	испа́нец	футбо́л
жена́	сын	бадминто́н	фи́зика	англича́нин
ру́сский язы́к	сквош	гости́ница	балери́на	киоскёр
хи́мия	рестора́н	де́душка	по́чта	францу́женка
ру́сский	ба́бушка	те́ннис	муж	исто́рия

156

Categories:

        sports   school subjects
        places   nationalities
        family   occupations

V. Associations

Can you find three nouns to go with each verb? Write out sentences (remember to change the noun ending, where necessary).

Example

      чита́ть, кни́га — Я чита́ю кни́гу.

чита́ть, смотре́ть, слу́шать, изуча́ть

пласти́нка
журна́л
биоло́гия
телеви́зор
му́зыка
ра́дио
газе́та
фи́льм
ру́сский язы́к
рома́н
переда́ча
матема́тика

16

🛈 **Грамматика**

Verbs

1) The Present Tense of the verb **боле́ть**.

This verb has two meanings: a) 'to be ill, unwell', e. g. **Я боле́ю.** 'I am ill'; b) 'to support, be a fan of', when used with the preposition **за**.

Я	боле́ю		Ли́верпуль
Ты	боле́ешь		Арсена́л
Он / Она́	боле́ет	за	Манче́стер Юна́йтед
Мы	боле́ем		„Спарта́к" (Москва́)
Вы	боле́ете		„Дина́мо" (Ки́ев)
Они́	боле́ют		

This is another type of regular 1st conjugation verb. (But you will meet very few verbs of this kind.)

The stem of both the infinitive and the Present Tense ends in **-e**; the endings are exactly the same as for verbs like **знать**.

2) You have now met these types of verbs in Russian:

1st conjugation: -у/-ю, -ешь, -ет, -ем, -ете, -ут/-ют

-у/-ю, -ёшь, -ёт, -ём, -ёте, -ут/-ют

Examples

    a) знать, изуча́ть, игра́ть, слу́шать, чита́ть, де́лать, надева́ть, пры́гать, помога́ть
    b) боле́ть
    c) рисова́ть, танцева́ть
    d) жить

2nd conjugation: -у/-ю, -ишь, -ит, -им, -ите, -ат/-ят

Examples

    a) говори́ть, люби́ть, учи́ться, ходи́ть; b) ви́деть

3) The Present Tense of the verbs **смотре́ть**, 'to watch', **брать**, 'to take', **петь**, 'to sing'.

Я	смотрю́	беру́	пою́
Ты	смо́тришь	берёшь	поёшь
Он/Она́	смо́трит	берёт	поёт
Мы	смо́трим	берём	поём
Вы	смо́трите	берёте	поёте
Они́	смо́трят	беру́т	пою́т

Look at the endings for all three verbs and say which conjugations they belong to.
4) Remember the forms of these verbs. (Just three forms are given to indicate the conjugation—if you know them, you know all the others as well, don't you?)

звать:	зову́	зовёшь	зову́т
жить:	живу́	живёшь	живу́т
ви́деть:	ви́жу	ви́дишь	ви́дят
смотре́ть:	смотрю́	смо́тришь	смо́трят
брать:	беру́	берёшь	беру́т
петь:	пою́	поёшь	пою́т

Which conjugations do these verbs belong to?

Почитаем

Телепереда́чи
    Central Television in Moscow broadcasts on several channels.
1. Look at the newspaper cutting of TV programmes and, firstly, say how many channels (**програ́ммы**) there are.
2. How quickly can you scan the programmes on the various channels? Can you find out which channel is used for educational programmes, e. g. programmes for schools or home study?

ПЕРВАЯ ПРОГРАММА. 8.00 — Время. 8.40. — Гимнастика. 9.05 — Книга в твоей жизни. 9.50 — Делай с нами, делай, как мы, делай лучше нас. 10.50 — играет народный артист РСФСР Т. Докшицер. 14.50 — По Сибири и Дальнему Востоку. Кинопрограмма. 15.45 — Рассказы о художниках. Народный художник СССР Е. Ф. Белашова. 16.15 — Ребятам — о зверятах. 16.45 — Москва и москвичи. 17.15 — Выступление заслуженного коллектива Латвийской ССР мужского хора „Дзиедонис". 17.55 — Встреча юнкоров телестудии „Орленок" с Героем Советского Союза А. В. Ляпидевским. 18.45 — Сегодня в мире. 19.00 — Концерт советской песни. 19.25 — „Депутат Балтики". Художественный фильм. 21.00 — Время. 21.35 — „А ну-ка, девушки!" В перерыве (22.15) — Сегодня в мире.

ВТОРАЯ ПРОГРАММА. 8.10 и 20.30 — Научно-популярные фильмы. 8.40 и 9.45 — История. 6-й класс. 9.05 — А. М. Горький — Очерки об Америке. 10.10 и 19.15 — Английский язык. 10.40 и 11.40 — Н. В. Гоголь „Ревизор". 7-й класс. 11.10 — Учащимся ПТУ. Физика. 12.10 и 18.00 — Студентам-заочникам. Высшая математика. I курс. 13.25 — Основы марксистско-ленинской этики. 14.15 и 17.30 — Слушателям подготовительных отделений. Физика. 14.45 — Экран — врачу. 15.45 и 19.45 — Звездочет. Тележурнал. 16.30 и 17.00 — Экран учителю.

МОСКОВСКАЯ ПРОГРАММА. 19.00 — Москва. 19.30 — „Есть на Волге утес". Фильм-концерт. 20.00 — Отдых в выходные дни. 20.30 — Играет оркестр русских народных инструментов „Сказ". 20.45 — Реклама. 21.00 — Научно-популярные фильмы. 21.30 — И. Тургенев „Нахлебник". Фильм-спектакль.

ЧЕТВЕРТАЯ ПРОГРАММА. 19.00 — Клуб путешественников. 20.15 — Человек и закон. 20.50 — Д. Шостакович — Симфония № 5. 21.40 — „Короли и капуста". Художественный телефильм. 2-я серия.

16

3. Look at the programmes broadcast on this channel more carefully. Can you say for whom some of the individual programmes are intended?
   The following notes will help you:

   ПТУ — профессиона́льно-техни́ческое учи́лище, vocational school;
   зао́чник — person taking a correspondence course;
   подготови́тельное отделе́ние — preparatory department
   (in Soviet institutions of higher education).

4. Which titles or names appear in the programmes?
   Have you heard of them before?

5. Which programme(s) do you think you might like to watch?

Странове́де-ние

TV PROGRAMMES

My favourite television programmes are "What? Where? When?", "Travellers' Club" and "Animal World".

"What? Where? When?" is a TV quiz programme. Viewers write letters to the programme in which they ask various interesting and tricky questions. The questions are put to a "panel of young experts", including six young men and women who are well-informed and knowledgeable. In exactly one minute, they have to consult each other and answer the viewer's question. If the "experts" give the correct answer, they win a point. If their answer is wrong, then the viewer wins the point and has beaten the panel. The winners receive an interesting book as a prize.

159

ИЗВИНИТЕ!
SORRY!

??
Как сказать?

Talking about something which happened in the past:
How do I say where I was and what I was doing yesterday/
last night/on Saturday night?
Apologising:
How do I apologise in Russian?

Третьяковская гале-
рея
The Tretyakov Gal-
lery

160

ГДЕ МЫ БЫ́ЛИ ВЧЕРА́

На Олимпиаде

The morning's oral tests are over, and we're now all having lunch before the afternoon excursion. People seem to have been to lots of different places last night, and are exchanging accounts of what they did...

1 Where were our leaders yesterday afternoon?

Ни́на. А́лан, Дейв, где вы бы́ли вчера́ по́сле обе́да?

А́лан. Мы бы́ли в музе́е Пу́шкина на вы́ставке „Москва́—Пари́ж". Вы ви́дели её?

Ни́на. Да, я уже́ ви́дела. Прекра́сная вы́ставка!

2 Susan is telling her Finnish friend, Sirka, and a German boy called Wolfgang about our evening at the Bolshoi...

Сью́зан. Вы зна́ете, вчера́ ве́чером мы смотре́ли бале́т „Жизе́ль". А вы что де́лали ве́чером?

Си́рка. А мы бы́ли в консервато́рии, слу́шали „Времена́ го́да" Чайко́вского.

Сью́зан. А кто игра́л?

Во́льфганг. Святосла́в Ри́хтер.

Сью́зан. Ри́хтер? О, вам повезло́!

3 Steve's Bulgarian friend, Aneta, seems to be a wee bit disappointed in him...

Ане́та. Стив, ты не был вчера́ ве́чером в Большо́м теа́тре на бале́те? Я тебя́ там не ви́дела...

Стив. Да, не́ был...

Ане́та. А где ты был?

Стив. Я смотре́л футбо́л на стадио́не Ле́нина. „Спарта́к" (Москва́)—„Дина́мо" (Ки́ев)...

Ане́та. Ты не́ был на бале́те, а был на футбо́ле? Стив, извини́, но я тебя́ про́сто не понима́ю...

Образец

1. Asking where someone was yesterday.
Telling.

— Где	ты был ты была́ вы бы́ли	вчера́	у́тром? днём? ве́чером?

17

– Я был(á)	дóма.	
	в пáрке.	
	в кинó.	
	в бассéйне.	
	в библиотéке.	
	в клýбе.	
	в дискотéке.	
	в шкóле.	
	в университéте	на лéкции.
	в теáтре	на балéте.
	в музéе	на вы́ставке.
	в консерватóрии	на концéрте.
	на пóчте.	
	на вокзáле.	
	на стадиóне	на футбóле.
	на завóде	на рабóте.

2. Apologising.
'It's alright'. 'Never mind'.

– Извини́, – Извини́те,	(пожáлуйста).	– Ничегó.

Поговорим, поиграем

I. Role playing

„ИЗВИНИ́ТЕ, ПОЖÁЛУЙСТА"

You arranged to meet your friend, but you were so involved in something that you completely forgot. Well, you are only human, after all.

Practise variations of these dialogues, saying where you were, what you were doing.

1. О́ля. Лéна, где ты былá в воскресéнье ýтром? Я тебя́ ждалá...
   Кáтя. О, извини́, пожáлуйста. Я забы́ла. Я былá на стадиóне, игрáла в тéннис.
2. Ни́на. Дейв, мы бы́ли вчерá днём в музéе на вы́ставке. А что вы дéлали?
   Дейв. Я был на стадиóне.
   Ни́на. На футбóле?
   Дейв. Да. Игрáли „Дина́мо" (Москвá) — „Зени́т" (Ленингрáд).

II. Find out

„ГДЕ ОНИ́ БЫ́ЛИ?"

1. Ask and tell where the people were yesterday and on Saturday, like this:
   — Где был Бо́ря вчера́ у́тром?
   — В шко́ле.
   — А где он был вчера́ днём?
   — В бассе́йне.

2. When you have completed your charts, enact conversations between Borya and Lena, and Sergei Petrovich and Anna Nikolayevna, like this:

Бо́ря. Ле́на, где ты была́ вчера́ днём? Я тебя́ иска́л.

Ле́на. О, извини́, пожа́луйста, я была́ в библиоте́ке.

Серге́й Петро́вич. А́нна Никола́евна, где вы бы́ли вчера́ днём? Я вас иска́л.

А́нна Никола́евна. Извини́те, пожа́луйста, я была́ на по́чте.

III. Game

„ЧТО ТАМ БЫ́ЛО?"

Do you have a strong visual memory? Look at this picture for about ten seconds, then close your book, and try to recall all the objects that were in the picture. Who can remember most?

11*

IV. Find out

„ЧТО ОНИ́ ДЕ́ЛАЛИ?"

1. Ask each other questions to find out what Tanya, Yura and Nina were doing over the weekend.

Example

— Что де́лала Та́ня в суббо́ту у́тром?
— Она́ была́ в шко́ле.
— А что она́ де́лала днём?
— Она́ смотре́ла фильм.

2. When you have completed your charts, play the parts of the characters and ask each other how you spent the weekend.

Example

Т а́ н я. Ю́ра, что ты де́лал в воскресе́нье?
Ю́ р а. У́тром я игра́л в хокке́й, днём де́лал уро́ки, а ве́-чером слу́шал пласти́нки.

Remember to use **Вы** when addressing Nina.

Грамматика

Verbs
1) The Past Tense
The Past Tense in Russian is formed very simply — in most cases by the removal of **-ть** from the infinitive and the addition of **-л, -ла, -ло, -ли** to the stem for masculine, feminine, neuter or plural endings.

Example

рабо́та-ть

Masc.	Я/Ты/Он	рабо́тал
Fem.	Я/Ты/Она́	рабо́тала
Neut.	Оно́	рабо́тало
Plur.	Мы/Вы/Они́	рабо́тали

Can you see any correspondence between the Past Tense endings and the third person Pronoun forms?
Can you explain when the masculine/feminine form is used with **я** and **ты**?
2) The Past Tense of the verb **быть,** 'to be'.
You know that Present Tense forms of the verb 'to be' are not used in Russian. But the infinitive is, as in the Russian translation of the immortal bard: „**Быть и́ли не быть—вот в чём вопро́с**" („**Га́млет**").

And so is the Past Tense:

Masc.	Я / Ты / Он	был	в кино́.
Fem.	Я / Ты / Она́	была́	в теа́тре.
Neut.	Оно́	бы́ло	на столе́ (on the table).
Plur.	Мы / Вы / Они́	бы́ли	до́ма.

3) Test yourself

Can you insert the correct Past Tense form to complete these sentences? Write them out.

слу́ша-ть	Та́ня ... но́вую пласти́нку.
чита́-ть	Ю́ра ... интере́сную кни́гу.
де́ла-ть	Что ... Ни́на вчера́ ве́чером?
смотре́-ть	Они́ ... телеви́зор.
танцева́-ть	В суббо́ту ве́чером Ле́на и Ко́ля ... в дискоте́ке.
бы-ть	Ка́тя ... до́ма.
рисова́-ть	Она́ ... карти́ну.
говори́-ть	Мы до́лго ... по телефо́ну.
жи-ть	Он ... два го́да в Москве́.
ви́де-ть	Они́ уже́ ... э́тот фильм.
жда-ть	Фийо́на ... меня́ на стадио́не.
забы́-ть	Ты не ..., что сего́дня конце́рт в консервато́рии?
игра́-ть	Вчера́ Ми́ша ... в футбо́л.

17

Почита́ем

„Досу́г в Москве́" ("Leisure-Time in Moscow")

A newspaper is published each week in Moscow, called „Досу́г в Москве́", which lists all the films currently being shown in Moscow cinemas, and provides short accounts of the films, actors and directors. The newspaper also contains a list of theatre performances and gives information about exhibitions, excursions and lectures.

Here is the list of films being shown in Moscow cinemas for younger cinema-goers.
1. Skim through the list and pick out all the foreign films which young Soviet people can see.
2. Are there any English or American films among them?
3. Can you spot a Soviet film which is about a legendary English character? (Clue: the title of the film begins with the letter C.)
4. What do you think the abbreviations (цв), (мульт) indicate?
5. Can you work out what the categories Д-1, Д-2, Д-3 mean? What age-range are these three categories most suitable for?

ЮНОМУ ЗРИТЕЛЮ

УСЛОВНЫЕ ОБОЗНАЧЕНИЯ :

Д-1 (для дошкольников и учащихся 1—3-х классов общеобразовательных школ)

Д-2 (для учащихся 4—6-х классов общеобразовательных школ)

Д-3 (для учащихся 7—9-х классов общеобразовательных школ, учащихся профтехучилищ и специальных средних учебных заведений в возрасте до 16 лет)

Страноведение

THE PUSHKIN MUSEUM OF FINE ARTS

The other day I went with Dave Lewis to see the Moscow—Paris Exhibition at the Pushkin Museum. We spent a bit longer there than we had intended, because there's a lot to see.
    The museum is housed in a lovely building—as you go in there's an imposing staircase with colonnades in pink marble. And there are invaluable collections

Музей изобразительных искусств
им. А. С. Пушкина
The Pushkin Museum of Fine Art

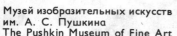

В зале музея
In the Museum

in the various exhibition halls. We saw the collections of Ancient Egyptian and Greek art, and a large collection of paintings by Western-European artists from the 14th to the 20th centuries. I was pleasantly surprised to find a lot of Impressionist, Post Impressionist and Cubist paintings in the museum, for example, works by Monet, Renoir, Cézanne, van Gogh, Gauguin and Picasso. In fact, this collection could be compared with anything of its kind in the best museums of other countries.

And there are often special exhibitions, like the Moscow—Paris one, because the Pushkin Museum exchanges exhibitions with the Louvre, the Dresden National Gallery, and other museums.

I would warmly recommend it for a visit.

Урок

18

восемнадцатый

ДАВАЙ СЫГРАЕМ
HOW ABOUT A GAME?

??
Как сказать?

Suggesting:
How do I suggest doing something, for example, having a game of chess or ping-pong, or going to the pictures?

**Чемпионат школь-
ников по шахматам
The schools' chess
competition**

168

СНО́ВА ЭКСКУ́РСИЯ. ВДНХ

The Exhibition of Economic Achievements is out at Ostankino, a northern district of Moscow... We saw the TV tower and the Space Monument on our way there... And the Exhibition itself is in a large area of parkland... and, as well as all the pavilions, there are fountains and flower beds... oh yes, and a boating lake and a funfair with dodgem cars...

We've looked at the Space pavilion, and some of the pavilions representing individual Republics of the USSR—the Ukraine, Georgia—but there isn't time to see all fifteen of them! We've climbed into a TU104 jet plane, and we've seen the huge "Vostok" rocket on its gantry...

1 It's very warm, and there's a lot of walking, and Nina is a little anxious as to how much we can take in one afternoon...

Ни́на. Ребя́та, мы уже́ ви́дели мно́го павильо́нов. Вы уста́ли?

Ла́рри. Не о́чень.

Ни́на. Хоти́те посмотре́ть ещё оди́н павильо́н?

Сью́зан. Хоти́м.

Ни́на. Дава́йте посмо́трим павильо́н „Ю́ный те́хник“.

18

2 How about an ice-cream?

Сью́зан. Как жа́рко!

Ю́ра. Да, о́чень. Хо́чешь моро́женое?

Сью́зан. О́чень хочу́!

Ю́ра. Како́е ты хо́чешь: эскимо́ и́ли фрукто́вое?

Сью́зан. Я не зна́ю... А что ты бо́льше лю́бишь?

Ю́ра. Эскимо́.

Сью́зан. Дава́й ку́пим эскимо́.

3 When we return to the hostel, Yura and Larry are content to sit down to a quiet intellectual game...

Ю́ра. Ла́рри, ты игра́ешь в ша́хматы?

Ла́рри. Игра́ю. Я о́чень люблю́ ша́хматы.

Ю́ра. Прекра́сно. Дава́й сыгра́ем.

Ла́рри. Дава́й.

4 The girls still seem to have plenty of energy left...

Та́ня. Ребя́та, дава́йте сыгра́ем в пинг-по́нг.

Сью́зан. Дава́йте.

Кэ́рол. Я то́же хочу́. А здесь есть стол?

Та́ня. Есть. На пе́рвом этаже́.

Кэ́рол. Хорошо́. Пошли́.

Образец

1. Suggesting doing something.
Agreeing. Declining.

– Давай – Давайте	сыграем	в шахматы. в пинг-понг.
	посмотрим	телевизор. футбол.
	пойдём	в кино. в театр.
	послушаем	пластинки. концерт.
	купим	мороженое. сок. лимонад.

– Хорошо,	давай. давайте.
– Нет,	я не хочу. я не люблю... я не играю в... я очень устал(а).

2. Offering someone something.
Accepting. Declining.

– Хочешь – Хотите	мороженое? конфету? шоколад? яблоко? апельсин? чай? кофе? пепси-колу? лимонад?	– Спасибо. – Спасибо, не хочу.

I. Role playing

Поговорим, поиграем

"MAKE YOUR MINDS UP"

Discuss with your partner what to do this afternoon or evening. Suggest what you would like to do. If you don't much like your partner's suggestion, give a reason and suggest something else.
Can you persuade your partner to do what you want?
At any rate, make up your minds, and come to a decision you both agree on.
1. A vigorous, athletic game or quiet intellectual pursuit?
— Давай сыгра́ем в ...

те́ннис, сквош, бадминто́н, пинг-по́нг, ша́хматы, ша́шки, сну́кер, дартс
2. An evening out? Where?
— Давай пойдём ...

в кино́, в теа́тр, в дискоте́ку, на стадио́н, на футбо́л, на хокке́й, на конце́рт, на спекта́кль, на бале́т
3. The "food of life"? Soft, stimulating, or mind-bending?
— Давай послу́шаем ...

му́зыку Чайко́вского / Бетхо́вена / Мо́царта; наро́дную му́зыку, джаз, поп-му́зыку, рок-н-ро́лл
4. Settle for "the box"? But which programme?
— Давай посмо́трим ...

фильм, спекта́кль, коме́дию, мультфи́льм, документа́льную переда́чу, детекти́в, но́вости, музыка́льную програ́мму, футбо́л, фигу́рное ката́ние, бокс

18

II. Find out

**„ЧТО ИДЁТ ... ? КТО ИГРА́ЕТ ... ?
ЧТО СЕГО́ДНЯ ... ?"**

Ask / tell your partner what's on at the cinema, theatre, stadium or concert hall, like this:
— Что сего́дня идёт в Большо́м?
— О́пера „Бори́с Годуно́в".

— Кто сего́дня игра́ет на стадио́не и́мени Ле́нина?
— „Спарта́к" (Москва́) — „Арара́т" (Ерева́н).

— Что сего́дня ве́чером в консервато́рии?
— Шеста́я симфо́ния Чайко́вского.

III. Role playing

"TAKE A BREAK"

Is all this strenuous sporting activity and gadding about getting a little wearing?
Relax. Take some refreshment.
1. Be considerate.
   — Ты уста́л(а)?
   — Немно́го.
2. Go on to offer sustenance...
   — Хо́чешь моро́женое?
   — О́чень хочу́!

   пе́пси-ко́лу, лимона́д, сок, чай, ко́фе, апельси́н, я́блоко, конфе́ту
3. Or suggest getting something.
   — Дава́й ку́пим бутербро́д.
   — Дава́й.

   моро́женое, конфе́ты, шокола́д, фру́кты, я́блоки, апельси́ны
4. State your preference.
   — Что ты хо́чешь: чай и́ли ко́фе?
   — Чай, пожа́луйста.
   — Я то́же чай. / А я бо́льше люблю́ ко́фе.

   пе́пси-ко́лу — лимона́д, конфе́ты — шокола́д, фрукто́вое моро́же-
   ное — эскимо́, чай — ко́фе, я́блоки — апельси́ны

IV. Rating

СВОБО́ДНОЕ ВРЕ́МЯ

How do you most like to spend your leisure time?
Write out a numbered list of the activities below in your order of priority.
Which do you enjoy most?
If you want to include something not given in these activities, ask your teacher
how to say it in Russian.
Compare your preferences with those of your partner and the rest of your class.
Which activities are most popular? Are there any significant differences between
the choices of boys, girls?

Что ты бо́льше всего́ лю́бишь де́лать в свобо́дное вре́мя?

ходи́ть в кино́

смотре́ть телеви́зор

петь

танцева́ть

ходи́ть в теа́тр

смотре́ть футбо́л, кри́кет и т. д.

занима́ться спо́ртом

ходи́ть в го́сти

чита́ть

слу́шать му́зыку

рисова́ть

игра́ть на пиани́но, гита́ре,
   скри́пке, фле́йте и т. д.

ничего́ не де́лать

разгова́ривать с друзья́ми

V. Puzzle

RUSSIAN WORDSEARCH

Find the 21 Russian words hidden in the square and write them down. Each word goes in a straight line across, down or up diagonally.

```
о ш р с т у д е н т ы т ю я ш
б к о п е й к а ю с в е и г к
щ о м р а б к к о м а н д а о
е д а ч з а т а в б а н ф л м
ж е н т б ж ч г и т д и р ш а
и п р о ф а в х и ч е с а к г
т и с к д ф я р у б г к н о н
и а д е в й б р а э ч в ц н и
е н р х л о л ы с у я ш у ц т
с е с о к п о д р у г а з е о
п р и и т у к о ш ф ю х е р ф
я б л в е м о с к в а м и т о
с е с т р а т е л о к а р т н
в с т у д м а т е м а т и к а
а п и а н и н о ш е н ы х о п
```

Clues

1. A friend.
2. Where students live.
3. You've got it taped.
4. A Russian coin.
5. In the family.
6. A four-legged friend.
7. A country.
8. Capital of the USSR.
9. He comes from France.
10. They go to university.
11. A school subject.
12. McEnroe plays it.
13. An intellectual game.
14. You drink it.
15. A fruit.
16. A long read.
17. A musical performance.
18. Can you play it?
19. You play in it.
20. What you watch on TV.
21. You write with it.

(The answer is in the Keys section.)

18

173

„ЧТО ТЫ ДЕ́ЛАЛ(А) ...?“

1. Use the information below to construct dialogues with your partner, saying where you went and what you saw over the week-end.

футбо́л	„Спарта́к“ – „Дина́мо“ (Москва́) (Тбили́си)	стадио́н и́мени Ле́нина
бале́т	„Лебеди́ное о́зеро“ Чайко́вского	Большо́й теа́тр
конце́рт	му́зыка Шостако́вича	консервато́рия
фильм	„Здра́вствуй, э́то я“	кинотеа́тр „Росси́я“
хокке́й	„Дина́мо“ – ЦСКА (Москва́)	стадио́н „Дина́мо“
вы́ставка	„Москва́ – Пари́ж“	музе́й и́мени Пу́шкина

Example

— Что ты де́лал(а) в воскресе́нье?
— Я был(а́) на стадио́не и́мени Ле́нина, смотре́л(а) футбо́л.
— Футбо́л? А кто игра́л?
— „Спарта́к“ (Москва́) — „Дина́мо“ (Тбили́си). О́чень хоро́ший матч. А что ты де́лал(а)?
— Ве́чером я был(а́) в Большо́м теа́тре.
— Что ты смотре́л(а)?
— Прекра́сный бале́т — „Лебеди́ное о́зеро“.

2. Now practise enthusing, like this:
— Ты зна́ешь, в суббо́ту ве́чером я был(а́) в Большо́м теа́тре.
— В Большо́м теа́тре? Что ты смотре́л(а)?
— „Лебеди́ное о́зеро“ Чайко́вского.
— О, тебе́ повезло́! Прекра́сный бале́т!

3. This time you went as well, or you've already seen the film, play.

Examples

— Ты зна́ешь, вчера́ ве́чером я был(а́) на хокке́е, „Дина́мо“ (Москва́) — ЦСКА. О́чень хоро́ший матч.
— Да, я то́же ви́дел(а). Прекра́сный матч. Дина́мовцы прекра́сно игра́ли.

— В воскресе́нье ве́чером я был(а́) в кинотеа́тре „Росси́я“.
— Что ты смотре́л(а)?
— О́чень хоро́ший фильм — „Здра́вствуй, э́то я“.
— Да, хоро́ший фильм. Я ви́дел(а) его́.

VII. Puzzle

"HOW MANY SQUARES?"

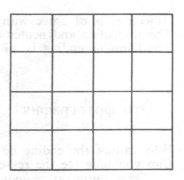

Посмотри́те на э́тот рису́нок и скажи́те, ско́лько квадра́тов вы ви́дите.

Е́сли вы ви́дите то́лько шестна́дцать квадра́тов, э́то непра́вильно.

Е́сли вы ви́дите семна́дцать квадра́тов, э́то то́же непра́вильно — там есть ещё квадра́ты. Их бо́льше!

Поду́майте, посмотри́те ещё раз, найди́те все э́ти квадра́ты. Ско́лько их?

(The answer is in the Keys section.)

Q Грамматика

1. Verbs

1) The Present Tense of the verb **хоте́ть**, 'to want'
This verb is wilfully non-conformist and irregular:

Я	хочу́	моро́женое.
Ты	хо́чешь	игра́ть в ша́хматы.
Он/Она́	хо́чет	смотре́ть телеви́зор.
Мы	хоти́м	слу́шать пласти́нки.
Вы	хоти́те	танцева́ть.
Они́	хотя́т	петь.

In what ways is it so irregular? Which conjugation does it use in the singular / plural forms?
In which forms does the stem end in **ч** and which in **т**?

2) The Past Tense of **хоте́ть**
This, thankfully, is quite normal.
Example

хоте́-ть

Я/Ты/Он	хоте́л
Я/Ты/Она́	хоте́ла
Оно́	хоте́ло
Мы/Вы/Они́	хоте́ли

Are the Past Tense forms spelled with **ч** or **т**?

2. The Genitive Case

1) Singular forms of adjectives.
These notes will help you to understand the reason for the forms of some individual phrases you have met in lessons, and to recognise other examples in your reading.

Adjectives must agree with a following noun not only in gender, but also in case. The masculine and neuter ending is **-ого** or **-его**. The feminine ending is **-ой** or **-ей**.

Это фотогра́фия	Masc. краси́вого ру́сского хоро́шего	ма́льчика,	Fem. краси́вой ру́сской хоро́шей	де́вочки.

Why cannot the ending be **-ого, -ой** for the adjective **хоро́ший?**
Can you now see the reason for the adjective forms in the phrases:

Э́то учи́тель ру́сского языка́.
Э́то руководи́тель англи́йской гру́ппы.
Они́ из Сове́тского Сою́за.

And explain the forms used in these famous names:

рома́ны Достое́вского и Толсто́го
зал Чайко́вского
у́лица Го́рького

2) Singular forms of the Possessive pronouns **мой, твой, наш, ваш.**
These must also agree with a following noun in both gender and case.

Masc. Fem.	Это фотогра́фия	моего́ мое́й	бра́та. сестры́.

3) Singular forms of the Demonstrative pronoun **э́тот.**

Masc. Fem.	у	э́того э́той	ма́льчика де́вочки	есть гита́ра.

Are these forms the same as for adjectives?
4) Now look at the following sentences and say what further conclusion you can draw about the use of the 'Animate Accusative', which you met in Lesson 13.

Ты зна́ешь моего́ бра́та?
Вы ви́дели моего́ дру́га?
Я зна́ю э́того краси́вого ма́льчика.

What would the forms be if you substituted the feminine nouns **сестра́, подру́га, де́вочка** in these sentences?

Почита́ем

I. ВДНХ

Here you have a plan of the Exhibition of Economic Achievements in Moscow.
1. Skim through the key, and see how many pavilions or other items you can identify.

176

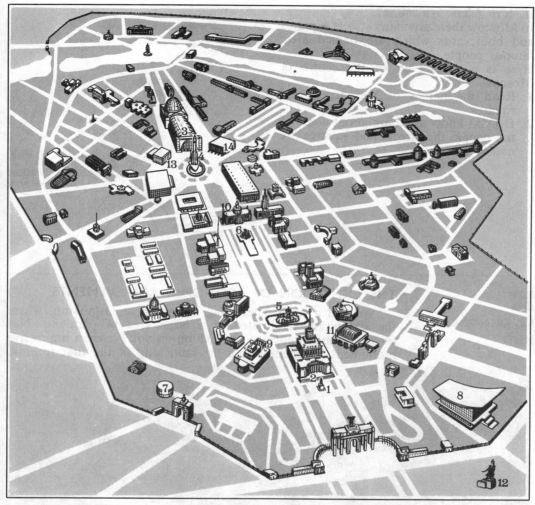

1 — памятник В. И. Ленину; 2 — павильон „Центральный"; 3 — павильон „Космос"; 4 — макет космического корабля „Восток-1"; 5 — фонтан „Дружба народов"; 6 — фонтан „Каменный цветок"; 7 — круговая кинопанорама; 8 — павильон, экспонировавшийся на Всемирной выставке в Монреале; 9 — павильон „Атомная энергия"; 10 — павильон „Земледелие"; 11 — павильон „Народное образование"; 12 — монумент „Рабочий и колхозница"; 13 — павильон „Транспорт СССР"; 14 — павильон „Электрификация СССР"

2. Can you use the key to find on the map:
   a) the Space pavilion?
   b) the Atomic Energy pavilion?
   c) the model of the Vostok-1 space rocket?
   d) the Education pavilion?
   e) the Agriculture pavilion?
   f) a place where you can sit and rest?

177

II. Кто бы́ли э́ти лю́ди?

In Moscow there are many streets, squares and boulevards which are named after famous people.

Here is a street plan of the centre of Moscow.

1. Read the names of the streets and squares.
2. Do you know anything about some of the people the streets and squares are named after?

площадь Маяковского

Пушкинская площадь

площадь Свердлова

улица Горького

площадь Дзержинского

проспект Маркса

проспект Калинина

❀

Страноведе-ние

THE EXHIBITION OF ECONOMIC ACHIEVEMENTS

We had a really interesting afternoon at Ostankino, where the Exhibition is situated in a large area of parkland. Not far from the entrance to the Exhibition you'll see an impressive monument commemorating the launching of the first sputnik.

Выставка достижений народного хозяйства
The Exhibition of Economic Achievements

178

The Exhibition consists of a large number of exhibition halls set in a park with gardens and fountains, cafés and restaurants. You can't possibly see all the exhibition in one day, there's just too much. We looked round the Central Pavilion, where there is a large exhibition of agricultural, industrial, artistic, scientific and technological equipment reflecting the activities of all the Union Republics.

Then we went to the "Kosmos" display. Outside there's a Vostok rocket similar to the one which carried Yuri Gagarin, the Soviet cosmonaut, on the first manned space-flight on April 12th, 1961. And inside, there are all kinds of sputniks, rockets and equipment for exploring space.

We spent a long time at the Space display, but we also had a look at the Atomic Energy, Education, Transport, and Young Technician displays.

Apart from the displays there are a lot of other attractions at the Exhibition, and a lot of Muscovites come here for a family day out, especially at week-ends. There's the park with its boating lake, fishing, funfair, open-air variety theatre, and restaurants where you can sample national dishes from the various republics.

Or when you've had enough for one day, you can just sit in the sun by a fountain and enjoy an ice-cream...

19

КУДА ТЫ ИДЁШЬ?
WHERE ARE YOU GOING?

??
Как сказать?

Going places:
How do I tell someone where I am going? Or say I am going somewhere on a particular day or evening? Or ask other people whether they are coming/going too?

Театр им. В. Маяковского в Москве
Moscow's Mayakovsky Theatre

На Олимпиаде

ЦИРК

Tonight we're all invading the Moscow State Circus—bus-loads of us! But some of our group have made a special request to go to the Moscow Young People's Theatre (TYUZ) to see a play, and Tanya has offered to take us there.

1 Nina is busy sorting out who is going where, and checking tickets...

Ни́на. Стив, ты идёшь в цирк сего́дня ве́чером?

Стив. Иду́.

Ни́на. А ты, Сью́зан?

Сью́зан. Нет. Я иду́ в ТЮЗ на „Три мушке-тёра".

2 Yura has his own plans for the evening...

Сью́зан. Ю́ра, у нас есть ли́шний биле́т на „Три мушкетёра" в ТЮЗ. Хо́чешь пойти́?

Ю́ра. Спаси́бо, но я уже́ ви́дел э́тот спекта́кль.

Сью́зан. А куда́ ты идёшь сего́дня ве́чером?

Ю́ра. Я иду́ в се́кцию дзюдо́. И хочу́ взять с собо́й Мана́бу. Ты зна́ешь, он из Япо́нии... то́же занима́ется дзюдо́... Он хо́чет посмотре́ть, как мы занима́емся.

19

Образец

1. Asking whether someone is going somewhere. Saying whether or not I am going.

– Ты идёшь	в цирк в теа́тр в клуб в кино́ в бассе́йн	
– Вы идёте	в дискоте́ку на бале́т на спекта́кль на вы́ставку	сего́дня ве́чером?

– (Да.) Иду́.	А	ты?
– (Нет.) Не иду́.		вы?

2. Suggesting, inviting: asking whether someone would like to go somewhere.
Accepting. Declining.

– (Ты) Хо́чешь	пойти́	в цирк в теа́тр в дискоте́ку в музе́й на футбо́л на конце́рт на о́перу	сего́дня?
– (Вы) Хоти́те			

– Хочу́.

– Нет,	не хочу́. я о́чень уста́л(а).

3. Asking where someone is going at the moment or tonight.
Telling.

– Ку́да	ты	сейча́с	идёшь?
	вы	ве́чером	идёте?

– Я иду́	домо́й. в парк. в кино́. в· бассе́йн. в библиоте́ку. в клуб. в дискоте́ку. в шко́лу. в университе́т в теа́тр в музе́й в консервато́рию	 на ле́кцию. на бале́т. на вы́ставку. на конце́рт.
	на по́чту. на вокза́л. на заво́д на стадио́н	 на рабо́ту. на футбо́л.

182

I. Role playing

"DO YOU REALLY WANT TO GO?"

Draw upon the reservoir of exciting attractions that you can now say in Russian to practise like this:

1. Ask whether your partner is coming/going tonight.

— Ты идёшь в цирк сегóдня вéчером?
— Идý. А ты?
— Конéчно, идý.

2. Since you're both going, suggest going there together.

— Ты идёшь на футбóл вéчером?
— Конéчно, идý. А ты?
— Я тóже идý. Давáй пойдём вмéсте.
— Давáй.

3. If you're not going, say why not.

Examples

a good reason:	Я ужé вúдел(а) фильм.
	Я ужé был(á) на вýставке.
not keen:	Я не óчень люблю́ цирк.
blunt honesty:	Я прóсто не хочý.
feeble excuse:	Я немнóго устáл(а).
	Я óчень плóхо танцýю.
better things to do:	Я идý в сéкцию на гимнáстику.

4. If neither of you wants to go, suggest going somewhere else, doing something else.

— Ты идёшь в кинó?
— Нет, не идý. А ты?
— Я тóже не идý.
— Давáй сыгрáем в пинг-пóнг.
— Давáй.

II. Talk about the pictures

„КУДÁ ОНИ́ ИДУ́Т?"

1. Ask each other where these people are going.
2. Play the parts of the characters. You meet and ask each other where you're going.

Example

Кóля и Мáша. Свéта, здрáвствуй.
Свéта. Здрáвствуйте. Кудá вы идёте?
Кóля. Мы идём на хоккéй. А ты?
Свéта. Я идý в библиотéку.

Света

Максим

Коля и Маша

Борис и Миша

Наташа

Лена и Таня

Алексей Петрович

Татьяна Ивановна

184

III. Dialogue variation

Now you are on Volgin Street, on your way back to the hostel.
You meet some other Olympiad participants and ask them where they are going.
Read the dialogues, then change the words in bold type.

— Анéта, здрáвствуй! Кудá ты идёшь?
— **На пóчту.** А ты?
— Я идý в общежúтие.

— Нúна, здрáвствуйте!
— Здрáвствуй!
— Кудá вы идёте? Домóй?
— Нет, я идý в **университéт.**

— Ребя́та, здрáвствуйте!
— Здрáвствуй.
— Кудá вы идёте?
— В **магазúн „Подáрки".** Хóчешь пойтú с нáми?
— Хочý.
— Хорошó, пойдём.

IV. Role playing

"ARE YOU FREE?"

1. Ask if your friend would like to go out somewhere.
Example

— Ты хóчешь пойтú в дискотéку?
— Хочý. А когдá?
— Сегóдня вéчером.
— Хорошó.

2. Your partner likes the idea, but it has to be another day.
Example

— Ты хóчешь пойтú в бассéйн?
— Хочý. А когдá?
— Сегóдня вéчером.
— Нет, вéчером я идý в сéкцию. Давáй пойдём зáвтра.
— Хорошó.

3. You telephone your friend and try to fix an evening when you are both free to go to the pictures. Decide who is A, who is B and each look at your diaries. Today is Monday.
Example

— Пойдём в кинó!
— А когдá?

V. Find out

„КУДА́ ОНИ́ ИДУ́Т?"

Natasha, Misha, Kolya and Masha have their plans mapped out in their diaries for each evening this week.

1. Ask each other questions to find out where they are going.

Examples

— Куда́ идёт Ми́ша в сре́ду ве́чером?
— В се́кцию дзюдо́.

— Куда́ идёт Ната́ша во вто́рник ве́чером?
— Никуда́. Она́ бу́дет до́ма.

2. When you have completed your charts, play the parts of the characters and use the information to carry out dialogue exchanges like this.

Examples

— Ми́ша, куда́ ты идёшь в сре́ду ве́чером?
— В се́кцию дзюдо́.

— Ната́ша, куда́ ты идёшь во вто́рник ве́чером?
— Никуда́. Я бу́ду до́ма.

3. You ring up one of the characters at home and suggest going somewhere or playing something on a particular evening.

Examples

— Ми́ша, дава́й сыгра́ем в ша́хматы в сре́ду ве́чером.
— О́чень хочу́, но в сре́ду я иду́ в се́кцию дзюдо́.
— Ната́ша, дава́й пойдём в ТЮЗ во вто́рник ве́чером.
— Извини́, но я не хочу́...
— Не хо́чешь? О́чень хоро́ший спекта́кль...
— Да, я зна́ю. Но я в понеде́льник иду́ в бассе́йн, в сре́ду на гимна́стику, в четве́рг в дискоте́ку. А во вто́рник я хочу́ быть до́ма.

VI. Talk about the pictures

Do you know the colour sequence for judo belt grades? Here it is in Russian.

the first grade — бе́лый по́яс

the second grade — жёлтый по́яс

the third grade — ора́нжевый по́яс

the fourth grade — си́ний по́яс

the fifth grade — зелёный по́яс

the sixth grade — кори́чневый по́яс

1. You know that Yura goes to judo club. He's got a green belt. What's his grade?
2. Now ask about Yura's friends at the club — what colour belt they have.

Макси́м — си́ний	Ди́ма — зелёный
Бо́ря — бе́лый	Степа́н — си́ний
Андре́й — ора́нжевый	Ю́ра — зелёный
Серёжа — кори́чневый	Ми́ша — кори́чневый
Ко́ля — жёлтый	тре́нер — чёрный

Examples

    1. Како́й у Макси́ма по́яс?
    2. Како́й у Серёжи по́яс?
    3. У кого́ си́ний по́яс?
    4. У кого́ ора́нжевый по́яс?

3. Now make out a list of the names in rank order.

VII. Explain
1. Say which is the "Odd man out" in the following groups of words.
Example

    Футбо́л, хокке́й, гита́ра, пинг-по́нг, баскетбо́л.
    Гита́ра.

1. Теа́тр, кино́, заво́д, цирк, дискоте́ка.
2. Сестра́, брат, подру́га, роди́тели, дочь.
3. Уро́к, шко́ла, институ́т, университе́т.
4. Спекта́кль, биле́т, мультфи́льм, переда́ча, конце́рт, бале́т.
5. Рома́н, кни́га, газе́та, журна́л, рису́нок.

2. Now explain why the word is the "odd man out".
Example

    Гита́ра, пиани́но, конце́рт, виолонче́ль.
    — Конце́рт.
    — Почему́?
    — Гита́ра, пиани́но, виолонче́ль — э́то музыка́льные инстру-
    ме́нты, а конце́рт — нет.

1. Гимна́стика, дзюдо́, футбо́л, кома́нда.
2. Учи́тельница, друзья́, рабо́чий, киоскёр.
3. Пари́ж, Москва́, Э́динбург, А́нглия.
4. Биоло́гия, класс, хи́мия, англи́йский язы́к.
5. Студе́нтка, ру́сская, англича́нка, италья́нка.

VIII. Associations
Can you say which phrases go with each verb?
Write out sentences.

идти́, быть

Example

Я иду́...
Я был(а́)...

IX. Puzzle

"BROKEN VASE"

This vase was smashed, and someone stuck the pieces together again.
Could you have done it? Decide with your partner where each piece should go,
like this:

— Я ду́маю, э́та часть подхо́дит сюда́.
— Пра́вильно. / Нет, я ду́маю, она́ подхо́дит сюда́.

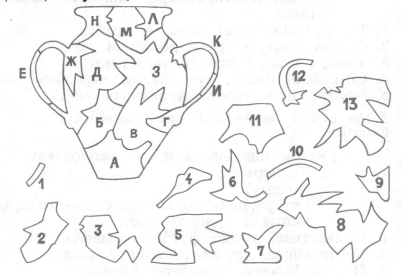

Match up a letter to
a number for each
piece.
(Solution is in the
Keys section.)

X. Puzzle

"CRACK THE CODE"

Read through this short text, which contains every letter in the Russian alphabet
except the hard sign.

В пя́тницу я была́ с Ю́рой и Франче́ской в Большо́м теа́тре

188

на бале́те „Жизе́ль". Я ещё не ви́дела э́тот бале́т. Он о́чень хоро́ший. Мне он о́чень понра́вился. Мы до́лго аплоди́ровали.

Now use the text like this: "Take the third letter of the fourth word" would give you л as the first letter. Here are the instructions:

Возьми́те: тре́тью бу́кву четвёртого сло́ва; пя́тую бу́кву второ́го сло́ва; седьму́ю бу́кву деся́того сло́ва; тре́тью бу́кву шесто́го сло́ва; четвёртую бу́кву второ́го сло́ва.

(The answer to the puzzle is in the Keys section.)

❗
Грамма́тика

1. Verbs
The Present Tense of the verb **идти́,** 'to come / go' (on foot).

Я	иду́	домо́й.	Мы	идём	в шко́лу.
Ты	идёшь	в кино́.	Вы	идёте	в музе́й.
Он / Она́	идёт	в парк.	Они́	иду́т	в теа́тр.

What is unusual about the form of the infinitive of this verb?
Which conjugation does it belong to—1st or 2nd?
Why are the endings **-ёшь, -ёт** instead of **-ешь, -ет?**

2. Case
1) You know that the prepositions **в** and **на** are used with the Prepositional Case to indicate location—at a place or activity—in answer to the question **где?** 'where?'

— Где Ни́на?—В университе́те.
— Где Та́ня?—В шко́ле.
— Где Ю́ра?—На футбо́ле.

2) The prepositions **в** and **на** are also used with the Accusative Case to indicate movement, coming or going—to a place or activity—in answer to the question **куда́?** 'where to?'

— Куда́ идёт Ни́на?—В университе́т.
— Куда́ идёт Та́ня?—В шко́лу.
— Куда́ идёт Ю́ра?—На футбо́л.

3) When do you use **в** and when **на?**
Look at these sentences:

Мы бы́ли в теа́тре на бале́те.
Они́ бы́ли в университе́те на ле́кции.
Она́ была́ в консервато́рии на конце́рте.

Мы идём в теа́тр на бале́т.
Они́ иду́т в университе́т на ле́кцию.
Она́ идёт в консервато́рию на конце́рт.

19

Can you formulate a rule? Which preposition is used for being at or going to a place?

Which preposition is used for being at or going to an activity, i. e. some kind of performance or event?

4) Do you see any divergence from your rule in these sentences:

Она́ была́ на по́чте.

Мой па́па рабо́тает на заво́де.

Мы бы́ли на стадио́не на футбо́ле.

A stadium is a place, but it is not an enclosed building which you are 'in', 'inside'.

It is an 'open-air' place, so **на** is used, as also in

на у́лице — on the street,

на пло́щади — on the square.

Just memorise these examples, and for the rest your rule holds good:

at or to a place — use **в,**

at or to an activity — use **на.**

5) What conclusion can you draw from these sentences:

— Где Та́ня? — До́ма.

— Куда́ идёт Та́ня? — Домо́й.

What would the English equivalents be here?

3. **B** + Accusative Case used to express 'on' a day.

Name of the day	On a day
понеде́льник	в понеде́льник
вто́рник	во вто́рник
среда́	в сре́ду
четве́рг	в четве́рг
пя́тница	в пя́тницу
суббо́та	в суббо́ту
воскресе́нье	в воскресе́нье

Are the days of the week written with a capital letter in Russian?

Is the week listed in any different order from the English way?

Which days change their ending in the table on the right? Can you say why?

Is there any change of stress? Which days?

Why do you think Russians say **во вто́рник?**

In English, the names for the days of the week come from Norse gods and the heavens — e. g. Woden's day, Thor's day, Moon day.

Can you see any possible derivations for the names of the days in Russian?

Почитаем

Цирк

There are two circuses in Moscow. The old one is situated on a street called **Цветно́й бульва́р,** and the new one is in the district of Moscow called **Ле́нинские го́ры,** not far from Moscow University.

Here is the programme for a show at the Moscow Circus.

60-ЛЕТИЮ СОВЕТСКОГО ЦИРКА ПОСВЯЩАЕТСЯ!

«НАМ ШЕСТЬДЕСЯТ!»

**БОЛЬШАЯ ЮБИЛЕЙНАЯ
МЕЖДУНАРОДНАЯ ПРОГРАММА**

**ПРАЗДНИЧНАЯ УВЕРТЮРА
ПАРАД-ПРОЛОГ**
       ВСЕ УЧАСТНИКИ ПРОГРАММЫ
**АКРОБАТЫ-ВОЛЬТИЖЕРЫ
ИГРА С ЛАССО И ХЛЫСТАМИ
ЭКВИЛИБРИСТЫ-РЕКОРДСМЕНЫ
ИЛЛЮЗИЯ
„НА ЦИРКОВОМ ПЛЯЖЕ"**
       ДРЕССИРОВАННЫЕ СОБАЧКИ
**МУЗЫКАЛЬНЫЙ ДУЭТ
ГИМНАСТЫ НА РЕМНЯХ
ГРУППОВЫЕ ЖОНГЛЕРЫ
АТТРАКЦИОН „СЛОНЫ И ТИГРЫ"
ВЫСШАЯ ШКОЛА ВЕРХОВОЙ ЕЗДЫ
„ГОРСКАЯ ЛЕГЕНДА"**
       ДЖИГИТЫ
ЭПИЛОГ
       ВСЕ УЧАСТНИКИ ПРОГРАММЫ

19

1. Can you guess why the show is called „**Нам шестьдеся́т!**"
2. Browse through the programme, and see whether you can identify some of the circus acts—many words are similar to English words.
3. Can you say which animals were in the show?

**Страноведе-
ние**

THE MOSCOW STATE CIRCUS

    On Wednesday we all had a night out at the circus, which was enjoyable after taking the oral tests in the morning— you could just sit back, relax and enjoy the show. And I thought it was great. It was different. I usually think of a circus in a tent—you know, the "Big Top" and all that. But here in Moscow it was in a big modern building near the University. And as well as all the usual circus acts like trapeze, jugglers, acrobats, clowns and so on, there were

Артисты московского цирка на манеже
Moscow Circus artists in the ring

Номер с леопардом и лошадью
An act with a leopard and a horse

Номер со змеёй
A snake act

a lot of special effects with coloured lights. The lights went off, and then on again, and in seconds the whole ring and the whole set was changed, like magic. They must have another stage underneath the ring, but it was all done so fast, I couldn't believe my eyes when the lights came on again.

I was glad there weren't any elephants or tigers in the show, because I'm not really all that keen on animals performing in a circus. But I liked one trick by Valery Filatov, who did a really unusual snake act—with huge pythons! How on earth do you train pythons like that? I mean, you can't just give them a lump of sugar, can you, not pythons...

And I liked the horses and performing dogs. It was a really enjoyable evening.

192

Урок

20

двадцатый

СКОЛЬКО ВРЕМЕНИ?
WHAT'S THE TIME?

??
Как сказать?

Telling the time:
How do I ask/say what time it is in Russian?
How do I check on the time the film or play starts
when I'm going to the pictures or theatre for the evening?

**Часы на Централь-
ном театре кукол
The clock of the Cent-
ral Puppet Theatre**

ТЕА́ТР Ю́НОГО ЗРИ́ТЕЛЯ – ТЮЗ

We're on our way to TYUZ with Tanya... and we're travelling on the metro—the Moscow underground. From the hostel on Volgin Street we took a bus to the nearest metro station—Kaluzhskaya—and travelled into the city centre to Nogin Square station. There we changed to another line, and we're now heading for Pushkinskaya—the nearest station to the theatre.

1 Tanya is a little anxious about the time...

Т а́ н я. Ла́рри, ско́лько сейча́с вре́мени?

Л а́ р р и. Шесть.

С ь ю́ з а н. А когда́ начина́ется спекта́кль?

Т а́ н я. В семь.

Л а́ р р и. Мы не опозда́ем?

Т а́ н я. Нет, ничего́. Успе́ем.

2 This theatre is obviously very popular—there's a crowd of young people outside the entrance. As we approach the theatre a youth comes up to us hopefully...

Ю́ н о ш а. У вас нет ли́шнего биле́та?

Т а́ н я. Есть.

Ю́ н о ш а. Как хорошо́! Ско́лько он сто́ит?

Т а́ н я. Пятьдеся́т копе́ек.

Ю́ н о ш а. Вот, пожа́луйста. Большо́е спаси́бо. Мне повезло́!

3 Susan thinks the play is great, but during the interval Larry is wondering how they are going to get back to the hostel...

Л а́ р р и. Де́вочки, а когда́ конча́ется спекта́кль? Мы не опозда́ем на метро́?

Т а́ н я. Нет. Метро́ закрыва́ется в час. А спекта́кль конча́ется в де́сять часо́в.

Образец

1. Asking and telling what time it is.

– Ско́лько сейча́с вре́мени?	– Час.
	– Два – Три часа́. – Четы́ре
	– Пять – Шесть часо́в. – Де́сять

194

2. Asking when something starts or finishes. Telling.

– Когда́	начина́ется кончáется	переда́ча? футбóл? фильм? концéрт? спектáкль?	– В	час. три (часá). шесть (часóв). семь (часóв).

⊕
Поговорим, поиграем

I. Talk about the pictures

„СКÓЛЬКО СЕЙЧÁС ВРÉМЕНИ?"

Ask each other like this:

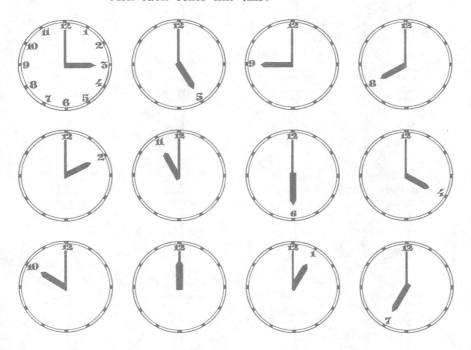

1. Скóлько сейчáс врéмени?
2. Ты не знáешь, скóлько сейчáс врéмени?
   Вы не знáете, скóлько сейчáс врéмени?
3. Скажи́, пожáлуйста, скóлько сейчáс врéмени.
   Скажи́те, пожáлуйста, скóлько сейчáс врéмени.

II. Do you know ... ?

INTERNATIONAL TIME

1. It is twelve noon GMT in London.
Say what time it is in these other cities of the world.

САН-ФРАНЦИСКО	ДЕНВЕР	ЧИКАГО	НЬЮ-ЙОРК
КАРАКАС	РИО-ДЕ-ЖАНЕЙРО	РЕСИФИ	ЛИССАБОН
ЛОНДОН (GMT)	БЕРЛИН	МОСКВА СТАМБУЛ	ТБИЛИСИ БАГДАД
СВЕРДЛОВСК МАСКАТ	ТАШКЕНТ ДЕЛИ	НОВОСИБИРСК КАЛЬКУТТА	ИРКУТСК БАНГКОК
ЧИТА ПЕКИН	ВЛАДИВОСТОК ТОКИО	ОХОТСК МЕЛЬБУРН	ПЕТРОПАВЛОВСК КРАЙСТЧЕРЧ

2. Note the way of distinguishing between a. m. and p. m. in Russian.

    4 a. m. — 4 часá утрá

    12 noon — пóлдень

    1 p. m. — час дня

    6 p. m. — 6 часóв вéчера

    12 midnight — пóлночь

    1 a. m. — час нóчи

3. Write out a list of the cities and indicate how many hours behind or ahead of GMT they are.

Example

    Сан-Францúско —8   Берлúн +1

    Дéнвер   —7   Москвá +2

4. Now practise with your partner like this:

    — В Лóндоне сейчáс 10 часóв утрá. А в Нью-Йóрке?

    — 5 часóв утрá.

    — В Лóндоне сейчáс 2 часá дня. А во Владивостóке?

    — Во Владивостóке сейчáс 11 часóв вéчера.

5. Write the answers to these questions:

  1. В Рúо-де-Жанéйро сейчáс 10 часóв утрá. А в Чикáго?

  2. В Сан-Францúско сейчáс 6 часóв утрá. А в Берлúне?

  3. В Москвé сейчáс 7 часóв вéчера. А в Новосибúрске?

  4. В Мéльбурне сейчáс 2 часá нóчи. А в Лóндоне?

  5. В Дéнвере сейчáс 9 часóв утрá. А в Тóкио?

  6. В Пекúне сейчáс 2 часá дня. А в Свердлóвске?

  7. В Сан-Францúско сейчас 2 часá нóчи. А в Крáйстчерче?

  8. В Бангкóке сейчáс пóлночь. А в Тбилúси?

  9. В Нью-Йóрке сейчáс 8 часóв утрá. А в Стамбýле?

10. В Лиссабóне сейчáс 6 часóв вéчера. А в Дéли?

20

III. Find out

„КОГДÁ НАЧИНÁЕТСЯ ... ?"

Ask each other when, e. g. the film starts, and when it finishes.

Examples

    — Когдá начинáется фильм?

    — В два часá.

    — А когдá он кончáется?

    — В четы́ре.

    — Когдá начинáется передáча?

    — В два трúдцать.

IV. Find out

„ЧТО ИДЁТ? КОГДА́? ГДЕ? КОГДА́ НАЧИНА́ЕТСЯ?"

Say you would like to go, e. g. to the ballet:
— Я хочу́ пойти́ на бале́т.
Or suggest going:
— Дава́й пойдём на бале́т.
Then find out from your partner what's on, when, where, and what time it starts, like this:
— Что идёт?
— „Лебеди́ное о́зеро".
— Когда́?
— В суббо́ту ве́чером.
— Где?
— В Большо́м.
— Когда́ начина́ется?
— В семь часо́в.

V. Game

"CLOCK BINGO"

Ско́лько сейча́с вре́мени?

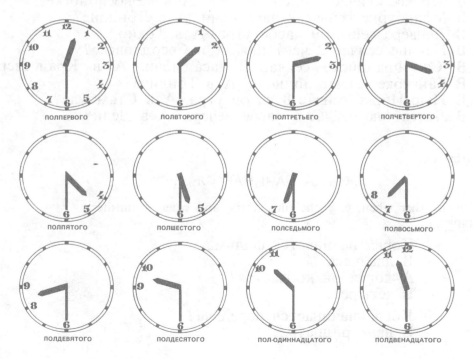

ПОЛПЕРВОГО   ПОЛВТОРОГО   ПОЛТРЕТЬЕГО   ПОЛЧЕТВЕРТОГО

ПОЛПЯТОГО   ПОЛШЕСТОГО   ПОЛСЕДЬМОГО   ПОЛВОСЬМОГО

ПОЛДЕВЯТОГО   ПОЛДЕСЯТОГО   ПОЛ-ОДИННАДЦАТОГО   ПОЛДВЕНАДЦАТОГО

Pick out any four of the times—on the half hour—and write them down. Listen carefully and tick off your times when you hear them called out. Sing out **кончил(а)** when / if you have won.

VI. Connections
Match up the questions with the replies.

Грамматика

1. Numbers

1) Telling the time

You know from the grammar section in Lesson 10 that numbers 2, 3, 4 are followed by the Genitive singular (and 22, 23, 24, 32, etc.).

The **Genitive plural** is used after numbers 5 and above.

– Ско́лько сейча́с вре́мени?

–	час
2, 3, 4	часа́
5 – 12	часо́в

Compare this table with the one in Lesson 12 for **Ско́лько вре́мени ... ?** 'How long have you been ...?'

2) At a time

Когда́?
Во́ ско́лько?

В	–	час
	2, 3, 4	часа́
	5 – 12	часо́в

The numbers are in the Accusative Case after the preposition **в**. They do not change form.

The Genitive Case is used after the numbers, in exactly the same way as in the previous table.

In colloquial speech **часа́** and **часо́в** are often omitted, as 'o'clock' often is in English.

— Сейча́с два.—Two.

— В четы́ре.—At four.

2. The Genitive plural of nouns

At present you will use the Genitive plural mostly after numbers 5 and above in telling the time and with sums of money.

You may meet other uses of the Genitive plural after quantitative words like:

ско́лько — how many (as well as 'how much')

мно́го — many, a lot of... (as well as 'much')

ма́ло — few (as well as 'a little')

не́сколько — some

килогра́мм — a kilogram of...

Forms:

1) Masculine words ending in a consonant have a Genitive plural form in **-ов**. Nouns ending in **-й** change to **-ев**.

час: Сейча́с пять часо́в.

музе́й: В Москве́ мно́го музе́ев.

200

2) All masculine and feminine nouns ending in a soft sign have a Genitive plural form **-ей.**

рубль (masc.): несколько рублей

площадь (fem.): много площадей

3) Feminine nouns ending in **-a** have no ending in the Genitive plural.

книга: У меня много книг.

Where the stem of the noun ends in two consonants, an **o** or **e** is inserted to make the Genitive plural form easier to pronounce.

пластинка: много пластинок

открытка: несколько открыток

марка: много марок

девушка: несколько девушек

копейка: десять копеек

Try pronouncing the words without inserting an **o** or **e.** How does it sound?

4) Neuter nouns ending in **-o** follow the same pattern as for feminine nouns.

место: мало мест

яблоко: килограмм яблок

письмо: много писем

5) Feminine nouns ending in **-ия,** and neuter nouns ending in **-ие** have a Genitive plural form **-ий.**

фотография: несколько фотографий

общежитие: много общежитий

6) **Summary table**

20

час музей рубль		часов музеев рублей
книга площадь фотография	много мало несколько	книг площадей фотографий
место общежитие		мест общежитий

There are other forms, including some oddities. It is helpful to learn these:

	детей		children
	людей		people
много	друзей	many	friends
	братьев		brothers
	лет		years

1. Talk about yourselves

See how well you can ask and answer these questions with your partner. Some of them are "old friends" by now. Make a note of anything you find difficult, and try to memorise the phrases.

If there is something you want to say about yourself and can't, e. g. that you play the euphonium in a brass band, ask your teacher how to say it in Russian.

School

1. Где ты у́чишься?
2. Кака́я э́то шко́ла: общеобразова́тельная и́ли граммати́ческая?
3. Там у́чатся и ма́льчики, и де́вочки? И́ли то́лько ма́льчики / де́вочки?
4. Что ты изуча́ешь в шко́ле?
5. Ско́лько у вас уро́ков в день?
6. Когда́ они́ начина́ются?
7. Когда́ они́ конча́ются?

Languages

1. Ты говори́шь по-ру́сски?
2. Отку́да ты? Ты шотла́ндец / шотла́ндка?
3. Где ты изуча́ешь ру́сский язы́к?
4. Ско́лько вре́мени ты изуча́ешь ру́сский язы́к?
5. Каки́е ещё языки́ ты зна́ешь?
6. Ско́лько вре́мени ты изуча́ешь францу́зский / неме́цкий / испа́нский язы́к?
7. Ты хорошо́ понима́ешь / говори́шь / чита́ешь по-францу́зски / по-испа́нски / по-неме́цки?
8. Како́й язы́к ты лю́бишь бо́льше?

Leisure

Что ты обы́чно де́лаешь в свобо́дное вре́мя, наприме́р ве́чером, когда́ ты уже́ ко́нчил(а) уро́ки, и́ли в суббо́ту и воскресе́нье?

а) TV

1. Ты лю́бишь смотре́ть телеви́зор?
2. Ты ча́сто смо́тришь телеви́зор? Иногда́?
3. Что ты обы́чно смо́тришь? Всё?
4. Ты лю́бишь смотре́ть, наприме́р, спорти́вные переда́чи? Каки́е? А фи́льмы? Спекта́кли? Документа́льные переда́чи? Детекти́вы? Ковбо́йские фи́льмы? Многосери́йные фи́льмы?
5. Каки́е переда́чи ты лю́бишь бо́льше всего́?

b) Reading
1. Ты лю́бишь чита́ть?
2. Ты мно́го чита́ешь?
3. Каки́е журна́лы и́ли газе́ты ты чита́ешь?
4. Каки́е кни́ги ты лю́бишь чита́ть? Рома́ны? Юмористи́ческие кни́ги? Детекти́вы? Стихи́? Пье́сы? Биогра́фии? Мемуа́ры?
5. В ва́шем го́роде есть хоро́шая библиоте́ка?
6. Ты ча́сто туда́ хо́дишь? Иногда́? Никогда́?

c) Music
1. Ты лю́бишь класси́ческую му́зыку?
2. Ты лю́бишь, наприме́р, Ба́ха, Мо́царта, Бетхо́вена, Чайко́вского?
3. Ты хо́дишь на конце́рты?
4. Ты лю́бишь поп-му́зыку?
5. Каки́е поп-гру́ппы ты лю́бишь?
6. Ты хо́дишь на конце́рты поп-му́зыки?
7. Каку́ю му́зыку ты лю́бишь бо́льше всего́?
8. Ты на чём-нибудь игра́ешь? На чём? На пиани́но? На гита́ре? На электрогита́ре? На скри́пке? На фле́йте? На виолонче́ли?
9. Ты хорошо́ игра́ешь и́ли ещё у́чишься игра́ть?
10. Ско́лько вре́мени ты игра́ешь?
11. Ты лю́бишь петь?
12. Ты хорошо́ поёшь? Ты поёшь в хо́ре?

d) Sport
1. Ты лю́бишь спорт?
2. Ты занима́ешься спо́ртом и́ли то́лько лю́бишь смотре́ть?
3. Ты игра́ешь, наприме́р, в те́ннис, бадминто́н, сквош и т. д.? Где? Когда́?
4. Во что ты бо́льше всего́ лю́бишь игра́ть?
5. Ты хорошо́ игра́ешь?
6. В ва́шем го́роде есть стадио́н?
7. Ты туда́ хо́дишь? Когда́?
8. Что ты там смо́тришь?
9. За каку́ю кома́нду ты боле́ешь?
10. Э́то хоро́шая кома́нда?
11. Кака́я сейча́с в Великобрита́нии лу́чшая футбо́льная кома́нда?

e) Dancing
1. Ты лю́бишь танцева́ть?
2. Где ты танцу́ешь? В шко́ле?
3. Ты хо́дишь в дискоте́ку?
4. Когда́ ты обы́чно хо́дишь на та́нцы?

f) Cinema, theatre

1. Ты хо́дишь в кино́, в теа́тр? Ча́сто? Иногда́?
2. Что сейча́с идёт в кино́ / в теа́тре в ва́шем го́роде?
3. Ты уже́ ви́дел(а) э́тот фильм / спекта́кль?
4. Хо́чешь посмотре́ть его́? Пойдёшь?

2. What do you say in these situations?

1) You bump into someone in the corridor / turn up late / forget about something / spill your tea. (You're a walking disaster area, aren't you?) How do you:
   Apologise.
2) Another walking disaster area bumps into you. It's alright. No harm done.
   Acknowledge the person's apology.
3) You feel like a 'Polo'. You're very generous.
   Offer one to Tanya.
4) It's a hot day and you're going to the swimming baths this afternoon.
   Ask Yura if he wants to come.
5) You feel like playing ping-pong after supper.
   Suggest a game.
6) Your watch has stopped / you're changing it to Moscow time.
   Ask what time it is.
7) You're arranging an evening out at the cinema.
   Ask what's on.
   Ask what time the film starts.
   Ask / suggest where and when to meet.
8) You've made friends with Kirsten. You're going to a disco dance tonight.
   Ask whether she's going too.
9) You meet some friends on a street.
   Ask them where they're going.
   Tell them where you're going.

Почита́ем

ТЮЗ

In Moscow there are several theatres for young children and teenagers.

ТЮЗ — Теа́тр ю́ного зри́теля, is one of them.

Lesson 14 includes the programme of plays which were being performed at this theatre.

1. Look this up and try to understand the titles of the plays.
   Ask your teacher to explain any unknown words.
2. What do you think the abbreviations (у), (дн), (в) stand for?
   (Correct: **у́тром, днём, ве́чером.**)

**Страноведе-
ние**

THE YOUNG PEOPLE'S THEATRE

The Young People's Theatre has a company which specialises in plays for children and young people in the six to eighteen age-range. It's a well-equipped theatre, which has

Театр юного зрителя. Сцена из спектакля «Три мушкетёра»
The Young People's Theatre. A scene from the play "The Three Musketeers"

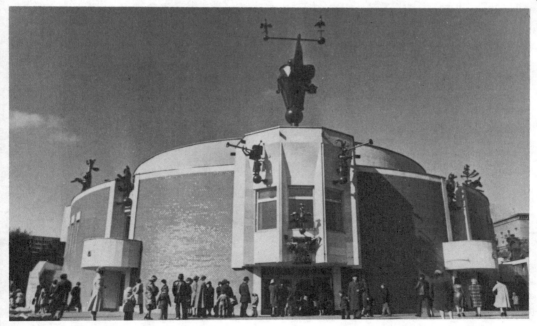

Театр зверей имени В. Л. Дурова
The V. L. Durov Theatre of Performing Animals

a permanent company of actors whose main aim is to develop childrens' taste for the theatre from an early age.

This theatre is extremely popular, and it's not easy to get tickets for the shows. Incidentally, tickets for the Young People's Theatre cost about half as much as tickets for other theatres.

This isn't the only theatre of its kind in Moscow. There is also the Central Children's Theatre, the Children's Musical Theatre, as well as other childrens' theatres.

Other Moscow theatres also put on special childrens' performances, usually matinée performances on Sundays and during winter and spring school holidays. Every year, there's a winter "Children's Theatre Week" held all over the USSR, when plays are put on specially for schoolchildren. It's very popular!

21

КАК ТЫ ПОЕДЕШЬ?
HOW ARE YOU GETTING THERE?

??
Как сказать?

Transport:
How do I talk about getting to a place in Moscow, by bus or on the metro?
How do I reassure someone that I know the way and won't get lost in Moscow?

Улица Горького в Москве
Gorky Street in Moscow

МОСКО́ВСКОЕ МЕТРО́

We enjoyed the performance of "The Three Musketeers"... I couldn't understand all the dialogue, but I've read the book, and I could understand enough to follow... and the acting brought out much of the meaning even if I didn't take in all the words...

1 Outside the theatre, in the cool evening air, we thank Tanya for bringing us, and ask how she is going to get home...

Кэ́рол. Та́ня, где ты живёшь?

Та́ня. В Соко́льниках.

Кэ́рол. А где э́то? Далеко́ отсю́да?

Та́ня. Нет, недалеко́.

Сью́зан. А как ты пое́дешь?

Та́ня. Я пое́ду на метро́ до ста́нции „Кузне́цкий мост", там сде́лаю перехо́д на „Дзержи́нскую", и отту́да до „Соко́льников".

Кэ́рол. До́лго тебе́ е́хать?

Та́ня. Нет, недо́лго. Полчаса́.

2 Tanya is more concerned that we might lose ourselves in Moscow...

Та́ня. Ребя́та, вы по́мните, как е́хать на у́лицу Во́лгина?

Сью́зан. Я то́чно не по́мню... Снача́ла мы е́дем на метро́... пото́м на авто́бусе.

Ла́рри. Та́ня, не беспоко́йся за нас. Я зна́ю, как е́хать.

Та́ня. Хорошо́. До за́втра.

Ла́рри. До за́втра.

3 On the platform of the metro station "Pushkinskaya", among all the people standing there who should we meet but...

Ни́на. До́брый ве́чер, ребя́та! Куда́ вы е́дете?

Сью́зан. В общежи́тие.

Ла́рри. Мы бы́ли в теа́тре, в ТЮ́Зе.

Ни́на. Что смотре́ли?

Ла́рри. „Три мушкете́ра".

Ни́на. Хоро́ший спекта́кль?

Сью́зан. О́чень!

1. Asking how someone is getting somewhere.
Telling.

– Как – На чём	ты е́дешь (обы́чно) вы е́дете ты пое́дешь (сейча́с) вы пое́дете	домо́й? в теа́тр? в общежи́тие? в гости́ницу? на стадио́н? на вы́ставку?

– На	авто́бусе. маши́не. тролле́йбусе. трамва́е. метро́. такси́.

2. Asking whether someone knows how to get somewhere.
Saying that I do or don't.
Telling someone not to worry.

– Ты	по́мнишь, зна́ешь,	как е́хать (туда́)?
– Вы	по́мните, зна́ете,	

21

– Да,	по́мню. зна́ю.	Не беспоко́йся. Не беспоко́йтесь.
– Нет, не	по́мню. зна́ю.	

3. Asking how long it takes to get somewhere.
Telling.

— До́лго е́хать?   — До́лго.
                    — Нет, недо́лго.

– Ско́лько вре́мени?	– Де́сять – Пятна́дцать – Два́дцать	мину́т.
	– Полчаса́.	

4. Asking where someone is going (e. g. in a bus). Telling.

– Куда́	ты	сейча́с	е́дешь?	– Я е́ду	в шко́лу.
	вы		е́дете?		на рабо́ту.
					в центр.

Поговори́м, поигра́ем

I. Talk about the pictures

„НА РАБО́ТУ"

1. Take it in turns to ask/tell who these people are, what they do, how they get to their place of work or study, and how long it takes.

Кто они́? Где рабо́тают/у́чатся?		На чём е́дут туда́?		До́лго е́хать?
1. Ни́на. Студе́нтка. У́чится в институ́те		авто́бус		20 мину́т
2. Серге́й. Меха́ник. Рабо́тает в гараже́		мотоци́кл		че́тверть часа́
3. Ле́на. Продавщи́ца		метро́		40 мину́т
4. А́нна Петро́вна. Учи́тельница		трамва́й		полчаса́
5. Ива́н Серге́евич. Рабо́тает на заво́де		тролле́йбус		25 мину́т
6. Ве́ра Ива́новна. Почтальо́н		велосипе́д		10 мину́т

210

2. Invent an identity for yourself—who you are, where you work or study. You meet some of the people (travelling by public transport), and ask each other where you're going.
Example

— Ни́на, здра́вствуй. Куда́ ты е́дешь?
— Здра́вствуй. Я е́ду в институ́т. А ты?
— А я ...

3. You are a fellow student, colleague, workmate. Ask some of the people how they are getting home. You are going the same way.
Example

— А́нна Петро́вна, как вы е́дете домо́й?
— На трамва́е. А вы?
— Я то́же на трамва́е. Пое́дем вме́сте?
— Дава́йте.

4. Ask some of the people how they are getting home, and how long it takes.
Example

— Серге́й, как ты е́дешь домо́й?
— На мотоци́кле.
— До́лго тебе́ е́хать?
— Нет, два́дцать мину́т.

5. Ask how someone is getting home. You have a car. Be magnanimous. Offer a lift.

— У меня́ маши́на. Пое́дем вме́сте.

6. You've got an hour to travel on a bus and the metro to get home. Your colleague has a car and lives not far from you. Can you get yourself a lift?

II. Talk about yourself
Ask each other:
1. How you get to school in the morning?

Ты идёшь и́ли е́дешь в шко́лу у́тром?
На чём ты е́дешь туда́? На авто́бусе / велосипе́де / мотоци́кле?
Ты живёшь далеко́ от шко́лы?
Тебе́ до́лго е́хать?

2. Whether you have any plans for the summer holidays?
Examples

— Куда́ ты е́дешь ле́том?
— Наве́рное, в Шотла́ндию. А ты?
— Я ещё не зна́ю. Я ду́маю, в Испа́нию.

— Куда́ ты е́дешь ле́том?
— Во Фра́нцию.
— Во Фра́нцию? На чём ты е́дешь, на маши́не?
— Нет, на по́езде.

III. Role playing

"I'M NOT QUITE SURE"

You are arranging to go out somewhere in the evening with a Russian friend.
1. Can you find your way there?

— Ты зна́ешь, как е́хать на стадио́н и́мени Ле́нина?
— Нет, то́чно не зна́ю.
— Пое́дем вме́сте.
— Хорошо́, пое́дем.

в кинотеа́тр „Росси́я"	на стадио́н „Дина́мо"
в Большо́й теа́тр	в консервато́рию
во Дворе́ц спо́рта	в цирк
в ТЮЗ	в музе́й и́мени Пу́шкина

2. Can you find your own way back?

— Ты по́мнишь, как е́хать в общежи́тие?
— Не беспоко́йся. Я зна́ю, как е́хать.

на у́лицу Во́лгина	в институ́т
в университе́т	в гости́ницу

IV. Find out

„КУДА́ ОН Е́ДЕТ? НА ЧЁМ?"

Yura's father, Sergei Pavlovich, is often away from Moscow on 'komandirovka'—business trips. He has a busy week ahead visiting cities on the Baltic.
1. Find out where he is going and how he is travelling.
Examples

— Куда́ е́дет Серге́й Па́влович в понеде́льник?
— На чём он е́дет туда́?

2. When you have completed your charts, play the part of Yura's mother, Anna Mikhailovna, asking her husband where he will be during the week. She is a little anxious about all his travelling, and asks him to ring her.
Example

— Серёжа, где ты бу́дешь в четве́рг?
— В Та́ллине.
— Позвони́, пожа́луйста.
— Не беспоко́йся, я позвоню́ ве́чером.

3. Yura asks his father about his trip.
Examples

— Па́па, когда́ ты е́дешь в Ленингра́д?
— На чём ты е́дешь туда́?
— Где ты бу́дешь в суббо́ту?

212

4. Sergei Pavlovich is talking to colleagues at work after his return.
Examples

    — Серге́й Па́влович, когда́ вы бы́ли в Ри́ге?

    — ...

    — Серге́й Па́влович, где вы бы́ли в сре́ду? Я вас иска́л...

    — О, извини́те, пожа́луйста, я был в ...

V. Guessing game

„ЧТО Э́ТО ТАКО́Е?"

Can you say what these things are from a close-up view of one part of them?
Use these phrases for your suggestions:

Я ду́маю, э́то...
   телеви́зор.
Мо́жет быть, э́то...
   велосипе́д.
Э́то, наве́рное, ...
   про́игрыватель.
(The answer is in the Keys section.)

21

Грамма́тика

1. Verbs

The Present Tense of the verb **éхать**, 'to come/go' (by some means of transport, e. g. bus or camel).

Я	е́ду	домо́й на метро́.
Ты	е́дешь	домо́й на трамва́е.
Он / Она́	е́дет	в теа́тр на такси́.
Мы	е́дем	в центр на авто́бусе.
Вы	е́дете	в Ки́ев на маши́не.
Они́	е́дут	в А́нглию на по́езде.

Do the endings of this verb belong to the 1st or 2nd conjugation?
Where is the stress on the Present Tense of this verb?
And for the verb **идти́?**

2. Case

1) Just as with the verb **идти** 'to come/go' on foot, the prepositions **в** and **на** are used with the Accusative Case after the verb **ехать** to express travelling to a place or activity.

Я е́ду в центр.

Я е́ду на футбо́л.

2) **На** + Prepositional Case is always used to indicate the mode of transport, e. g. 'by bus/on the bus'.

Я	е́ду	на	автобусе.
			троллейбусе.
			трамвае.
			машине.
			велосипеде.

Метро́, такси́ are neuter words of foreign origin and do not change: **на метро́, на такси́.**

There are no exceptions to this use of **на** to indicate the mode of transport. You can, however, say **в автобусе** to indicate the place something happened, i. e. 'in the bus':

Я ви́дел его́ в автобусе.

3. Summary.

Adverbs of place and direction, used in answer to the questions **где? куда́? отку́да?**

Где?	Он был	здесь	там
Куда́?	Он идёт/е́дет	сюда́	туда́
Отку́да?	Они́ иду́т/е́дут	отсю́да	отту́да

Words like 'Whither?', 'Hither', 'Thither', have largely dropped out of common usage in modern English and are today mostly known through, e. g. Shakespeare's plays. Former English usage may, however, help you to understand distinctions of place and direction made in the Russian language.

Compare the table above with this one:

Where?	He was	here	there
Where (to)? (Whither?)	He is coming/going	here (hither)	there (thither)
Where from? (Whence?)	They are coming/go-ing	from here (hence)	from there (thence)

4. The Genitive Case

The plural of adjectives.

These forms are much simpler than those for nouns!

They are the same for all genders, and there are just two forms: **-ых** or **-их.**

214

Колле́кция	но́вых краси́вых ру́сских хоро́ших	значко́в. ма́рок. откры́ток. фотогра́фий. пласти́нок. книг.

How do you account for the endings of **ру́сских, хоро́ших?**
The Possessive pronouns **мой, твой, наш, ваш** and the Demonstrative pronoun **э́тот** have a Genitive plural ending **-их.**

Э́то фотогра́фия	мои́х твои́х на́ших ва́ших	друзе́й. подру́г.

У	э́тих	ма́льчиков де́вочек дете́й	есть моро́женое.

How do these forms compare with the adjective forms above?
5. The 'Animate Accusative': plural nouns
You know that when a masculine singular animate noun is used as the direct object of a sentence in Russian it takes a Genitive form:
　Я зна́ю Бори́са.
A feminine singular animate noun does not:
　Я зна́ю Ни́ну.
Look at these examples of plural animate nouns used as the direct object:

Она́ встре́тила ру́сских	Masc. студе́нтов ма́льчиков друзе́й шко́льников учителе́й	Fem. студе́нток. де́вочек. подру́г. шко́льниц. учи́тельниц.

What conclusions do you come to?
Do the plural masculine animate nouns take a Genitive ending?
Do the feminine?
What about the preceding adjective?

Почитаем

Моско́вский метрополите́н и́мени В. И. Ле́нина
The Moscow metro has a total of more than a hundred stations.

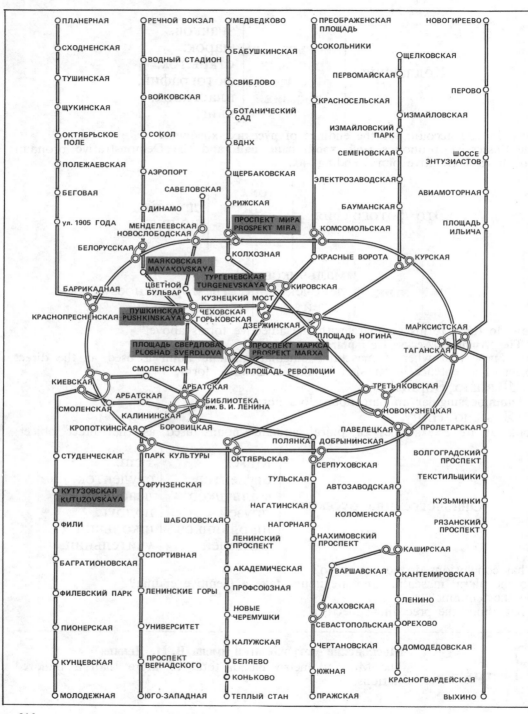

ПЛАНЕРНАЯ   РЕЧНОЙ ВОКЗАЛ   МЕДВЕДКОВО   ПРЕОБРАЖЕНСКАЯ ПЛОЩАДЬ   НОВОГИРЕЕВО

СХОДНЕНСКАЯ   БАБУШКИНСКАЯ   СОКОЛЬНИКИ   ЩЕЛКОВСКАЯ

ВОДНЫЙ СТАДИОН   ПЕРВОМАЙСКАЯ   ПЕРОВО

ТУШИНСКАЯ   СВИБЛОВО

ВОЙКОВСКАЯ   КРАСНОСЕЛЬСКАЯ   ИЗМАЙЛОВСКАЯ

ЩУКИНСКАЯ   БОТАНИЧЕСКИЙ САД   ИЗМАЙЛОВСКИЙ ПАРК   ШОССЕ ЭНТУЗИАСТОВ

ОКТЯБРЬСКОЕ ПОЛЕ   СОКОЛ   ВДНХ   СЕМЕНОВСКАЯ

ПОЛЕЖАЕВСКАЯ   АЭРОПОРТ   ЩЕРБАКОВСКАЯ   ЭЛЕКТРОЗАВОДСКАЯ   АВИАМОТОРНАЯ

САВЕЛОВСКАЯ   БАУМАНСКАЯ

БЕГОВАЯ   ДИНАМО   РИЖСКАЯ   ПЛОЩАДЬ ИЛЬИЧА

ул. 1905 ГОДА   МЕНДЕЛЕЕВСКАЯ   ПРОСПЕКТ МИРА PROSPEKT MIRA   КОМСОМОЛЬСКАЯ

НОВОСЛОБОДСКАЯ   КОЛХОЗНАЯ

БЕЛОРУССКАЯ   МАЯКОВСКАЯ MAYAKOVSKAYA   КРАСНЫЕ ВОРОТА   КУРСКАЯ

БАРРИКАДНАЯ   ЦВЕТНОЙ БУЛЬВАР   ТУРГЕНЕВСКАЯ TURGENEVSKAYA   КИРОВСКАЯ

КРАСНОПРЕСНЕНСКАЯ   ПУШКИНСКАЯ PUSHKINSKAYA   КУЗНЕЦКИЙ МОСТ

ЧЕХОВСКАЯ ГОРЬКОВСКАЯ   ДЗЕРЖИНСКАЯ   МАРКСИСТСКАЯ

ПЛОЩАДЬ СВЕРДЛОВА PLOSHAD SVERDLOVA   ПРОСПЕКТ МАРКСА PROSPEKT MARXA   ПЛОЩАДЬ НОГИНА   ТАГАНСКАЯ

СМОЛЕНСКАЯ   ПЛОЩАДЬ РЕВОЛЮЦИИ

КИЕВСКАЯ   АРБАТСКАЯ   ТРЕТЬЯКОВСКАЯ

СМОЛЕНСКАЯ   АРБАТСКАЯ   БИБЛИОТЕКА им. В. И. ЛЕНИНА   НОВОКУЗНЕЦКАЯ

КАЛИНИНСКАЯ   ПАВЕЛЕЦКАЯ   ПРОЛЕТАРСКАЯ

КРОПОТКИНСКАЯ   БОРОВИЦКАЯ   ПОЛЯНКА   ДОБРЫНИНСКАЯ

СТУДЕНЧЕСКАЯ   ПАРК КУЛЬТУРЫ   ОКТЯБРЬСКАЯ   СЕРПУХОВСКАЯ   ВОЛГОГРАДСКИЙ ПРОСПЕКТ

КУТУЗОВСКАЯ KUTUZOVSKAYA   ФРУНЗЕНСКАЯ   ТУЛЬСКАЯ   АВТОЗАВОДСКАЯ   ТЕКСТИЛЬЩИКИ

ФИЛИ   НАГАТИНСКАЯ   КУЗЬМИНКИ

ШАБОЛОВСКАЯ   НАГОРНАЯ   КОЛОМЕНСКАЯ   РЯЗАНСКИЙ ПРОСПЕКТ

ЛЕНИНСКИЙ ПРОСПЕКТ   НАХИМОВСКИЙ ПРОСПЕКТ   КАШИРСКАЯ

БАГРАТИОНОВСКАЯ   СПОРТИВНАЯ   ВАРШАВСКАЯ   КАНТЕМИРОВСКАЯ

ФИЛЕВСКИЙ ПАРК   ЛЕНИНСКИЕ ГОРЫ   АКАДЕМИЧЕСКАЯ   ЛЕНИНО

ПРОФСОЮЗНАЯ   КАХОВСКАЯ

ПИОНЕРСКАЯ   УНИВЕРСИТЕТ   НОВЫЕ ЧЕРЕМУШКИ   СЕВАСТОПОЛЬСКАЯ   ОРЕХОВО

КАЛУЖСКАЯ   ЧЕРТАНОВСКАЯ   ДОМОДЕДОВСКАЯ

КУНЦЕВСКАЯ   ПРОСПЕКТ ВЕРНАДСКОГО   БЕЛЯЕВО

КОНЬКОВО   ЮЖНАЯ   КРАСНОГВАРДЕЙСКАЯ

МОЛОДЕЖНАЯ   ЮГО-ЗАПАДНАЯ   ТЕПЛЫЙ СТАН   ПРАЖСКАЯ   ВЫХИНО

The total length of the lines is more than 200 kilometres. The metro opens at 6.00 a. m. and closes at 1.00 a. m. The fare is five kopecks for any length of journey.

There are many metro stations in Moscow which are named after famous people. Look at the list of names below, with notes, then try to find the corresponding stations on the plan of the metro.

К. Маркс (1818—1883) — founder of scientific communism, leader of the international proletariat, author of "Capital".

Я. М. Свердло́в (1885—1919) — outstanding leader of the Communist Party and the Soviet State

В. В. Маяко́вский (1893—1930) — Soviet poet. Reformer of poetic language. Exerted a strong influence on 20th century world poetry. Famous poems include „В. И. Ле́нин", „Хорошо́!", „Во весь го́лос".

А. С. Пу́шкин (1799—1837) — Russian writer, father of Russian literature, creator of the Russian literary language. The art of Pushkin, the grace and harmony of his poetry, made an outstanding contribution to Russian and world literature.

И. С. Турге́нев (1818—1883) — Russian writer, outstanding novelist, master of psychological analysis and nature description.

Turgenev had a considerable influence on the development of Russian and world literature. Translated into all major languages of the world.

М. И. Куту́зов (1745—1813) — Russian general. Commander-in-chief of the Russian army in the Patriotic War of 1812. Under his leadership the Russian army destroyed the "Grande Armée" of Napoleon that had invaded Russia.

❀
**Странове́де-
ние**

THE MOSCOW METRO

The Moscow underground is most impressive. Some of the stations are amazing — their chandeliers wouldn't look out of place in a palace!

21

Станция метро «Кропоткинская»
Kropotkinskaya metro station

Станция метро «Пушкинская»
Pushkinskaya metro station

The whole system is most convenient, cheap and clean. It also has very efficient air-conditioning. Yura thinks that the underground is a good place to get warm in winter and to get cool in summer. It's the best way to travel in Moscow, and it's easy to read the signs — if you know enough Russian!

The first underground line was constructed in London in the middle of the nineteenth century. The Moscow underground is much younger — the first line was only opened in 1935. The underground stations are often partly constructed in marble, with high vaulted ceilings. They are decorated with mosaics and statues. You should see the Kropotkinskaya and Novoslobodskaya stations. They are incredible!

The Moscow underground stations look totally different from London's underground. For a start, there are no advertisements. And smoking is prohibited — both on the trains, and on the platforms. So everything is clean, and you won't find any cigarette ends or litter lying around.

The biggest difference, however, is the cost. It only costs five kopecks to travel any distance on the Moscow underground. It's the same fare, no matter how long or short your journey. So you just insert your five copeck-piece into the coin slot of the automatic barrier, and you can ride around on the underground all day if you want.

Урок

22

двадцать
второй

СКОЛЬКО ТЕБЕ ЛЕТ?
HOW OLD ARE YOU?

??
Как сказать?

Giving information about myself:
How do I say how old I am, and ask other people?

Нам хорошо вместе
Good company

ЭКЗА́МЕН ПО ЧТЕ́НИЮ

Thursday, 25th June. With all these trips and excursions and evenings out, it's quite easy to forget that we've come to Moscow for a Russian-speaking competition... But not today— because it's our turn to take the tests!

1 Carol is just going through the door to take her reading test...

Экзамена́тор. Здра́вствуйте. Входи́те. Сади́тесь, пожа́луйста.

Кэ́рол. Здра́вствуйте.

Экзамена́тор. Вы америка́нка? Вас зову́т Кэ́рол?

Кэ́рол. Да.

Экзамена́тор. А ско́лько вам лет?

Кэ́рол. Шестна́дцать.

Экзамена́тор. Ско́лько вре́мени вы изуча́ете ру́сский язы́к?

Кэ́рол. Пять лет.

Экзамена́тор. Так... Кэ́рол, чита́йте, пожа́луйста, э́тот текст.

АНГЛИЧА́НИН ПА́ВЛЯ

— За́втра пе́рвое сентября́,—сказа́ла ма́ма.—И ты пойдёшь уже́ во второ́й класс. Ох, как бы́стро лети́т вре́мя!

В дверь постуча́ли, и в ко́мнату вошёл Па́вля, мой друг и наш сосе́д. Мы все о́чень обра́довались.

— Ого́, кто пришёл!—сказа́л па́па.—Сам Па́вля.

— Сади́сь, Па́влик, сейча́с арбу́з бу́дем есть,—сказа́ла ма́ма.—Дени́ска, приглаша́й Па́влика.

Я сказа́л:

— Приве́т! Сади́сь.

— Приве́т!—сказа́л он и сел.

И мы на́чали есть арбу́з и до́лго е́ли и молча́ли. Пото́м па́па сказа́л:

— А почему́ ты, Па́вля, давно́ не́ был у нас?

— Да,—сказа́л я.—Почему́ ты не приходи́л? Что ты де́лал?

И тут Па́влик покрасне́л, посмотре́л по сторона́м и сказа́л:

— Что де́лал?.. Англи́йский изуча́л, вот что де́лал.

Я сра́зу по́нял, что всё ле́то пустяка́ми занима́лся, а Па́вля изуча́л англи́йский язы́к и тепе́рь смо́жет перепи́сываться с англи́йскими ребя́тами и чита́ть англи́йские кни́ги.

А ма́ма сказа́ла:

— Вот, Дени́ска, учи́сь. Молоде́ц, Па́влик!

— Молоде́ц,— то́же сказа́л па́па.— Уважа́ю!

Па́вля сказа́л:

— К нам на да́чу прие́хал студе́нт Се́ва. Он со мной всё ле́то занима́ется англи́йским.

— Тру́дный англи́йский язы́к?— спроси́л я.

— О́чень!

— Коне́чно, тру́дный,— сказа́л па́па.— У· них о́чень тру́дное произноше́ние. Пи́шется Ли́верпуль, а произно́сится Ма́нчестер.

— Да?!— спроси́л я.— Ве́рно, Па́вля?

— Коне́чно!

22

Asking how old someone is.
Telling.

– Ско́лько	тебе́ / вам	лет?	– Шестна́дцать. / – Семна́дцать. / – Восемна́дцать. / – Девятна́дцать. / – Два́дцать.

– А	ему́? / ей?	– Ему́ / – Ей	два́дцать / три́дцать / со́рок / пятьдеся́т / шестьдеся́т	оди́н	год.
				два / три / четы́ре	го́да.
				пять	лет.

Поговорим, поиграем

I. Game

„СКО́ЛЬКО ВАМ ЛЕТ?"

Your teacher, of course, knows how old you are. But imagine you are someone else, and pick out any age from the tables. Tell your teacher which tables the figure appears in, and see whether he can guess your age.

Первая таблица

8	9	10	11	12	13	14	15
24	25	26	27	28	29	30	31
40	41	42	43	44	45	46	47
56	57	58	59	60	61	62	63

Вторая таблица

2	3	6	7	10	11	14	15
18	19	22	23	26	27	30	31
34	35	38	39	42	43	46	47
50	51	54	55	58	59	62	63

Третья таблица

32	33	34	35	36	37	38	39
40	41	42	43	44	45	46	47
48	49	50	51	52	53	54	55
56	57	58	59	60	61	62	63

Четвертая таблица

1	3	5	7	9	11	13	15
17	19	21	23	25	27	29	31
33	35	37	39	41	43	45	47
49	51	53	55	57	59	61	63

Пятая таблица

16	17	18	19	20	21	22	23
24	25	26	27	28	29	30	31
48	49	50	51	52	53	54	55
56	57	58	59	60	61	62	63

Шестая таблица

4	5	6	7	12	13	14	15
20	21	22	23	28	29	30	31
36	37	38	39	44	45	46	47
52	53	54	55	60	61	62	63

II. Role playing

"READING TEST"

You go into the Pushkin room to take the Olympiad reading and comprehension test.
1. Say 'hello' to the examiner and answer his questions, fluently and confidently... The examiner starts.

— Здра́вствуй. Входи́, сади́сь, пожа́луйста.

— ...

— Как тебя́ зову́т?

— ...

— Отку́да ты?

— ...

— Скажи́, пожа́луйста, ско́лько тебе́ лет?

— ...

— А ско́лько вре́мени ты изуча́ешь ру́сский язы́к?

— ...

— Хорошо́. Чита́й, пожа́луйста, э́тот текст.

2. Try reading the second part of Carol's text.

АНГЛИЧА́НИН ПА́ВЛЯ

— Скажи́ что́-нибудь по-англи́йски,— сказа́ла ма́ма.— Когда́ ты пришёл к нам, почему́ ты не сказа́л нам по-англи́йски „здра́вствуйте"?

— Э́то я ещё не зна́ю,— сказа́л Па́вля.

— А арбу́з пое́л, почему́ не сказа́л „спаси́бо"?

— Я сказа́л,— отве́тил Па́вля.

— Ты по-ру́сски сказа́л, а по-англи́йски?

— По-англи́йски мы ещё не проходи́ли „спаси́бо".

Тогда́ я сказа́л:

— Па́вля, научи́ меня́, как по-англи́йски бу́дет „оди́н, два, три".

— Э́то я ещё не зна́ю.

— А что же ты зна́ешь?— закрича́л я.— Ты ведь уже́ всё ле́то занима́ешься!

— Я зна́ю, как по-англи́йски „Пе́тя",— сказа́л Па́вля.

— Как?

— „Пит"!— го́рдо сказа́л Па́вля.— По-англи́йски „Пе́тя" бу́дет „Пит". Вот за́втра приду́ в шко́лу и скажу́ Пе́тьке Горбу́шкину: „Пит, дай ру́чку!" А он ничего́ не поймёт! Пра́вда, Дени́с?

— Пра́вда,— сказа́л я.— Ну, а что ещё ты зна́ешь по-англи́йски?

— Бо́льше ничего́,— сказа́л Па́вля.

III. Find out

„НА ЭКЗА́МЕНЕ"

1. You take it in turns to play the parts of the examiner and candidate in the Olympiad test. At the start of the test the examiner checks each candidate's name, nationality, age and the length of time he / she has been learning Russian.
2. When you have completed your charts, 'practise asking each other about the participants like this:

Ты зна́ешь, кто э́то? Как его́ / её зову́т?

Отку́да он / она́?

Ско́лько ему́ / ей лет?

Ско́лько вре́мени он / она́ изуча́ет ру́сский язы́к?

IV. Associations
Can you say which phrases go with each verb?
Write out sentences.

идти́
Я иду́...

éхать
Я éду...

быть
Я был(á)...

на автобусе   в театр   во Франции
в библиотеке   на балете   в школу
в театре   в Советский Союз
на метро
на такси   в библиотеку   на работу
в парк   в Англию   на стадионе

V. Role playing

"FIX IT UP"

A. You are students from British universities on a two-month language course at the Pushkin Institute. Invent your own name and identity.
You have made friends with some Russian students, which helps to brighten up your social life in the evenings.
1. Your Russian friend suggests going to the theatre.
Ask when, what's on, and where. Find out at what time the play starts, and ask how to get to the theatre and where you will meet.
Your partner starts.
2. Your Russian friend, like you, is a keen tennis player, and you ring him/her at home to try and fix a day and time when you can have a game.
You've got a free afternoon on Wednesday; you're going on an excursion all day on Saturday; you could play on Sunday.
You start (dzin', dzin').
3. Your friend suggests going to the pictures. Ask what's on, where. Find an evening when you can both go, ask at what time the film starts, and decide where and when to meet.
Your partner starts.
4. Now make up similar dialogues with your partner and suggest going anywhere you like.
B. You are Russian students at Moscow University.
Invent your own name and identity.
You have made friends with some British students on a course at the Pushkin Institute, and want to ask them out for an evening.
1. You ask if your friend would like to go to the theatre.
You have two tickets for Chekhov's "Dyadya Vanya"; it's on at the Moscow Arts Theatre (**МХАТ**), on Friday, and the performance starts at 7.00. Check that your friend knows where the theatre is and arrange where to meet. The nearest metro station is "Pushkinskaya". There's a café near the theatre called "Lira".

224

You start.
2. You told your friend you were keen on tennis.
The phone rings.
You've got lectures at the university on Wednesday afternoon.
You're free on Saturday. You're going to a football match on Sunday afternoon.
Your partner starts.
3. You suggest going to the cinema. There's a good detective film on at the "Rossiya" and an Italian film showing at the "Illyuzion".
Decide which to go and see, and arrange where and when to meet.
You start.
4. Now make up similar dialogues with your partner and suggest going anywhere you like.

Грамматика ❗

1. The Dative Case
1) The Dative Case is used for the indirect object of a sentence.

Examples

Tanya	gives	him	the ticket (to him).
Та́ня	даёт	ему́	биле́т.
I'm	writing	her	a letter (to her).
Я	пишу́	ей	письмо́.
		indirect object	direct object

2) The Dative Case forms of Personal pronouns.
You will use these in stating someone's age.

Мне	шестна́дцать лет.
Тебе́	семна́дцать лет.
Ему́	два́дцать оди́н год.
Ей	два́дцать два го́да.
Нам	три́дцать четы́ре го́да.
Вам	со́рок лет.
Им	со́рок шесть лет.

2. Verbs: the Imperative mood
1) Formation of the Imperative
If the stem of the Present Tense ends in a consonant, the ending of the Imperative form is **-й/-йте.**

они́ смо́тр-ят ⟶ смотри́, смотри́те

они́ ид-у́т ⟶ иди́, иди́те

If the stem ends in a vowel, the ending is **-й/-йте.**

они́ чита́-ют ⟶ чита́й, чита́йте

они́ слу́ша-ют ⟶ слу́шай, слу́шайте

Reflexive verbs also add the particle **-ся** which, as you know, becomes **-сь** when it follows a vowel.

они́ садя́тся ⟶ **сади́сь, сади́тесь**

они́ у́чатся ⟶ **учи́сь, учи́тесь**

они́ беспоко́ятся ⟶ не беспоко́**йся**, не беспоко́**йтесь**

2) As in English, the Imperative can be used in Russian for many purposes.

Instructions or commands:	Откро́й. / Откро́йте кни́гу. Иди́. / Иди́те сюда́.
Polite requests:	Скажи́. / Скажи́те, пожа́луйста... Покажи́. / Покажи́те, пожа́луйста... Дай. / Да́йте, пожа́луйста...
Invitations:	Сади́сь. / Сади́тесь, пожа́луйста. Входи́. / Входи́те, пожа́луйста.
Apologies:	Извини́. / Извини́те, пожа́луйста.
Reassurance:	Не беспоко́йся. / Не беспоко́йтесь.
Introductions:	Познако́мься. / Познако́мьтесь, э́то...
Suggestions:	Дава́й. / Дава́йте...
Greetings:	Здра́вствуй. / Здра́вствуйте.

Почита́ем

Моско́вский де́тский музыка́льный теа́тр

In the USSR there are more than 170 professional theatres which perform for children, but the one which really delights everyone who goes to see it is the Moscow Musical Theatre for Children.

On the roof of the theatre building, sitting on a golden harp, is an enormous bluebird. You remember Maeterlinck's tale of the bluebird? The bluebird is the symbol of happiness, which the characters in this story are seeking to find. Now this bird has flown to join the children—that is the meaning of the symbol on the roof of the theatre building. From their earliest years children come to know the happiness which music brings.

In the foyer of the theatre there is a book in which children write their reactions to the performances, and it is very interesting to leaf through this book and see what they have written.

Ваш спектакль „Максимка" нам очень понравился, особенно роль Чижика, этого душевного человека. Спектакль многому учит нас, добру, приносить людям радость.

Ученики 34 шк. 6^б класс.

ДОРОГОЙ ТЕАТР!

Я ЛЮБЛЮ МУЗЫКУ МНЕ ОЧЕНЬ ПОНРАВИЛАСЬ ОПЕРА ПРО МАКСИМКУ. БУДУ ПРИХОДИТЬ В ВАШ ТЕАТР ВСЕГДА, КОГДА БУДУТ БИЛЕТЫ! МНЕ 6 ЛЕТ ЖЕНЯ

„Синяя птица" – это очень хороший балет! Спасибо вам большое!
25.02.83

„Синяя птица".
Спасибо за прекрасную постановку прекрасной сказки.
Зазнобина Настя. 2кл „Б" 463 шк.

Read some of their comments, and have a look at their drawings and photographs of scenes from the performances.
Can you say:
1. Which shows the children wrote about?
2. How old they are?
3. What their names are?
4. Which class they are in at school?
5. Who they especially liked in the show, and why?

✽ Страноведе-
ние

LENINGRAD

Two years ago I spent a few days in Leningrad. It's a beautiful city, and you can see why people call it "The Venice of the North". There are a lot of canals, beautiful squares and buildings — Palace Square, St. Isaac's Cathedral, the Hermitage.

Эрмитаж
The Hermitage

You probably know that Leningrad was named after Lenin, who led the Great October Socialist Revolution in 1917. Have you read anything about the Revolution, the part played by the cruiser "Aurora" or the storming of the Winter Palace?

Белые ночи
The White Nights

Originally the city was called St. Petersburg after Peter the Great (Peter I), who founded it in 1703.

You can appreciate the atmosphere of St. Petersburg in Pushkin's time by reading his poem "The Bronze Horseman".

If you can get to Leningrad, you must go and see the Hermitage. It's a magnificent palace and it has an enormous collection of over two million paintings, sculptures, lace, crystal, porcelain, precious ivory objects, silver and gold. It's a superb museum, and you'd need over a month to see it all.

You can't talk about Leningrad without mentioning the famous "White Nights". We were there in May, and then it was particularly romantic to stroll along the Nevsky Prospect at midnight in broad daylight.

Урок

23

двадцать
третий

О ЧЁМ ТЫ РАССКАЗЫВАЛ?
WHAT DID YOU TALK ABOUT?

??
Как сказать?

Telling about something:
How do I ask / tell someone about the topic of conversation?

**И. К. Айвазовский.
«Девятый вал»
Aivazovsky. "The
Ninth Wave"**

230

**На
Олимпиаде**

ЧТО МЫ ЗНА́ЕМ О РУ́ССКОЙ КУЛЬТУ́РЕ

Steve is about to be tested on his knowledge of Russian and
Soviet culture... You know, when we take these tests, we have
some time to prepare the relevant topics. Then, when you go
in for the test, it's the luck of the draw—there's a little
pile of cards on the table; and you take one... and then you
answer the question written on it...

1 Steve is waiting outside the exam room, and is a little
apprehensive about what he may find on his card when he
turns it over...

Стив. Вы зна́ете, Ни́на, наве́рное, бу́дет вопро́с
о ру́сских компози́торах... А я зна́ю то́лько
Чайко́вского и Хачатуря́на...

Ни́на. Ничего́, не беспоко́йся. Е́сли бу́дет биле́т
о компози́торах, мо́жно бу́дет взять друго́й.

Стив. Это хорошо́. Я зна́ю ру́сскую литерату́ру
лу́чше.

2 The usual relief and chatter when it's all over... Manabu,
from Japan, asks him how he got on...

Мана́бу. Стив! Ну как?

Стив. Ничего́. Норма́льно.

Мана́бу. О чём спра́шивали?

Стив. О ру́сской и сове́тской литерату́ре.

Мана́бу. И о ком ты расска́зывал?

Стив. О Достое́вском, о Го́голе, о Че́хове, о
Шо́лохове, о Го́рьком... А ты о ком?

Мана́бу. О худо́жниках. Ты зна́ешь, мне про́сто
повезло́... Я сам рису́ю и люблю́ жи́вопись...
Я расска́зывал о карти́нах Айвазо́вского, Ре́-
пина, Петро́ва-Во́дкина.

3 It's like a cinematic flashback as Manabu gives a graphic
account of his own test...

Экзамена́тор. Ты лю́бишь Айвазо́вского?

Мана́бу. Да, о́чень. Осо́бенно вот э́ту карти́ну.

Экзамена́тор. А почему́?

Мана́бу. Это похо́же на япо́нское иску́сство...
Челове́к тако́й ма́ленький и сла́бый, а мо́ре
тако́е большо́е, могу́чее...

Стив. Мана́бу, ты о́чень хорошо́ расска́зывал.

23

231

Образец

1. Asking what someone is talking about.
Telling.

– О чём | ты говори́шь?
вы говори́те? | – О | спо́рте.
му́зыке.
литерату́ре.
футбо́ле.
теа́тре.
фи́льме.
пласти́нках.
кни́гах.
писа́телях.

2. Asking who or what someone talked about.
Telling.

– О ком | ты расска́зывал(а)?
вы расска́зывали? | – О | Пу́шкине.
Че́хове.
Турге́неве.
Шо́лохове.
Ре́пине.
Толсто́м.
Достое́вском.
Чайко́вском.

Поговорим, поиграем

I. Listen and say

„О ЧЁМ ОНИ́ ГОВОРЯ́Т?“

You hear snippets of conversation amidst the general chatter at lunch. Can you say what the people around you are talking about?
Then read through the dialogues to check your answers.

1. — Наш „Спарта́к“ сего́дня игра́л прекра́сно — 5 : 0.
   — Да, сейча́с э́то о́чень хоро́шая кома́нда.
2. — Ребя́та, вы бы́ли сего́дня в Большо́м. Смотре́ли „Жизе́ль“, да? А кто танцева́л?
   — Макси́мова.
   — О, вам повезло́!

3. — Ты лю́бишь фи́льмы Михалко́ва?
   — О́чень люблю́. Ты уже́ ви́дел „Пять вечеро́в"?
   — Ещё нет. Пойду́ посмотрю́ в пя́тницу.
4. — Ты чита́ла рома́н „Идио́т" Достое́вского?
   — Чита́ла. Но я бо́льше люблю́ Толсто́го, осо́бенно его́ рома́н „А́нна Каре́нина".
5. — Ты слу́шала но́вую пласти́нку Була́та Окуджа́вы?
   — Нет.
   — О́чень хоро́шая пласти́нка. Дава́й пойдём ко мне, по-слу́шаем.
6. — Ты зна́ешь, во МХА́Те сейча́с идёт „Вишнёвый сад" Че́-хова.
   — О, я о́чень люблю́ пье́сы Че́хова. Дава́й пойдём за́втра.
7. — Ребя́та, где вы бы́ли вчера́ ве́чером?
   — В За́ле Чайко́вского.
   — А что там бы́ло?
   — Конце́рт Ри́хтера.
8. — Во что ты игра́ешь ле́том?
   — В те́ннис и футбо́л.
   — А зимо́й?
   — Зимо́й в волейбо́л и бадминто́н.
9. — Ты лю́бишь Чайко́вского?
   — Не о́чень. Я бо́льше люблю́ Страви́нского и Шостако́вича. А ты?
   — А я бо́льше всего́ люблю́ Мо́царта и Шопе́на.
10. — Ско́лько вре́мени ты занима́ешься дзюдо́?
    — Три го́да. У меня́ уже́ есть зелёный по́яс. А у тебя́ како́й?
    — Ора́нжевый.

23

II. Find out

„О ЧЁМ ГОВОРИ́ЛИ? О КОМ РАССКА́ЗЫВАЛИ?"

1. Find out what or who the various characters talked about during their Olympiad test.

Examples

   — О чём говори́ла Джейн?
   — О ком расска́зывала Фийо́на?

2. Then play the parts of the characters talking in the corridor to each other or to, e. g. Yura, Tanya, after the test.

Example

   — Пьер, о чём ты говори́л на экза́мене?
   — О кни́гах. А ты?

III. Listen and say

„О КОМ ОНИ́ ГОВОРЯ́Т?"

You really are an incorrigible eavesdropper, aren't you?
You hear these snatches of conversation by the examiners in the corridor after the tests. Can you say which Olympiad participants they are talking about?

1. — Да, он америка́нец. Из Калифо́рнии. О́чень хоро́ший па́рень. Прекра́сно расска́зывал о Толсто́м...

2. — Нет, не англича́нка, шотла́ндка. Она́ живёт в Э́динбурге...

3. — Я ду́маю, она́ о́чень хорошо́ говори́т по-ру́сски. И по-францу́зски то́же. Её ма́ма францу́женка. До́ма она́ говори́т и по-англи́йски, и по-францу́зски...

4. — Она́ вчера́ ве́чером игра́ла на гита́ре. Хорошо́ игра́ет и непло́хо поёт... Поёт и америка́нские, и ру́сские пе́сни. Непло́хо расска́зывала о Чайко́вском.

5. — Э́тот англича́нин непло́хо зна́ет ру́сскую литерату́ру. На экза́мене он хорошо́ расска́зывал о Достое́вском. Он чита́л рома́ны „Идио́т" и „Бра́тья Карама́зовы"...

And whose ears are burning in these instances?

6. — Хоро́шая де́вочка... У́чится в спецшко́ле № 1 в Соко́льниках и прекра́сно говори́т по-англи́йски...

7. — Да, он о́чень лю́бит спорт. Ты зна́ешь, он занима́ется дзюдо́... Я ду́маю, у него́ кори́чневый по́яс...

8. — Он из А́нглии... учи́тель ру́сского языка́ в Ли́верпуле... И о́чень хоро́ший челове́к.

IV. Classic quiz

„КТО НАПИСА́Л?"

What do you know about Russian writers and composers? Can you match up these literary and musical works with the correct writer or composer?

1. Кто написа́л рома́н „Идио́т"?	А. С. Пу́шкин
2. Кто написа́л пье́су „Вишнёвый сад"?	А. П. Бороди́н
3. Кто написа́л рома́н „Отцы́ и де́ти"?	Л. Н. Толсто́й
4. Кто написа́л рома́н в стиха́х (novel in verse) „Евге́ний Оне́гин"?	П. И. Чайко́вский
5. Кто написа́л бале́т „Лебеди́ное о́зеро"?	Ф. М. Достое́вский
6. Кто написа́л рома́н „Мать"?	И. Ф. Страви́нский
7. Кто написа́л рома́н „А́нна Каре́нина"?	М. А. Шо́лохов
8. Кто написа́л бале́т „Петру́шка"?	И. С. Турге́нев
9. Кто написа́л рома́н „Ти́хий Дон"?	А. П. Че́хов
10. Кто написа́л о́перу „Князь И́горь"?	А. М. Го́рький

(Answers are given in the Keys section.)

V. Do you know ... ?

ЦВЕТА́

Do you paint? Do you know how to mix primary colours to obtain secondary colours? What do you get if you add white to the primary colours? (Ask your teacher for the name of any colours you do not yet know in Russian.)

Primaries:

си́ний + жёлтый	даёт ... цвет
кра́сный + жёлтый	даёт ... цвет
кра́сный + си́ний	даёт ... цвет

Addition of white:

кра́сный + бе́лый	даёт ... цвет
чёрный + бе́лый	даёт ... цвет
си́ний + бе́лый	даёт ... цвет

What do you get if you mix all the colours together?

VI. Explain

Say who is the "Odd man out", and why.

Example

Ива́н Лендл, Джи́мми Ко́ннорс, Джон Макенро́й, Ча́рли Ча́плин.

— Ча́рли Ча́плин.

— Почему́?

— Лендл, Ко́ннорс, Макенро́й — теннисси́сты, а Ча́рли Ча́плин — нет.

1. А. С. Пу́шкин, А. П. Бороди́н, Ф. М. Достое́вский, А. П. Че́хов, Л. Н. Толсто́й.

2. А. М. Го́рький, П. И. Чайко́вский, Д. Д. Шостако́вич, А. И. Хачатуря́н.

3. И. К. Айвазо́вский, И. Е. Ре́пин, К. С. Петро́в-Во́дкин, М. И. Гли́нка.

VII. Classify

Group the words below into categories. Write them out to the following headings:

1. Ви́ды тра́нспорта.
2. Лю́ди.
3. Цвета́.
4. Вре́мя.

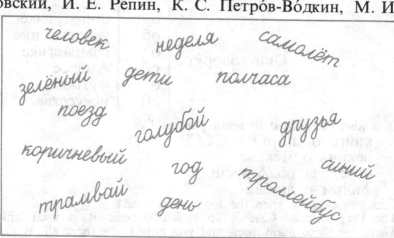

человек   неделя   самолёт
зелёный   дети   полчаса
поезд
голубой   друзья
коричневый
год   синий
трамвай   день   троллейбус

23

VIII. Deduction

„СКÓЛЬКО ИМ ЛЕТ?"

You know that Soviet children start school in the first grade at age seven. Work out how old these children are from the grade they are in at school. Write out their ages.

Example

> Мáша ýчится в пéрвом клáссе.
> — Знáчит, ей семь лет.

1. Кóля ýчится в девя́том клáссе.
2. Сóня ýчится во вторóм клáссе.
3. Максúм ýчится в шестóм клáссе.
4. Тамáра ýчится в трéтьем клáссе.
5. Свéта и Борúс ýчатся в деся́том клáссе.
6. Мúша ýчится в четвёртом клáссе.
7. Кáтя и Лéна ýчатся в восьмóм клáссе.
8. Áня ýчится в пя́том клáссе.
9. Серёжа ýчится в седьмóм клáссе.
10. Мáша и Пéтя ýчатся в пéрвом клáссе.

! **Грамматика**

Case

1) The use of the Prepositional Case with the preposition **о (об)**, 'about'. This preposition is commonly used after verbs like **говорúть, расскáзывать, дýмать** — talking, telling, thinking about something.

	о	поп-мýзыке.
	об	учúтельнице.
Онú говоря́т	о	гимнáстике.
	об	Андрéе.
	о	футбóле.
	об	искýсстве.

It is also often used in noun phrases like:

книга о спóрте в СССР
лéкция о Чéхове
передáча об Áнглии
фильм о любвú

Can you explain when the form **об** is used?
The Prepositional Case is so called because it is used only with prepositions. There are three main ones, and you now know them all. Which are the other two?

236

2) The Prepositional Case: plural forms of adjectives and nouns.
These are easy to learn, since they are the same for all genders.
The endings are:
adjectives: **-ых** or **-их,**
nouns: **-ах** or **-ях.**

Он говори́т	о	ру́сских но́вых хоро́ших	рома́нах. композ́иторах. худо́жниках. кни́гах. пласти́нках. спекта́клях. писа́телях. музе́ях. фотогра́фиях.

3) The Prepositional Case forms of Personal pronouns
You have not used the Prepositional forms of Personal pronouns in speaking
Russian, but this table will help you to recognise them if you meet them in
reading.

Nom. Кто зна́ет?	Prep. О ком он говори́т?	Nom. Кто зна́ет?	Prep. О ком он говори́т?
я	обо мне́	мы	о нас
ты	о тебе́	вы	о вас
он	о нём	они́	о них
она́	о ней		

Why do you think Russians say **обо мне́? О** is used with all the other pronouns.

23

Почитаем

I. „Евро́па: век XX“. Ру́сские и сове́тские писа́тели
There is a book called „Евро́па: век XX“, which is a joint
publication by the USSR and West Germany. It contains
an anthology of writings from the works of the best European
writers, philosophers and statesmen.

1. Read the list of contributors selected from Russian and Soviet literature.
   А. Ахма́това, А. Блок, Ю. Бо́ндарев, М. Го́рький, М. Джа-
ли́ль, С. Есе́нин, Я. Купа́ла, Л. Лео́нов, В. Маяко́вский, Э. Ме-
жела́йтис, Н. Остро́вский, Б. Пастерна́к, К. Си́монов, Г. Таби́дзе,
А. Твардо́вский, Н. Ти́хонов, А. Толсто́й, Л. Толсто́й, А. Фаде́ев,
М. Шо́лохов.
2. Pick out any names you know. Have you read any of their books in English
   translation?

Европа: век XX
Хрестоматия

За мир и дружбу,
свободу от угнетения и насилия,
за счастье человека на Земле

Москва
Художественная литература
1980

II. „Европа: век XX". Британские писатели
Here is the list of English, Irish and Welsh writers and scholars included in the anthology.

Джеймс Джойс, Д.-Г. Лоуренс, Бертран Рассел, Арнольд Тойнби, Дилан Томас, Герберт Уэллс, Г.-К. Честертон, Бернард Шоу, Т.-С. Элиот.

1. Read through the list, and then say whether you agree with the selection.
2. Are there other authors you think should have been included, or any you would exclude?

Страноведение

TCHAIKOVSKY

You already know how fond I am of music, and last night Nina took me to a concert at the Conservatoire. It was a really exciting experience, because Svyatoslav Richter was playing. He is a superb pianist, and it was marvellous to actually see him perform.

He played Chopin's First Concerto, and then "The Seasons" by Tchaikovsky. I love Chopin, and Richter added a new dimension to Tchaikovsky's music for me. Do you know much about Tchaikovsky? Do you like his music? Here's what the concert programme said about him:

238

Московская консерватория им. П. И. Чайковского
The Moscow Tchaikovsky Conservatoire

Участники Международного конкурса им. П. И. Чайковского в Клину
Participants in the Tchaikovsky International Music Competition at Klin

"The great Russian composer, Pyotr Ilyich Tchaikovsky, is one of the most distinguished 19th century composers. His prolific and versatile talent embraced both opera and ballet, symphonies and chamber music. His operas 'Evgeny Onegin' and 'The Queen of Spades' have become world classics, and have been performed by the Bolshoi Theatre for more than a hundred years, as have his brilliant ballets 'Swan Lake', 'Sleeping Beauty' and 'The Nutcracker'."

There's a Tchaikovsky museum in Klin, in the house where he lived and worked. It's not far from Moscow.

The Tchaikovsky International Music Competition is held every four years in Moscow. Do you remember the year when John Ogden went to Moscow and won the competition?

24

ТЕБЕ НРАВИТСЯ РУССКАЯ КУХНЯ?
DO YOU LIKE RUSSIAN FOOD?

??
Как сказать?

Talking about food and drink:
How do I express my likes, dislikes and preferences about Russian food? How do I ask someone to pass me something, for example, the salt, at the table?

Традиционная рус-
ская кухня
**Traditional Russian
cuisine**

**На
Олимпиаде**

ПРИЯ́ТНОГО АППЕТИ́ТА!

With the examinations safely under our belts — however well or
badly we may have done — we're all in a relaxed mood at
lunch, and we're really quite hungry as well... after working
so hard!..

1   In the cafeteria Nina comes and joins us at our table...

Ни́на. Здра́вствуйте. Прия́тного аппети́та!

Все. Спаси́бо. Сади́тесь с на́ми.

2   There's a Russian proverb: „О вку́сах не спо́рят" — "Tastes
differ". But it's interesting to talk about Russian cooking,
and the differences, and our individual likes...

Ни́на. Зна́ете, како́й э́то суп?

Ла́рри. Щи?

Сью́зан. Борщ?

Ни́на. Да, э́то борщ. Он вам нра́вится?

Стив. Нра́вится. Очень вку́сный!

Ни́на. Вам нра́вится ру́сская ку́хня?

Сью́зан. Мне о́чень нра́вится.

Ла́рри. Мне нра́вится ваш хлеб.

Ни́на. Бе́лый и́ли чёрный?

Ла́рри. И бе́лый, и чёрный.

Сью́зан. Ни́на, а мне о́чень нра́вится борщ.
Вы зна́ете, как его́ гото́вить?

Ни́на. Коне́чно, зна́ю. Я дам тебе́ реце́пт.

3   I see Diana is still sitting next to Steve at the table,
football or no football...

Стив. Диа́на, переда́й, пожа́луйста, соль.

Диа́на. Пожа́луйста.

Стив. Спаси́бо.

4   There is a choice of tea or coffee on the table. Nina asks
which we would like...

Ни́на. Ребя́та, кому́ чай, кому́ ко́фе?

Стив. Мне чай, пожа́луйста.

Кэ́рол. А мне ко́фе.

Сью́зан. Мне то́же ко́фе.

Ла́рри. А мне чай.

**▲
Образе́ц**

1. Asking whether someone likes something (e. g. food).
Saying whether I do or don't.

242

– Тебе́ – Вам	нра́вится	ру́сская ку́хня? борщ? чёрный хлеб? ру́сское моро́женое?	– Да. О́чень. – Не о́чень. – Нет.
	нра́вятся	э́ти конфе́ты? э́ти я́блоки?	

– А мне	о́чень не о́чень не	нра́вится	э́тот суп. бе́лый хлеб. ру́сский чай.
		нра́вятся	э́ти соси́ски. э́ти бу́лочки.

2. Asking someone to give or pass you something.
'Sure'. 'Here you are'.

– Дай, – Переда́й, – Да́йте, – Переда́йте,	пожа́луйста,	хлеб. соль. пе́рец. са́хар. во́ду.	– Пожа́луйста.

3. Asking who wants something, who wants what?
'I do'. Stating my preference.

24

– Кому́	чай? ко́фе? суп? хлеб? моро́женое? фру́кты?	– Мне, пожа́луйста.

Поговорим,
поиграем

I. Find out

„ИМ НРА́ВИТСЯ ... ?"

1. You are having lunch in the hostel cafeteria. Play the parts
of the two pairs of characters, Diana—Steve and Susan—
Manabu, and ask questions like this.

Example

    — Стив, тебе́ нра́вится ру́сский борщ?
    — Не о́чень. А тебе́?
    — Мне нра́вится.

The symbols on the charts mean the following:

√√ — о́чень нра́вится

 √ — нра́вится

 – — не о́чень нра́вится

 ✗ — не нра́вится

2. When you have all the information, practise asking questions like this.
1) Select a character and ask about all six items.

    (Стив) Ему́ нра́вится ру́сский борщ? И т. д.
    (Диа́на) Ей нра́вится ру́сский борщ? И т. д.

2) Ask who likes or doesn't like particular things.

    Кому́ о́чень нра́вится чёрный хлеб?
    Кому́ не нра́вится чёрный ко́фе?

3) Ask what the individual characters like most or least.

    (Диа́на) Что ей бо́льше всего́ нра́вится?
    (Мана́бу) Что ему́ нра́вится ме́ньше?

4) Say what are the most or least popular things.

    Что им бо́льше всего́ нра́вится?
    Что им нра́вится ме́ньше?

II. Role playing

„В КАФЕ́"

You are with a group of Olympiad participants from other countries.
It's a hot day and you have dropped into a café for, e. g. a drink, ice-cream.
1. It's waitress service in this café, so you look at the menu and each decide what you want.

    — Что ты хо́чешь / возьмёшь?
    — Я хочу́ / возьму́ ...

2. You tell the waitress what you want.
The waitress begins.

    — Я вас слу́шаю.
    — Мне чай с лимо́ном, пожа́луйста.
    — А мне пе́пси-ко́лу. И т. д.

3. Do you like it?

    — Тебе́ нра́вится чай с лимо́ном?
    — Мне о́чень нра́вится э́то моро́женое. И т. д.

4. You ask someone to pass, e. g. the sugar.

    — Переда́й, пожа́луйста, са́хар.

5. You each give the amount you have to pay to one person in the group.

    — С меня́ ... копе́ек.

244

Меню

	цена
чай	3 к.
чай с лимо́ном	6 к.
ко́фе чёрный	14 к.
шокола́д	1 р. 50 к.
пе́пси-ко́ла	42 к.
лимона́д	18 к.
я́блочный сок	20 к.
апельси́новый сок	50 к.
моро́женое	
пломби́р	20 к.
эскимо́	20 к.
фрукто́вое	20 к.

III. Talk about the pictures

„ТЕБЕ́ НРА́ВЯТСЯ Э́ТИ КАРТИ́НЫ?"

How do you like these pictures?

24

Say whether or not you like individual pictures; which one you like most, least; compare two pictures and say which you prefer. Imagine you are looking for a picture to hang at home. Suggest buying one.

IV. Puzzle

"COPECKS TO ROUBLE"

The last letter of the first word is the start of the next, and so on. Can you make the chain?

Clues

1. Вид тра́нспорта.
2. Девя́тая ... Бетхо́вена.
3. Фрукт.
4. Па́па.
5. Чай — 3 коп.
6. У́лица Го́рького, д. 20, кв. 45.
7. Ты пьёшь чай:
   — Переда́й, пожа́луйста, ...

(Solution is in the Keys section.)

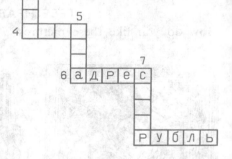

V. Associations

Which of the words below go with, or do you closely associate with the following colours?

чёрный
кра́сный
зелёный
жёлтый
бе́лый
си́ний

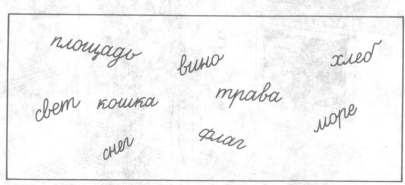

площадь   вино   хлеб
свет   кошка   трава
снег   флаг   море

Write out the various possible combinations to the colour headings.
Make sure your adjective — noun agreements are right!

Грамматика

1. Dative Case

Use with the verb **нра́виться**.

Мне нра́вится ру́сская ку́хня.

I like Russian food.

What are the differences between the Russian and English constructions? Can you identify the subject, and direct / indirect object in each sentence?

2. Revision summary: Personal pronouns in the Nominative, Accusative, Genitive, Dative and Prepositional Cases.

		я	ты	он	она́	мы	вы	они́
Nom.	Кто зна́ет?							
Acc.	Кого́ он зна́ет?	меня́	тебя́	его́	её	нас	вас	их
Gen.	У кого́ есть де́ньги?	У	меня́	тебя́	него́	неё	нас	вас	них
Dat.	Кому́ нра́вится футбо́л?		мне	тебе́	ему́	ей	нам	вам	им
Prep.	О ком он говори́т?	О (обо)	мне́	тебе́	нём	ней	нас	вас	них

Look at the table and say whether any forms are exactly the same for more than one Case. Which ones?

In which forms does an **н** creep in to separate the prepositions **у** and **о** from another vowel?

24

Почитаем

I. Олимпиа́да. У́стный экза́мен: ста́ршие шко́льники

You know that competitors in the Olympiad take an oral examination. In the test they are given a **биле́т**—a card on which the questions they have to answer are printed.

Here are two actual **биле́ты** from the competition. They are for the older group— pupils aged fifteen and over, who have probably been studying Russian for a number of years.

You, of course, have been learning Russian for a short time, but can you read through one of the cards and give a general indication in English of what the competitors had to talk about?

Билет № 8

1. Расскажите, чему бы вы хотели научиться на уроках русского языка и как вы думаете использовать свои знания по русскому языку после окончания школы.

2. Ответьте на вопросы.

— Что вы собираетесь делать после окончания школы?

— Читаете ли вы на русском языке книги, газеты, журналы?

— Кто ваш любимый русский (советский) писатель?

— Делаете ли вы в школе переводы с русского языка на родной или с родного на русский?

— Вы хорошо понимаете русскую речь?

3. Представьте себе: вы разговариваете с журналистом, пишущим о международных событиях, журналист хорошо знает русский язык. Вы хотите узнать, как он учил русский язык и как он использует его в работе. Как вы спросите об этом журналиста? С чего вы начнёте разговор?

Билет № 14

1. Расскажи о том, как ты проводишь свободное время после занятий в школе.

2. Ответь на вопросы.

— Ты любишь проводить свободное время с друзьями или с родителями?

— Что ты любишь больше: читать, смотреть телевизор, слушать музыку, танцевать? Почему?

— У вас есть школьный или городской молодёжный клуб (дом пионеров и школьников)? Ты ходишь туда? Как ты проводишь время?

— Ты часто ходишь в кино? А в театр?

— Ты много читаешь? Назови своих любимых писателей, любимые книги.

3. Представь себе, ты учитель и беседуешь с родителями одного из своих учеников, который плохо учится. Ты хочешь узнать, как он проводит своё свободное время, что он делает дома.

II. Олимпиа́да. У́стный экза́мен: мла́дшие шко́льники

Here are two further cards for the younger section of the competition — pupils aged under fifteen.
1. Can you read and understand any of the questions?
2. Could you answer any of them in Russian?

Билет № 8

Выберите кадры из известных вам кинофильмов.

Что вы можете рассказать о советском киноискусстве?

Какие советские фильмы вы видели? Расскажите о них.

Какие фильмы советского производства идут в вашей стране сейчас?

Какие фильмы совместного производства — вашей страны и СССР — вы знаете? Расскажите об одном из них.

248

Билет № 10

Найдите среди предъявленных репродукций известные вам картины.

Назовите художников, которые писали эти картины.

О творчестве какого русского или советского художника вы бы хотели рассказать подробнее?

Расскажите, где и как вы познакомились с работами этого художника. Какие картины этого художника вам особенно нравятся? Расскажите об одной из них.

Что вы еще можете рассказать о жизни и творчестве этого художника?

MIKHAILOVSKOYE

I recently visited Pushkin's house in Mikhailovskoye. It was here that he wrote most of his famous "Evgeny Onegin", his "novel in verse", and play "Boris Godunov", and much of his poetry.

24

Михайловское. Мельница на берегу реки
Mikhailovskoye. A mill on the river bank

249

Pushkin's house and the surrounding village of Mikhailovskoye are uniquely preserved as a historical monument. In a recent TV interview the museum's director explained how the entire museum was destroyed during the war. After the war everything connected with Pushkin had to be restored — the house, grounds and even the monastery where Pushkin is buried. Today you will always find bouquets of flowers there, brought by his admirers.

The director and staff of the Pushkin museum look after Pushkin's home and belongings as though they were human. Particularly the surrounding countryside which inspired Pushkin's poems so often.

Пруд в Михайловском
The pond at Mikhailovskoye

Кабинет А. С. Пушкина
Pushkin's study

The museum's many visitors include Benjamin Britten, the famous English classical composer. After his visit to the Pushkin museum, Britten composed a cycle of songs based on Pushkin's poems. He sent a copy of this published work to the museum as a gift.

Урок

25

двадцать
пятый

СКОЛЬКО СТОИТ...?
HOW MUCH...?

??
Как сказать?

Buying presents:
How do I say that I want to buy something for someone?
What do I need to say in the shop to attract the assistant's
attention, ask to have a look at something, find out the price,
say I'll take it?

В магазине «Детский мир» в Москве
The "Detsky Mir"—
children's shop in
Moscow

МЫ ПОКУПА́ЕМ ПОДА́РКИ

After lunch, we have some free time to buy presents to take home to our families and friends. Tanya has taken Susan and Larry off on the metro to Dzerzhinsky Square, to choose something in „Де́тский мир"—a large children's department store.

1 Susan is wondering what to get for her younger brother...

Сью́зан. Та́ня, я хочу́ купи́ть пода́рок бра́ту.

Та́ня. Бра́ту? А ско́лько ему́ лет?

Сью́зан. Оди́ннадцать.

Та́ня. Оди́ннадцать... Купи́ ему́ моде́ль маши́ны и́ли самолёта.

2 The shop is very crowded, especially the toy counters, and Tanya helps to attract the shop assistant's attention...

Та́ня. Покажи́те, пожа́луйста, э́ти моде́ли — самолёт, маши́ну, ло́дку...

Продавщи́ца. Пожа́луйста.

Та́ня. Сью́зан, тебе́ нра́вятся э́ти моде́ли?

Сью́зан. Да, о́чень хоро́шие.

Та́ня. Краси́вая маши́на.

Сью́зан. Я ду́маю, бра́ту бо́льше понра́вится моде́ль самолёта. Ско́лько она́ сто́ит?

Продавщи́ца. Два рубля́ пятьдеся́т копе́ек.

Сью́зан. Хорошо́. Я беру́ её.

3 Now for Larry... Has he made his mind up yet?

Та́ня. Ла́рри, что ты хо́чешь купи́ть сестре́?

Ла́рри. Мо́жет быть, игру́шку...

Та́ня. Посмотри́, вон хоро́шие игру́шки.

Ла́рри. Да. Мне о́чень нра́вится вот э́то де́тское пиани́но. Ско́лько оно́ сто́ит?

Та́ня. Скажи́те, пожа́луйста, ско́лько сто́ит пиани́но?

Продавщи́ца. Шесть рубле́й.

Ла́рри. Я куплю́ э́то пиани́но.

Образец

1. Asking what someone wants to get for someone (presents).

– Что	ты хо́чешь вы хоти́те	купи́ть	бра́ту? па́пе? сестре́? ма́ме? ма́ме и па́пе? ба́бушке?

2. Advising someone what to get.

– Купи́ – Купи́те	ему́ ей им	кни́гу. моде́ль маши́ны. де́тское пиани́но. игру́шку. пласти́нку. конфе́ты. откры́тки. значки́.

3. Saying that I think someone would prefer something else.

– Я ду́маю	ему́ ей им	бо́льше	понра́вится	самолёт. кни́га. матрёшка.
			понра́вятся	ма́рки. значки́. фотогра́фии.

25

4. Asking how much something costs.

– Ско́лько	сто́ит	э́тот значо́к? э́та кни́га? э́то пиани́но?
	сто́ят	э́ти ма́рки?

– Ско́лько	он она́ оно́	сто́ит?
	они́	сто́ят?

I. Find out

Поговори́м, поигра́ем

„СКО́ЛЬКО СТО́ИТ / СТО́ЯТ ... ?"

1. Point to the items on display and ask the shop assistant how much they cost.
Example

      Скажи́те, пожа́луйста, ско́лько сто́ит э́та моде́ль самолёта?

2. When you have all the information on prices, practise asking the shop assistant to show you the item; asking how much it costs (using a pronoun in your question); saying whether you like it and will take it.
Example

      — Покажи́те, пожа́луйста, э́ту ку́клу.
      — Пожа́луйста.
      — Ско́лько она́ сто́ит?
      — Четы́ре рубля́ пятьдеся́т копе́ек. Берёте?
      — Краси́вая. Она́ мне нра́вится. Беру́.

II. Role playing

"HELPFUL ADVICE"

A. You are Tanya or Yura, taking the English and American groups round the shops.

1. Ask who they want to buy presents for.
      — Кому́ ты хо́чешь купи́ть пода́рок?
      — Что ты хо́чешь купи́ть?

2. If it's for a brother or sister, ask how old he / she is.
      — Ско́лько ему́ / ей лет?

3. Find out the sort of thing he / she likes.
      — Что он / она́ лю́бит?

4. Suggest something appropriate.
      — Купи́ ему́ / ей ...

5. Suggest which shop to go to for:
        records — „Мело́дия"
        books — „Дом кни́ги"
        toys etc. — „Де́тский мир"
        for ladies — „Весна́"
        various — „Пода́рки"

      — Дава́й пойдём в „Де́тский мир".

6. Call out to the shop assistant. Ask to have a look at what you have in mind, and how much it costs.
      — Покажи́те, пожа́луйста, ...
      — Ско́лько сто́ит ... ?

7. Ask whether your friend will take it.
   — Берёшь?
8. Assure your friend that the person will like the present.
   — Ду́маю, ему́ / ей понра́вится.

B. You are yourselves. (Or you can invent a new identity, plus a fictitious Granny, brother, etc. if you wish.)
Tanya or Yura is taking you round the shops today.
Think of who you want to buy presents for, and the sort of thing they might like.
Answer Tanya's / Yura's questions.
Do you agree with their suggestions about what to get?
Do you like the thing you are shown?
How much is it? (For the purpose of this practice you are rolling in money, so the price is no obstacle!)
Will you take it?
Do you think Gran will like it?

III. Role playing

„КАКО́Й КРАСИ́ВЫЙ!"

Jane made out this list of presents to take back home for her family in England:

> Mum — headscarf
> Dad — record
> Liz — toy guitar
> Tom — model plane
> Gran — sweets
> Grandad — tobacco

1. Ask each other what she intends to get for everyone in her family.
   — Что Джейн хо́чет купи́ть бра́ту? И т. д.

2. Jane has been round „Мело́дия", „Весна́", „Де́тский мир".
Say what she bought.
   — Что Джейн купи́ла ма́ме? И т. д.

3. Now you are Jane, showing the presents you have bought to Tanya and your friends.
   — Та́ня, посмотри́, я купи́ла сестре́ де́тскую гита́ру.
   — Кака́я краси́вая!
   — Да, ду́маю, она́ ей понра́вится.
   — Коне́чно, понра́вится.

IV. Connections
Match up the questions to the replies.

СКОЛЬКО ВАМ ЛЕТ?

О НИНЕ.

О ЧЁМ ВЫ ГОВОРИТЕ?

ЭТО БОРЩ.

КОМУ ЧАЙ?

РУБЛЬ ПЯТЬДЕСЯТ.

КАКОЙ ЭТО СУП?

СЕМНАДЦАТЬ.

О КОМ ВЫ ГОВОРИТЕ?

МНЕ, ПОЖАЛУЙСТА.

СКОЛЬКО СТОИТ ЭТА ПЛАСТИНКА?

О МУЗЫКЕ.

COMPLETIONS

Can you select the appropriate verb from those given below to complete the sentences?

1. — Лёна, когда ... фильм?
   — Полвосьмо́го. А ско́лько сейча́с вре́мени?
   — Семь часо́в. Мы не ... ?
   — Нет, ничего́, мы ... .
2. — Дава́й ... за́втра ве́чером в теа́тр.
   — Хорошо́, дава́й. А что ... ?
3. — Я то́чно не ... , где теа́тр.
   — Не ... . Я зна́ю, где теа́тр.
4. — Джейн, куда́ ты ... ле́том?
   — Наве́рное, в Испа́нию.
5. — О чём ... на экза́мене?
   — О ру́сских писа́телях.
   — И о ком ты ... ?
   — О Пу́шкине.
6. — Ми́ша, ... , пожа́луйста, соль и пе́рец.
   — Пожа́луйста.
7. — Майкл, тебе́ ... ру́сское моро́женое?
   — Да, о́чень.
8. — Сью́зан, ты ... пойти́ в цирк?
   — Спаси́бо, нет! Я не о́чень люблю́ цирк.
9. — Ла́рри, что ты хо́чешь ... сестре́?
   — Мо́жет быть, э́ту игру́шку. Ско́лько она́ ... ?
   — Два рубля́.
   — Хорошо́. Я ... её.
10. — Дейв, где вы бы́ли вчера́ у́тром? Я вас ... .
    — Извини́те, я был в Третьяко́вской галере́е.

   е́дешь, купи́ть, сто́ит, расска́зывал, пойдём, успе́ем, спра́шивали, беру́, нра́вится, беспоко́йся, опозда́ем, начина́ется, переда́й, хо́чешь, по́мню, иска́ла, идёт

25

🚫 **Грамма́тика**

1. The Dative Case
1) Forms of singular nouns
Masculine and neuter nouns have a Dative form ending in -y or -ю.
Feminine nouns have a Dative form ending in -e.

			Masc.		Fem.	
Nom.	Кто зна́ет?		Бори́с	Андре́й	Ни́на	Та́ня
Acc.	Кого́ он зна́ет?		Бори́са	Андре́я	Ни́ну	Та́ню
Gen.	У кого́ есть ма́рки?	У	Бори́са	Андре́я	Ни́ны	Та́ни
Dat.	Кому́ нра́вится ко́фе?		Бори́су	Андре́ю	Ни́не	Та́не
Prep.	О ком он гово-ри́т?	О (об)	Бори́се	Андре́е	Ни́не	Та́не

Figure it out

Look at the table and say whether any endings are used for more than one Case form.

How do the masculine (and neuter) Dative Case forms compare with the feminine Accusative forms?

Do the two feminine forms in the Dative Case differ from each other? How do they compare with the Prepositional Case forms?

Do you remember why the masculine Accusative forms must be the same as the Genitive in this table?

With which name in the table would you use the preposition **об**?

2) Plural forms of adjectives and nouns

The plural forms are again the same for all genders.

The endings are:

adjectives: **-ым** or **-им**

nouns: **-ам** or **-ям**

Nom.	У меня́ есть	но́вые пласти́нки	ру́сские кни́ги
Acc.	Она́ купи́ла	но́вые часы́	ру́сские сувени́ры
Gen.	Это ко́мнаты	но́вых студе́нтов	ру́сских студе́нток
Dat.	Они́ да́рят цветы́	но́вым учителя́м	ру́сским студе́нткам
Prep.	Они́ говоря́т о	но́вых студе́нтах	ру́сских учителя́х

Can you say when the endings are **-ым** or **-им** for adjectives, and **-ах** or **-ях** for nouns?

You have practised singular rather than plural forms in this Lesson. You may well want to use the Dative plural of these nouns in talking about buying presents:

258

Я хочу́ купи́ть 'пода́рки	друзья́м.
	подру́гам.
	роди́телям (па́пе и ма́ме).
	сёстрам.
	бра́тьям.

The information in this section should also help you to recognise other Dative plural forms in your reading.

Test yourself: can you pick out Dative plural forms in the following sentences?

1. Де́тям о́чень нра́вится моро́женое.
2. В СССР 1 сентября́ шко́льники да́рят учителя́м цветы́.
3. Я ду́маю, де́вушкам о́чень понра́вится бале́т.
4. Ма́ша купи́ла пода́рок роди́телям.
5. Да́йте, пожа́луйста, э́ти кни́ги ва́шим но́вым студе́нтам.
6. Кра́сная пло́щадь о́чень нра́вится англи́йским тури́стам.
7. — Ско́лько лет твои́м сёстрам?
   — Четы́рнадцать и двена́дцать.

2. Numbers
Sums of money

Ско́лько	сто́ит?	(1)	рубль	копе́йку
		2, 3, 4	рубля́	копе́йки
	сто́ят?	5, 6, 7...	рубле́й	копе́ек

Look at the words **рубль** and **копе́йку**. Which Case is used here for the amount you have to pay?

'One' is normally omitted. If it is included, the forms are: **оди́н рубль, одну́ копе́йку.**

The Genitive Case is used after the other numbers. Do you use **два** or **две** for **2 рубля́, 2 копе́йки?**

?? ▲ ❗
Прове́рьте
себя́
Test
yourself

1. Talk about yourself
Talk to your partner about these topics. The first ones are concerned with everyday matters. You will meet some new vocabulary, e. g. for food. If you can't guess the meaning, or if you need other words arising from your own tastes, ask your teacher.

When you know you've mastered these topics, you might like to move on to higher things and give your tastes in Art and Literature an airing?

Personal information

1. Как тебя́ зову́т?
2. Где ты живёшь?
3. Ско́лько тебе́ лет?
4. В како́й шко́ле ты у́чишься?
5. Ско́лько вре́мени ты изуча́ешь ру́сский язы́к?

Routines

a) Getting to school
1. Когда́ начина́ются уро́ки в ва́шей шко́ле?
2. Ты живёшь далеко́ от шко́лы?
3. Ты идёшь в шко́лу пешко́м и́ли е́дешь?
4. На чём ты е́дешь туда́?
5. Тебе́ до́лго е́хать? Ско́лько вре́мени?

b) Mealtimes, food
1. Когда́ ты обы́чно за́втракаешь? Во ско́лько?
2. Что у тебя́ обы́чно на за́втрак? Ко́рнфлекс? То́сты? Яйцо́?
3. Что ты обы́чно пьёшь у́тром? Чай? Ко́фе? Молоко́?
4. Ты обе́даешь в шко́ле и́ли до́ма? Во ско́лько?
5. В шко́ле хоро́шие обе́ды? Тебе́ они́ нра́вятся?
6. Как ты ду́маешь, англи́йская ку́хня хоро́шая?
7. Что ты бо́льше лю́бишь? Ро́стбиф? Бифште́кс? Омле́т?
8. Тебе́ нра́вится англи́йский фиш-н-чипс?
9. Ты хо́дишь иногда́ в рестора́н?
10. Тебе́ нра́вится францу́зская ку́хня? Италья́нская? Кита́йская?

Leisure

1. Что ты лю́бишь де́лать в свобо́дное вре́мя?
2. Что ты обы́чно де́лаешь ве́чером?
3. Что ты обы́чно де́лаешь в суббо́ту и воскресе́нье?
4. Ты ча́сто хо́дишь в кино́? В теа́тр?
5. Ты занима́ешься спо́ртом?
6. Во что ты игра́ешь? Где? Когда́?
7. Каки́е переда́чи ты лю́бишь смотре́ть по телеви́зору?
8. У вас до́ма есть видеомагнитофо́н?
9. Каки́е фи́льмы ты лю́бишь смотре́ть?
10. Ты лю́бишь танцева́ть? Где? Когда́?
11. Каку́ю му́зыку ты лю́бишь слу́шать?

Art

1. Ты лю́бишь жи́вопись?
2. В ва́шем го́роде есть карти́нная галере́я?
3. Ты туда́ хо́дишь?

4. Какие там картины?

5. Какие художники тебе больше всего нравятся? Ренуар? Тёрнер?

6. Ты рисуешь?

7. Что ты любишь рисовать? Пейзажи? Портреты? Натюрморты?

Literature

1. Ты много читаешь? Любишь литературу?

2. Какие английские писатели тебе нравятся?

3. Ты читаешь французские или немецкие книги?

4. Что ты читал(а)?

5. Ты читал(а) русские книги? Какие?

6. Ты читал(а) романы Л. Н. Толстого? И. С. Тургенева? Ф. М. Достоевского?

7. Ты читал(а) или видел(а) пьесы А. П. Чехова?

8. Ты читал(а) стихи или прозу А. С. Пушкина?

2. What do you say in these situations?

1) You have been out with some Russian friends for the evening.
You are now saying goodnight. How do you:

   Ask how they're getting home.

   Ask whether they've far to go.

   Ask how long it will take.

2) Your friends are anxious that you may get on the wrong metro line.

   Admit you're not sure.

   Tell them not to worry.

   Say you know how to get there.

3) Misha and Anya knock on the door of your room.

   Ask them to come in.

   Invite them to sit down.

4) You go into the cafeteria for lunch. You see Tanya and Yura already having theirs, and go up to their table. What is the phrase you use to say 'Hello' in this particular circumstance? (There is no equivalent for this in English.)

5) Now you're having your lunch. You need the salt, but it's at the other end of the table.

   Ask someone to pass it for you.

6) You are in a shop. You're interested in buying something which is on the shelf behind the counter, but you can't see the price tag.

   Ask how much it costs.

   Ask to have a look at it.

   Say whether you'll take it.

25

Почитаем

Лутон Ху

Did you know that there are descendants of Pushkin living in England, not far from London? They are even related to the Royal Family. At Luton Hoo, almost forty miles from London, lives Sir Nicholas Phillips — Pushkin's great-great-great-grandson.

At Luton Hoo there is a museum of Russian culture. In one of the rooms there is a portrait of Pushkin, painted by Evgeny Fabergé, son of the famous jewelry craftsman, Carl Fabergé. You can see the pages of Pushkin's ode **„Во́льность"** (Freedom) set out on a table, and on the wall there is a print of the painting **„Де́ти Пу́шкина"** depicting his children:

Мари́я,
Алекса́ндр,
Григо́рий,
Ната́лья

Have a look at this English branch of Pushkin's descendants.

Наталья Александровна
(младшая дочь А. С. Пушкина)
Софья Николаевна
(её дочь)
Анастасия Михайловна
(её дочь)
Надежда Михайловна
(её дочь)
сэр Николас Филипс
(её внук)

Страноведение

TRADITIONAL RUSSIAN SOUVENIRS

Today we had some free time to go shopping for presents for our families. Tanya took us round the shops and helped us.

Гжельская посуда
Gzhel' pottery

Резная деревянная игрушка
A carved wooden toy

Палехская шкатулка
A Palekh box

First we went to "Podarki" the large gift shop on Gorky Street. They have all kinds of departments there, but I found the traditional Russian souvenirs most interesting. There were lots of "matryoshki" and Palekh boxes with beautifully hand-painted scenes from Russian folklore on them. They are superb! You can also buy lots of other things — miniature samovars, carved toys and brightly-painted wooden spoons. Traditional Khokhloma bowls and Zhostov metal trays, with vivid floral designs on a black background, are also very attractive. I bought a headscarf in a traditional Russian design for my grandmother — she'll love it. And for my mother a white linen tablecloth with intricate red embroidery.

Жостовский поднос
A Zhostov tray

A lot of us bought books and records. In "Dom Knigi" on Kalinin Prospect you can also buy excellent posters and slides. In the "Melodiya" shop nearby, they have a wide selection of classical and pop records.

МОЖНО ...?
MAY I ...?
CAN I ...?

??
Как сказать?

Asking permission, making a polite request:
How do I ask permission, for example, to have a look at something in a shop? Or knock and ask whether I can enter a room?

Можно войти?
May I come in?

В МАГАЗИ́НЕ „МЕЛО́ДИЯ"

Steve is quite an independent, adventurous character... He's gone off by himself on the metro to Kalinin Prospect — a modern shopping centre. He makes a beeline for **„Мело́дия"** — you guessed it! — a record shop.

1 He picks out a record and asks to listen to it...

С т и в. Покажи́те, пожа́луйста, пласти́нку „Пе́сни Була́та Окуджа́вы."

П р о д а в щи́ ц а. Пожа́луйста.

С т и в. Мо́жно её послу́шать?

П р о д а в щи́ ц а. Коне́чно, мо́жно.

С т и в. Ско́лько она́ сто́ит?

П р о д а в щи́ ц а. Три рубля́.

С т и в. Хорошо́, я беру́ её.

2 Back at the hostel, Carol and I are in our room, when Nina knocks at the door...

Н и́ н а. Мо́жно?

Ф и й о́ н а. Входи́те, пожа́луйста.

Н и́ н а. Де́вочки, вы купи́ли сувени́ры?

Ф и й о́ н а. Купи́ли. Я была́ в „До́ме кни́ги"...

Н и́ н а. На Кали́нинском проспе́кте?

Ф и й о́ н а. Да... и купи́ла там о́чень хоро́ший альбо́м с фотогра́фиями Москвы́... Посмотри́те.

Н и́ н а. Да, прекра́сная кни́га... Кэ́рол, а ты что купи́ла?

К э́ р о л. Я была́ в магази́не „Весна́"... Купи́ла там пода́рок ма́ме. Плато́к.

Н и́ н а. Мо́жно посмотре́ть?

К э́ р о л. Коне́чно.

Н и́ н а. О́чень краси́вый плато́к.

К э́ р о л. Я ду́маю, ма́ме понра́вится.

26

1. Asking for permission to do something.
Giving permission.

– Мо́жно		э́тот	значо́к? плато́к?
	посмотре́ть	э́ту	кни́гу? игру́шку?
		э́ти	откры́тки? ма́рки?
	послу́шать	э́ту	пласти́нку?

– Коне́чно, мо́жно.
– Пожа́луйста.

2. Asking what someone bought.
Telling.

– Что	ты купи́л(а)? вы купи́ли?	– Я купи́л(а)	краси́вый	плато́к.
			интере́сную	кни́гу. игру́шку.
			де́тское	пиани́но.
			краси́вые	ма́рки. откры́тки.

⬤
**Поговори́м,
поигра́ем**

I. Role playing

„БЕРЁТЕ?"

You are shopping again.
1. You are in „Мело́дия".
Ask whether you can listen to a record.
Say whether you like it, whether you'll take it.
2. You are in „Пода́рки".
Ask to have a look at some of the things on the shelves or under the glass counter.
3. You are showing what you have bought to Nina, who is, of course, very tactful—"Oh, how lovely!"
Say who you bought the things for. Nina is sure they'll love them, won't they?

II. Find out

„КОМУ́ ОНИ́ КУПИ́ЛИ ПОДА́РКИ?"

1. Use your charts to find out who the various characters bought presents for, and what they bought.
Example

— Кому́ Ла́рри купи́л пода́рок?
— Сестре́.
— Что он ей купи́л?
— Де́тское пиани́но.
— Кому́ ещё он купи́л пода́рок?
— Ба́бушке.
— Что он купи́л ей?
— Плато́к.

2. When you have completed your charts, use the information to practise further like this.
Ask who bought the various items, and who for.
Example

— Кто купи́л самова́р?
— Дейв.
— Кому́ он его́ купи́л?
— Жене́.

3. Play the parts of the characters and enact dialogues like this.
Examples

— Ла́рри, что ты купи́л?
— Де́тское пиани́но.
— Кому́ ты его́ купи́л?
— Сестре́.

(Кэ́рол) — Я купи́ла пода́рок ма́ме.
— Что ты ей купи́ла?
— Плато́к. Посмотри́.
— О, краси́вый! Ей о́чень понра́вится.
— Ду́маю, что понра́вится. А что ты купи́л(а)?

(Стив) — Ребя́та, я купи́л о́чень хоро́шие значки́.
— Значки́? Покажи́, пожа́луйста.
— Вот они́. Посмотри́те.
— Да, о́чень интере́сные... А кому́ ты их купи́л?
— Сестре́.
— Наве́рное, ей понра́вятся...
— Ду́маю, что понра́вятся.

26

III. Game

"BEAT TEN"

Play this memory game with your partner, or better, in groups.
Remember and repeat what went before, and add a new item when it is your turn.

А. Сего́дня я был(а́) в магази́не и купи́л(а) чай.

Б. Сего́дня я был(а́) в магази́не и купи́л(а) чай и самова́р...

В. Сего́дня я был(а́) в магази́не и купи́л(а) чай, самова́р и кни́гу...
   И т. д.

Can you take it up to ten? Or beyond?
Which pair or group can set the record?

IV. Find out

„ЧТО ОНИ́ КУПИ́ЛИ СЕБЕ́?"

Alan and Dave have taken their groups to Kalinin Prospect to buy books and records in „Дом кни́ги" and „Мело́дия".
1. Find out what they each bought.
Example

— Что купи́л А́лан в „До́ме кни́ги"?

— Интере́сную кни́гу о ру́сской литерату́ре.

— А в магази́не „Мело́дия"?

— Пласти́нку „Симфо́нии Чайко́вского".

2. When you have completed your charts, play the parts of the characters and enact dialogues like this.
Example

а) Сью́зан. Ки́рстен, ты зна́ешь, сего́дня у́тром я была́ в „До́ме кни́ги" и купи́ла интере́сную кни́гу.

   Ки́рстен. Кни́гу? О чём?

   Сью́зан. О ру́сском теа́тре.

   Ки́рстен. Покажи́, пожа́луйста. Да, о́чень хоро́шая кни́га.

б) Диа́на. Стив, где ты был сего́дня у́тром?

   Стив. В магази́не „Мело́дия". Я там купи́л хоро́шую пласти́нку.

   Диа́на. Каку́ю?

   Стив. „Пе́сни Була́та Окуджа́вы".

   Диа́на. Була́та Окуджа́вы? О, хоро́шая пласти́нка. Я то́же о́чень люблю́ его́ пе́сни.

V. Explain

Say which is the "Odd man out" in the following groups of words, and select the appropriate verb from those given below when you explain why.
Example

хлеб, вино́, апельси́н, моро́женое

— Вино́.

— Почему́?

— Потому́ что хлеб, апельси́н, моро́женое мо́жно есть, а вино́ — нет.

1. Пласти́нка, ра́дио, фильм, му́зыка.
2. Конце́рт, телеви́зор, спекта́кль, футбо́л.
3. Кни́га, рома́н, газе́та, карти́на.
4. Вино́, чай, соль, лимона́д.
5. Фотогра́фия, письмо́, сочине́ние.
6. Конфе́ты, пе́пси-ко́ла, я́блоко, шокола́д.

Verbs: чита́ть, есть, пить, писа́ть, смотре́ть, слу́шать.

VI. Puzzle

"FIND THE PLACES"

Can you write in the names of twelve places from the clues on the left?

1. Там мо́жно пить ко́фе.
2. Там мо́жно смотре́ть спекта́кли.
3. Там мо́жно купи́ть ма́рки.
4. Там мо́жно пла́вать.
5. Там мо́жно смотре́ть карти́ны.
6. Там мо́жно смотре́ть футбо́л.
7. Там мо́жно есть.
8. Там мо́жно танцева́ть.
9. Там мо́жно смотре́ть фи́льмы.
10. Там мо́жно чита́ть.
11. Там мо́жно слу́шать конце́рт.
12. Там мо́жно купи́ть газе́ты.

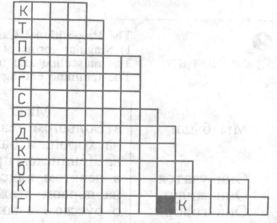

(Check your answers in the Keys section.)

VII. Find out

„НА КАКО́М ЭТАЖЕ́? В КАКО́Й КВАРТИ́РЕ?"

Your chart represents a twelve-storey block of flats — **дом.** Find out the name of the families who live on a particular floor, and their flat number.

Example

— Кто живёт на пе́рвом этаже́?

— Ивано́вы.

— В како́й кварти́ре они́ живу́т?

— Но́мер три.

When you have filled in all the information, use it to practise further like this.
(You are in the building trying to find a particular family.)
Example

> — Скажи́те, пожа́луйста, вы не зна́ете, где живу́т Соколо́вы?
> — Зна́ю. На оди́ннадцатом этаже́, кварти́ра сто семь.
> — Спаси́бо большо́е.
> — Пожа́луйста.

Or like this.
Example

> — Скажи́те, пожа́луйста, в како́й кварти́ре живу́т Андре́евы?
> — В кварти́ре три́дцать во́семь. Четвёртый эта́ж.
> — Спаси́бо большо́е.
> — Пожа́луйста.

Грамма́тика

The Prepositional Case
1) Singular forms of adjectives (including ordinal numbers)
The masculine and neuter ending is **-ом** or **-ем**.
The feminine ending is **-ой** or **-ей**.

	Masc.	Fem.
Мы бы́ли	в Большо́м теа́тре	в большо́й шко́ле
	на хоро́шем бале́те	на хоро́шей вы́ставке
	на Ле́нинском проспе́кте	на Кра́сной пло́щади
Они́ у́чатся	в девя́том кла́ссе	в сре́дней шко́ле
Они́ живу́т	на пе́рвом этаже́	в но́вой кварти́ре
Они́ говоря́т	о ру́сском языке́	о ру́сской ку́хне
	о но́вом фи́льме	о но́вой кни́ге
	о хоро́шем спекта́кле	о хоро́шей переда́че

Can you remember why the spelling must be **-ем** or **-ей** in the Prepositional
form of **хоро́ший**? If not, look back to the grammar section in Lesson 11.
Can you find a 'soft' adjective in the table where the ending must also be
-ем or **-ей**?
Now that you know the Prepositional forms of adjectives, can you see the
reason for the following?

Он говори́т о	Чайко́вском.
	Толсто́м.
	Достое́вском.
	Го́рьком.

2) The Demonstrative pronoun э́тот

Мы бы́ли в	э́том э́той э́тих	музе́е. шко́ле. музе́ях, шко́лах.	Masc./Neut. Fem. Plur.

3) The possessive pronouns мой, твой, наш, ваш

Он говори́т о	моём мое́й мои́х	твоём твое́й твои́х	на́шем на́шей на́ших	ва́шем ва́шей ва́ших	бра́те. сестре́. друзья́х.	Masc./Neut. Fem. Plur.

4) The question word како́й?

В	како́м	университе́те вы у́читесь?	Masc./Neut.
В	како́й	шко́ле ты у́чишься?	Fem.
О	каки́х	писа́телях вы говори́ли?	Plur.

Figure it out

Compare the singular forms of the pronouns in these last three tables with the singular forms of adjectives in the first section. Are there any individual forms you need to note?

What can you say about the plural forms in sections 2, 3 and 4?

What do you already know about the third person possessive pronouns его, её, их?

Почита́ем

26

Па́мятник Пу́шкину

If you take a closer look at the statue to Pushkin in Moscow, you can read these lines from his well-known poem „Я па́мятник себе́ воздви́г...“, inscribed on the pedestal.

271

И до́лго бу́ду тем любе́зен я наро́ду,
Что чу́вства до́брые я ли́рой пробужда́л,
Что в мой жесто́кий век воссла́вил я Свобо́ду
И ми́лость к па́дшим призыва́л.

And long the people yet will honour me
Because my lyre was tuned to loving-kindness
And, in a cruel Age, I sang of Liberty
And mercy begged of Justice in her blindness.

1. Can you feel the musicality of these lines?
2. Would you like to try learning the verse on the statue by heart?

**Страноведе-
ние**

GEORGIA

I live in Tbilisi. You may know something about our football team, "Dynamo Tbilisi", which has been doing so well in European football competitions recently.

Tbilisi is the capital of the Georgian Republic. It's a very beautiful part of our country with its snow-capped mountains, its green valleys, and its warm Black Sea. Naturally, it's a very pleasant place to live!

Кавказские горы
The Caucasus

Ансамбль народного танца Грузии
The Georgian National Dance Company

Арсен Почхуа. Любовь (резьба)
Arsen Potkhchua. Love (carving)

Жених и невеста в традиционных национальных грузинских костюмах
A bride and groom in traditional Georgian national dress

No wonder so many people come here for their holidays. For sunshine, palm-trees, flowers, tea plantations and vineyards make this an ideal holiday. Georgian wines are also very well-known.

Soviet Georgia is also famous for its traditional arts: the theatre, sculpture, painting and singing. Choirs are an old tradition in Georgia.

I could tell you about our considerable Georgian economic achievements, but I think you might prefer to hear of my own role in life.

I was born in Tbilisi, and when I left school I went to a dancing school, and now I'm in the Georgian National Dance Company. I love dancing with this group. We perform a lot of traditional Georgian folk-dances. Sometimes they demonstrate ancient legends or ceremonies, and for each dance we wear traditional costumes from the area of Georgia where the dance originated. We often go on tour and travel all over the Soviet Union as well as overseas.

26

Урок
27
двадцать
седьмой

КАКАЯ ХОРОШАЯ ПОГОДА!
LOVELY WEATHER WE'RE HAVING...

??
Как сказать?

Talking about the weather:
How do I comment on the weather at the moment, or ask what it's going to be like today, tomorrow?

«Пусть всегда будет солнце...»
«May there always be sunshine...»

274

**На
Олимпиаде**

ВЧЕРА́ МЫ БЫ́ЛИ В КИНО́

Friday, 26th June. A new day begins... our sixth day in Moscow. Alan and Dave are standing outside the hostel, enjoying the early morning sunshine while they wait for our groups to assemble after breakfast. They are chatting about the play they saw last night. They went by themselves. We went to the cinema with Yura and Tanya.

1 Nina gets off the bus and walks up to the hostel entrance...

А́лан. Здра́вствуйте, Ни́на.

Ни́на. Здра́вствуйте. Ну как дела́?

А́лан. Спаси́бо, хорошо́. А вы как? Не уста́ли с на́ми?

Ни́на. Пока́ ещё нет. Кака́я хоро́шая пого́да!..

Де́йв. Да, со́лнце, тепло́...

А́лан. Наве́рное, бу́дет жа́рко.

Ни́на. Да, ду́маю, сего́дня бу́дет жа́рко.

2 Nina asks them where they went last night...

Ни́на. А что вы де́лали вчера́?

Де́йв. Ве́чером мы бы́ли в Теа́тре на Тага́нке.

Ни́на. На Тага́нке? Како́й спекта́кль смотре́ли?

А́лан. „Га́млет“.

Ни́на. О! Понра́вился?

А́лан. Да, о́чень. Прекра́сный спекта́кль!

Ни́на. Мне то́же он о́чень нра́вится. Замеча́тельный спекта́кль!

3 As people gradually trickle out into the sunlight, Nina talks to Carol...

Ни́на. Кэ́рол, а где ты была́ вчера́?

Кэ́рол. Мы бы́ли в кино́.

Ни́на. В кино́? Что смотре́ли?

Кэ́рол. Фильм Ники́ты Михалко́ва „Пять вечеро́в“.

Ни́на. Понра́вился?

Кэ́рол. Да, о́чень. Вы, наве́рное, уже́ ви́дели его́?

Ни́на. Коне́чно, ви́дела. Михалко́в — тала́нтливый режиссёр. Я о́чень люблю́ его́ фи́льмы.

27

1. "How are you?"
"Fine, thanks."

— Как дела́? — Хорошо́, спаси́бо.

2. Commenting on the weather at the moment. Predicting what it will be like, e. g. tomorrow.

– Кака́я	хоро́шая плоха́я	погода!	– Да, сего́дня	тепло́. жа́рко. хо́лодно.

– Наве́рное, – Я ду́маю,	сего́дня за́втра	бу́дет	тепло́. жа́рко. хо́лодно. дождь. снег.

3. Asking whether someone enjoyed something (e. g. a film). Saying whether I did or didn't.

– Тебе́ – Вам	понра́вился	фильм? спекта́кль? футбо́л? хокке́й? бале́т?	– Да, понра́вился. – Да, о́чень. – Не о́чень. – Нет, не понра́вился.

**Поговорим,
поиграем**

I. Role playing

„КАКА́Я ХОРО́ШАЯ ПОГО́ДА!"

1. Tanya and Yura arrive at the hostel in the morning.
Greet them, ask how they are.
Comment on the weather. It's flaming June, the sun has got its hat on, and it's going to be sweltering hot in Moscow — again.
2. Another day, another season.
You're going on a trip this afternoon. Weigh up the weather at the moment, and predict what it's going to be like. (Maybe you'll want to change your plans, and suggest going somewhere else, doing something else instead?)
3. Use the pictures again to tell someone what the weather forecast for tomorrow is.

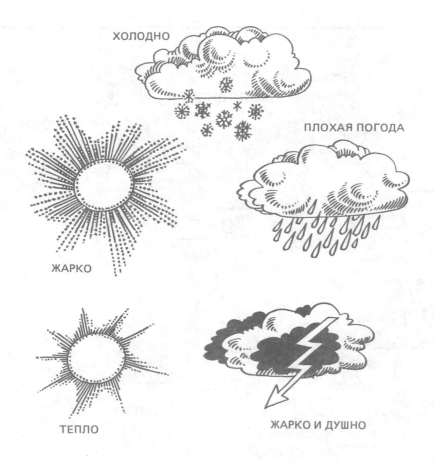

ХОЛОДНО

ПЛОХАЯ ПОГОДА

ЖАРКО

ТЕПЛО

ЖАРКО И ДУШНО

II. Talk about the pictures

„КАКА́Я ЗА́ВТРА БУ́ДЕТ ПОГО́ДА?"

27

Look at the weather chart for this part of the USSR and say what the weather will be like tomorrow in the various cities.

Example

— Кака́я за́втра бу́дет пого́да в Москве́?
— По ра́дио сказа́ли, что бу́дет тепло́, но, наве́рное, бу́дет дождь.

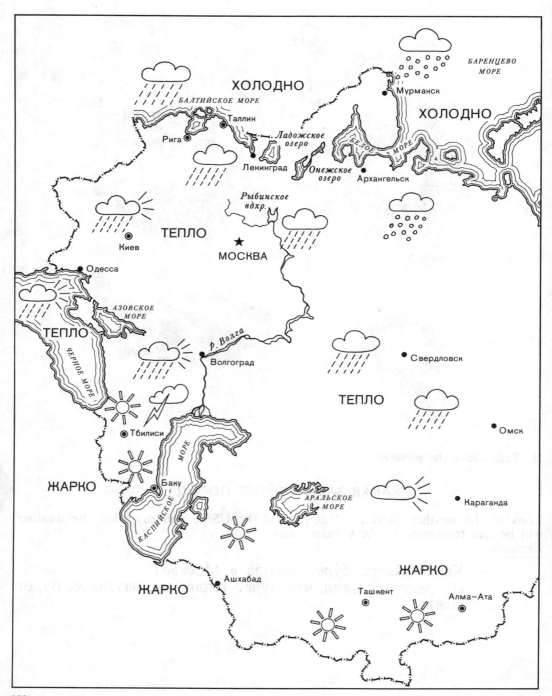

ХОЛОДНО

БАРЕНЦЕВО МОРЕ

БАЛТИЙСКОЕ МОРЕ

Мурманск

ХОЛОДНО

Таллин

Рига

Ладожское озеро

БЕЛОЕ МОРЕ

Ленинград

Онежское озеро

Архангельск

Рыбинское вдхр.

ТЕПЛО

Киев

★ МОСКВА

Одесса

АЗОВСКОЕ МОРЕ

ТЕПЛО

ЧЕРНОЕ МОРЕ

р. Волга

Волгоград

Свердловск

ТЕПЛО

Омск

Тбилиси

МОРЕ

ЖАРКО

Баку

АРАЛЬСКОЕ МОРЕ

Караганда

КАСПИЙСКОЕ МОРЕ

ЖАРКО

Ашхабад

ЖАРКО

Ташкент

Алма-Ата

III. Role playing

"THINK TWICE"

1. You suggest, e. g. a game of tennis, football, or going swimming, to the park. Your partner has heard the weather forecast—its not good, I'm afraid—and suggests an indoor game or going to the pictures instead.
2. Your partner rings you up in the evening and proposes, e. g. a game of squash. You've been watching TV and have just heard the weather forecast at the end of the news. It's going to be a cracking fine day tomorrow, and you would like to get a little sun on that lilywhite skin of yours. Suggest an outdoor activity instead.

IV. Role playing

„ПОНРА́ВИЛСЯ?"

Ask the following people where they went last night, what they saw, and whether they enjoyed it.

Example

— Ю́ра, где ты был вчера́ ве́чером?
— На стадио́не.
— На стадио́не? А что ты там смотре́л?
— Хокке́й: „Дина́мо"—ЦСКА.
— Понра́вился матч?
— Да, о́чень! Замеча́тельный матч.

1. Кэ́рол была́ в кинотеа́тре „Росси́я", ви́дела фильм Михалко́ва „Пять вечеро́в".
2. Ни́на была́ в консервато́рии, слу́шала конце́рт Шопе́на.
3. Ла́рри был на стадио́не, смотре́л хокке́й „Дина́мо"—ЦСКА.
4. А́лан был во МХА́Те, ви́дел спекта́кль „Дя́дя Ва́ня".
5. Фийо́на была́ в Большо́м теа́тре, ви́дела бале́т „Лебеди́ное о́зеро".
6. Стив был на стадио́не и́мени Ле́нина, смотре́л футбо́л СССР—Брази́лия.

V. Puzzle

GLIDOGRAM

All the words in this puzzle have one letter in common.
Can you solve it from the clues which follow?
Clues

1. Мне о́чень понра́вился чай с л_____
2. А́дрес институ́та Пу́шкина: _л___ Во́лгина, дом 6.
3. Чёрный хлеб мне понра́вился, но я __л___ люблю́ бе́лый.
4. — ___л___ с меня́?—Рубль де́сять.
5. Вчера́ Ла́рри был в „Де́тском ми́ре" и ____л пода́рок сестре́.
6. Дава́й сыгра́ем в _____л___ те́ннис.

27

#	Grid
1	Л · · · · ·
2	· Л · · ·
3	· Л · · ·
4	· · Л · · ·
5	· · Л
6	· · · Л · · · ·
7	· · · Л ·
8	· · · Л ·
9	· · · Л ·
10	· · · · Л · · ·
11	Р У К О В О Д И Т Е Л Ь
12	· · · · · · · · Л · ·
13	· · · · · · · · Л
14	· · · · · · · · Л ·
15	· · · · · · · Л · ·
16	· · · · · Л · ·
17	· · · · · Л · ·
18	· · · · Л ·
19	· · · · Л ·
20	· · · Л ·
21	· Л · ·
22	· Л · ·
23	Л · · ·

7. Пе́рвый день неде́ли: _ _ _ _ _ _ л _ _ _ _ _.
8. Ты была́ в Большо́м теа́тре? Тебе́ _ _ _ _ _ _ _ _ л _ _ бале́т?
9. Музыка́льный инструме́нт: _ _ _ _ _ _ _ _ л _.
10. — Каки́е переда́чи вы лю́бите?
    — Но́вости, _ _ _ _ _ _ _ _ л _ _ _ _ переда́чи.

280

11. Познако́мьтесь, э́то А́лан. Он _____л. англи́йской гру́ппы.
12. Ты лю́бишь му́зыку? У тебя́ до́ма есть _____л.?
13. — Мана́бу, о чём ты _____л на экза́мене?
    — О ру́сских худо́жниках.
14. Кроссво́рд: по вертика́ли и по _____л..
15. Вчера́ ве́чером мы бы́ли в теа́тре и смотре́ли _____л.-
    ___ спекта́кль.
16. — Двена́дцать плюс два́дцать шесть бу́дет со́рок семь. Да?
    — Нет, _____л____.
17. Лев Толсто́й — вели́кий _____л..
18. Ты была́ на конце́рте Ри́хтера? О, тебе́ ____л_!
19. Я ду́маю, суббо́та и воскресе́нье — лу́чшие дни ___л__.
20. За́втра бу́дет хоро́шая пого́да. Бу́дет со́лнце, бу́дет __л__.
21. Како́й э́то цвет? _л____.
22. Телефо́н звони́т. Я говорю́: „л__".
23. У вхо́да в теа́тр меня́ спра́шивают: „У вас есть л_____
    биле́т?"
(Check your answers in the Keys section.)

Грамма́тика

1. Verbs
1) The Future Tense of the verb **быть,** 'to be'

Я	бу́ду	до́ма.
Ты	бу́дешь	в шко́ле.
Он/Она́	бу́дет	на рабо́те.
Мы	бу́дем	в па́рке.
Вы	бу́дете	на Кра́сной пло́щади.
Они́	бу́дут	в университе́те.

Are the endings here any different from those for the Present Tense of verbs
of the 1st conjugation like **знать, боле́ть, рисова́ть?**
Can you draw a happy conclusion from this fact? Will you need to learn new
types of conjugation, different verb endings, for the Future Tense in Russian?
You will see how the Future Tense fits into the Russian verb system in the
next Lesson.
2) The use of the Future Tense form **бу́дет,** and Past Tense form **бы́ло,**
in impersonal sentences when talking about the weather.

Present	Сего́дня		хо́лодно.
Past	Вчера́	бы́ло	тепло́.
Future	За́втра	бу́дет	жа́рко.

How would you say sentences like this in English?
In the English construction the subject of the sentence is an impersonal 'it'.
Is a pronoun used in the Russian construction?
Is there a súbject word in the Russian sentences?
3) Compare the previous sentence pattern with the following:

Present	Сего́дня		холо́дная	
Past	Вчера́	была́	тёплая	пого́да.
Future	За́втра	бу́дет	жа́ркая	

How would you say sentences like this in English?
Is there a subject in the English / Russian constructions?
What is the subject?
Why must you use the form **была́**, and not **бы́ло**, in this kind of sentence?
Why must you use the forms **холо́дная, тёплая, жа́ркая**?

2. Како́й?

Note that this word can be used both as a question word:

Кака́я за́втра бу́дет пого́да?
What will the weather be like tomorrow?

and in an exclamation:

Кака́я хоро́шая / плоха́я пого́да!
What lovely / rotten weather!

3. The Dative Case

1) Singular adjective forms

Masculine and neuter endings are **-ому** or **-ему**.
Feminine endings are **-ой** or **-ей**.

	Masc.		Fem.	
Они́ купи́ли пода́рок	но́вому ру́сскому мла́дшему ста́ршему	дру́гу, бра́ту,	но́вой ру́сской мла́дшей ста́ршей	подру́ге. сестре́.

Why must the adjectives **мла́дший, ста́рший** have a Dative ending **-ему** or **-ей**?
2) Possessive pronouns **мой, твой, наш, ваш** and the Demonstrative pronoun **э́тот**

Masc.	Моему́	бра́ту	
Fem.	Мое́й	сестре́	семна́дцать лет.
Plur.	Мои́м	друзья́м	

Masc.	Э́тому	ма́льчику	
Fem.	Э́той	де́вочке	нра́вится гимна́стика.
Plur.	Э́тим	де́тям	

Почитаем

I. Математи́ческая спецшко́ла

This is the way people generally refer, in everyday language, to schools which put special emphasis on the study of mathematics and physics in the 9th and 10th grades.

ВОСЬМИКЛАССНИК!

Приглашаем тебя поступать в 9-й класс
МОСКОВСКОЙ ГОРОДСКОЙ СРЕДНЕЙ
ОБЩЕОБРАЗОВАТЕЛЬНОЙ ШКОЛЫ № 542
(с углубленным изучением физики и математики)
при Московском ордена Трудового Красного Знамени
инженерно-физическом институте

Школа имеет прекрасно оборудованные физические и химические лаборатории, лингафонные кабинеты, свой вычислительный центр. Занятия в школе ведут преподаватели МИФИ.

Для участия в собеседованиях поступающие представляют: заявление, школьный дневник за 8-й класс, а также, если имеются, грамоты и дипломы победителей конкурсов и олимпиад.

Прием заявлений с 26 февраля по 10 марта с 15 до 19 час. (по воскресеньям с 10 до 14 час.)

Подробно узнать о школе можно на Дне открытых дверей, 19 февраля в 10 час.

Адрес школы: 115225, Москва, **Пролетарский просп., 52, корп. 3.**

You already know that there are schools which place special emphasis on the study of a foreign language.
Here you can see an announcement in the newspaper „**Моско́вская пра́вда**" about the admission of pupils to one of the schools in Moscow. Look at the announcement and say:
1. Whether it is necessary to take an entrance examination to get into the school.
2. Who the teachers are in this school.
3. What **МИФИ** is.

II. Пого́да

The newspapers „**Пра́вда**" and „**Изве́стия**" include a weather forecast for the day, and the outlook for the rest of the week and month.
Here is an article from the newspaper for the 22nd of July about weather prospects for the week—**пого́да на неде́лю.**
1. Scan the text to find the six Soviet Republics mentioned in the article.
2. Read the paragraph at the end of the article. What sort of temperature is expected in Moscow and the surrounding area?
   Is any rain expected?
3. Scan the article to find the temperature expected in Western Siberia.
   These regions are also mentioned in the text:

   Приба́лтика, Ура́л, Сиби́рь, Сре́дняя А́зия, Закавка́зье, Крым, Кавка́з.

   Can you find them on a map of the USSR?

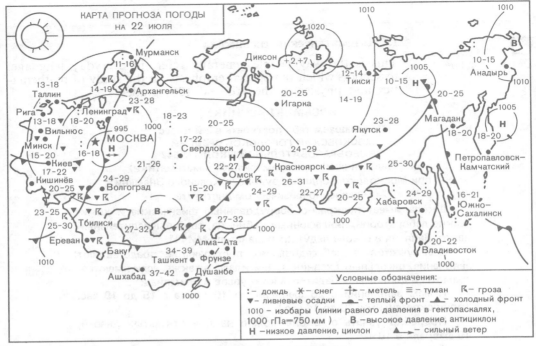

КАРТА ПРОГНОЗА ПОГОДЫ
НА 22 июля

Мурманск 11—16
Диксон +2,+7 В
Таллин 13—18
Архангельск 23—28
Тикси 12—14
Анадырь 10—15
14—19
Рига 13—18 Ленинград
Вильнюс 18—20
Игарка 20—25
14—19
Якутск 23—28
Магадан 18—20
18—20 Н
Минск 15—20 МОСКВА 995 Н 16—18 18—23
Свердловск 17—22 20—25 24—29
Красноярск 25—30
Петропавловск-Камчатский
Киев 17—22
Кишинёв 20—25 21—26
Н 22—27 Омск 1000
15—20 26—31 22—27 20—25 Хабаровск Н 24—29
Волгоград 24—29
16—21 Южно-Сахалинск
Тбилиси 23—25 25—30 В 27—32 1000 24—29 20—25 1000
Ереван Баку 27—32 Алма-Ата
Ташкент 34—39 Фрунзе 1000
Ашхабад 37—42 Душанбе 20—22 Владивосток
1000

Условные обозначения:
: — дождь ✳ — снег ✢ — метель ≡ — туман ☇ — гроза
▼ — ливневые осадки ⏜ — теплый фронт ▲ — холодный фронт
1010 — изобары (линии равного давления в гектопаскалях,
1000 гПа=750 мм) В — высокое давление, антициклон
Н — низкое давление, циклон ▲ — сильный ветер

ПОГОДА НА НЕДЕЛЮ

На территории Украины и Молдавии днем от 17 до 23 градусов, на Северном Кавказе и в Нижнем Поволжье 19—24 градуса. В Прибалтике и Белоруссии днем от 16 до 21 градуса, а при дождях возможно понижение температуры до 14—15 градусов.

В северной половине европейской территории страны ожидается совершенно иной характер погоды. В Мурманской, Архангельской областях, в Коми АССР солнечно, днем воздух прогреется до 22—28 градусов, в Карелии до 19—24 градусов.

Кратковременное ухудшение погоды на Урале вновь сменится теплом, температура днем при этом 22--27 градусов.

О погоде на азиатской части страны. На юге Западной Сибири от 24 до 30 градусов.

В Казахстане возможны непродолжительные грозовые дожди. Температура в северо-восточной половине территории 25—30, в юго-западной — 32—37 градусов.

В Средней Азии температура 35—40 градусов, на юге Туркмении до 41—43 градусов.

В Закавказье, особенно в Грузии, часты грозовые ливни, местами с градом, температура днем 23—29 градусов.

О погоде на курортах страны. В Прибалтике облачно, с дождями. Днем 16—20 градусов, затем ожидается прекращение дождей и повышение температуры. Температура воды на Рижском взморье 17 градусов. В Крыму и на Черноморском побережье Кавказа пройдут грозовые ливни, температура днем 20—25 градусов. Температура воды на пляжах Черного моря у Одессы — 20 градусов, у Южного берега Крыма — от 18 до 23 градусов, у Кавказского побережья и в Азовском море — 21—26 градусов.

В Ленинграде преобладающая температура недели 21—26 градусов.

В Москве и Подмосковье в первую половину недели облачно, временами пройдет дождь, температура днем от 21 до 26 градусов. В последующие дни постепенное улучшение погоды.

✵
**Страноведе-
ние**

WHAT IS OUR WEATHER LIKE?

In June, it is very hot in Moscow. In summer Muscovites like to get out of the city and stay at their summer cottages (dachas) in the countryside.

Лето
Summer

Осень
Autumn

Зима
Winter

Весна
Spring

27

285

It is usually very cold in winter. Yura tells me that the first snow falls in Moscow in November. Then there's a lot of snow during the winter months, and the snow doesn't thaw until April. In January the temperature can drop to —30°C. That's why all the buildings in Moscow have double glazing, and why Muscovites really do need those fur hats and coats. Yura says that on fine, clear days he likes to go skiing.

Anyway, it's not nearly as cold in Moscow as it is in Siberia, where the temperature can drop to —50°C.

I asked Yura how this kind of climate affects the football season. He tells me that the season starts in February, but that clubs can train all year round in the South.

I, of course, haven't been in the Soviet Union in spring, autumn or winter. Yura enjoys the Russian winter, but Tanya says she prefers spring and autumn. She likes the first green buds on the trees, the bright warm sunshine, the awakening of nature after its long winter sleep—she's very poetic!

28

ТЫ БУДЕШЬ ПИСАТЬ МНЕ?
YOU WILL WRITE, WON'T YOU?

??
Как сказать?

Fixing up a pen-pal:
How do I ask a Russian boy / girl whether he / she would like to correspond with me? How do we exchange addresses, and make promises to write to each other?

Скоро расставание.
Я буду писать тебе...
We'll soon be parting.
I'll write to you...

В ПИОНЕ́РСКОМ ЛА́ГЕРЕ

It's a relaxing day today... With the main Olympiad tests over, all the participants are taken out in buses to spend a day in a Pioneer summer camp on the outskirts of Moscow. In the morning we meet some of the Pioneers and see some of their activities, indoors and outside. We join them for lunch in the camp canteen, then, in the afternoon there's a football match, basketball—you can play or just sit on the grass in the sun and watch. Some groups get together and sing, others just sit and chat...

I made friends with Ira and Katya, two eleven-year-old girls in the Pioneers.

1 They asked me to help them find English pen friends...

Ира. Фийо́на, мы хоти́м перепи́сываться с англи́йскими шко́льниками...

Фийо́на. Хорошо́, я помогу́ вам. А ско́лько вам лет?

Ка́тя. Оди́ннадцать.

Фийо́на. Напиши́те мне свои́ адреса́...

Ка́тя. Хорошо́, мы сейча́с напи́шем. Йра, у тебя́ есть ру́чка?

Йра. Есть. Вот.

Фийо́на. Написа́ли? Хорошо́. Напиши́те ещё, с кем вы хоти́те перепи́сываться, с ма́льчиком и́ли с де́вочкой.

Ка́тя. Я с де́вочкой...

Йра. А я с ма́льчиком.

Фийо́на. Вы бу́дете писа́ть им на англи́йском и́ли на ру́сском языке́?

Ка́тя. Я ду́маю, мы бу́дем писа́ть на ру́сском, а они́ — на англи́йском.

2 Steve has been talking to an older fourteen-year-old girl called Valya...

Стив. Ва́ля, ты лю́бишь писа́ть пи́сьма?

Ва́ля. А что?

Стив. Я хоте́л бы с тобо́й перепи́сываться. Ты не про́тив?

Ва́ля. Нет.

Стив. У тебя́ есть ру́чка? Я запишу́ твой а́дрес.

Ва́ля. Москва́, ул. Бегова́я, дом 9, кварти́ра 22.

Стив. А э́то мой а́дрес.
Ва́ля. Спаси́бо.
Стив. Ты ча́сто бу́дешь писа́ть мне?
Ва́ля. Коне́чно.

Образец

1. Asking who someone would like to correspond with. Telling.

– С кем | ты хо́чешь
вы хоти́те | перепи́сываться? – С | ма́льчиком.
де́вочкой.

2. Asking whether someone would like to correspond with you. Saying I would.

– Ты хо́чешь
– Вы хоти́те
– Ты хоте́л(а) бы
– Вы хоте́ли бы | со мной перепи́сываться? – Хочу́.

3. Saying you would like to correspond with someone. "I would too".

– Я | хочу́
хоте́л(а) бы | с тобо́й
с ва́ми | перепи́сываться. – Я то́же.

4. Asking for someone's address. "I'll write it for you".

– Како́й | у тебя́
у вас | а́дрес? – Я сейча́с напишу́.

5. Seeking an assurance that someone will write. Promising.

– Ты бу́дешь
– Вы бу́дете | писа́ть мне? – Обяза́тельно.

Поговорим, поиграем

I. Talk about the pictures

„С КЕМ ОНИ́ ХОТЯ́Т ПЕРЕПИ́СЫВАТЬСЯ?"

This group of young people have met each other at the Pioneer Camp and want to become pen friends.

28

1. Ask each other who wants to correspond with whom.
Examples

— С кем хо́чет перепи́сываться Лари́са?
— С ...
— С кем хо́чет перепи́сываться Джим?
— С ...

2. Play the parts of the characters and enact dialogues like this. Larissa begins.
Example

— Я хочу́ перепи́сываться с Пи́тером.
— С Пи́тером? А кто э́то?
— О́чень симпати́чный ма́льчик. Он из А́нглии.

II. Role playing

"PEN FRIENDS"

1. A Russian boy/girl wants to correspond with you. Reply to what he/she says.

— Я хоте́л(а) бы с тобо́й перепи́сываться... Accept the offer.
— А э́то мой моско́вский а́дрес. Thank him / her.
— А како́й у тебя́ а́дрес? Say you'll write your address.

— Спаси́бо. Ты бу́дешь писа́ть мне? Promise to write.

2. Now you take the initiative and suggest writing to each other.

Say you'd like to correspond.
Give your address.
Ask for the boy's/girl's address in Moscow.
Ask for an assurance that the boy/girl will write to you.

— Пожа́луйста.
— Спаси́бо.
— Я сейча́с напишу́.

— Обяза́тельно.

3. Ask the name of your partner's pen friend.
Examples

— Ты зна́ешь, я перепи́сываюсь с англи́йским ма́льчиком.
— С англи́йским ма́льчиком? Как его́ зову́т?
— Пи́тер. О́чень симпати́чный ма́льчик.

— Я перепи́сываюсь с францу́зской де́вушкой.
— Как её зову́т?
— Нико́ль. О́чень симпати́чная де́вушка.

III. Find out

„С КЕМ ... ?"

1. Ask your partner questions to complete your half of the chart, like this:
— С кем Андре́й идёт в кино́ сего́дня ве́чером?
— С дру́гом.

3. Ask each other:
Whether you play, e. g. squash, badminton, football. Who with?

28

Whether you are going to, e. g. the disco, cinema, theatre on Saturday night. Who with?

Where you were on, e. g. Friday evening. Who with?

IV. Do you remember?

"С КЕМ ... ?"

The authors are sure that you have retained every riveting detail from this exhilarating course! Well, can you recall some of these facts from previous Lessons?

1. С кем Ла́рри игра́л в ша́хматы в общежи́тии?
2. С кем Ла́рри и Сью́зан бы́ли в ТЮЗе на спекта́кле „Три мушкетёра"?
3. С кем Ю́ра был в се́кции дзюдо́?
4. С кем А́лан был во МХА́Те на спекта́кле „Дя́дя Ва́ня"?
5. С кем Ла́рри и Сью́зан бы́ли в магази́не „Де́тский мир" и купи́ли пода́рки?
6. С кем А́лан и Дейв говори́ли о вы́ставке „Москва́ — Пари́ж"?
7. С кем Стив и Ла́рри бы́ли на футбо́ле на стадио́не и́мени Ле́нина?
8. С кем Сью́зан, Кэ́рол и Фийо́на бы́ли в Большо́м теа́тре на бале́те „Жизе́ль"?

Amazing... Isn't the human memory a wonderful thing!

V. Puzzle

"EGG TO CHICKEN"

Can you complete the chain?
Clues

1. — Что сего́дня на ... ?
   — Борщ, бифште́кс, а пото́м моро́женое.

2. — Я перепи́сываюсь с Нико́ль. Она́ о́чень симпати́чная ... .
3. — У меня́ есть хоро́шие фотогра́фии. Я купи́л о́чень краси́вый ... .
4. — Са́ша — де́вочка?
   — Нет, ...
5. — Тебе́ нра́вится ру́сская ... ?
   — О́чень. Осо́бенно супы́.

292

6. — Ты хорошо́ зна́ешь ру́сский ... ?
   — Непло́хо.
7. — Здра́вствуй! ... дела́?
(Solution is in the Keys section.)
VI. Connections
Match up the questions with the replies.

①

Грамматика

1. The Instrumental Case: its use with the preposition **c** ('with' in the sense 'together with').

1) Singular noun forms

Masculine and neuter nouns have an Instrumental Case form ending in **-ом** or **-ем.**

Feminine nouns have an ending **-ой** or **-ей.**

			Masc.		Fem.	
Nom.	Кто зна́ет?		Бори́с	Андре́й	Ни́на	Та́ня
Acc.	Кого́ он зна́ет?		Бори́са	Андре́я	Ни́ну	Та́ню
Gen.	У кого́ есть биле́ты?	У	Бори́са	Андре́я	Ни́ны	Та́ни
Dat.	Кому́ нра́вит-ся чай?		Бори́су	Андре́ю	Ни́не	Та́не
Instr.	С кем ты игра́ешь?	С	Бори́сом	Андре́ем	Ни́ной	Та́ней
Prep.	О ком он гово́рит?	О (об)	Бори́се	Андре́е	Ни́не	Та́не

The spelling rule concerning unstressed **о → е** after the letters **ж, ч, ш, щ, ц** is again applicable, and will arise particularly when you use girls' names where the stem ends in **ш,** or the short form of some boys' names:

учи́тельница	— с учи́тельницей
Ната́ша	— с Ната́шей
Ма́ша	— с Ма́шей
Ми́ша	— с Ми́шей
Серёжа	— с Серёжей

2) Singular adjective forms

The masculine and neuter Instrumental Case adjective form ends in **-ым** or **-им.** The feminine form ends in **-ой** or **-ей.**

	Masc.		Fem.	
С	но́вым ру́сским хоро́шим	дру́гом, шко́льником, ма́льчиком,	но́вой ру́сской хоро́шей	подру́гой. шко́льницей. де́вочкой.

3) Plural forms of adjectives and nouns

These are, of course, the same for all genders:

adjectives: **-ыми** or **-ими,**

nouns: **-ами** or **-ями.**

294

Мы познако́мились с	но́выми ру́сскими хоро́шими	шко́льниками. шко́льницами. ма́льчиками. де́вочками. учителя́ми.

2. Verbs

The Present Tense of the verb **писа́ть,** 'to write'

Я	пишу́		бра́ту.
Ты	пи́шешь		дру́гу.
Он / Она́	пи́шет		сестре́.
Мы	пи́шем	письмо́	подру́ге.
Вы	пи́шете		роди́телям.
Они́	пи́шут		друзья́м.

Which conjugation do the endings of this verb belong to? Can you form the Past Tense?

What are the Imperative forms? (You can check back to the grammar section of Lesson 22, if you need to.)

3. Introduction to Aspect in Russian

1) What is aspect?

You know that tense relates events to present, past or future time. But what is the function of aspect?

Aspect looks at events from the point of view of whether they are actions in progress, whether they take place once or more than once, whether they are carried through to completion ('perfected') and other refinements of meaning.

2) How does it work?

The main difference between English and Russian verbs is that in Russian each 'verb' in fact consists of a pair of verbs: a verb of the Imperfective Aspect and a verb of the Perfective Aspect.

For example, the verbs 'to read' and 'to write':

Imperfective Aspect	Perfective Aspect
чита́ть	прочита́ть
писа́ть	написа́ть

In these verb pairs the Perfective verb differs from the Imperfective verb through the presence of a prefix.

You will become familiar with Imperfective and Perfective verb pairs in following Lessons. Memorise each pair as you meet it.

You will not need to form a Perfective verb from its corresponding Imperfective verb, or vice-versa. You will need to use the appropriate form in speaking, and to recognise a verb in the Imperfective or Perfective Aspect in your reading in order to understand the meaning.

3) The ideas expressed by the Imperfective and Perfective Aspects. Very basically, you can say that:

28

an Imperfective verb is used to express the idea of
a) an action in progress,
b) a repeated, habitual action in present, past or future time;
a Perfective verb is used to express the idea of actions completed and carried through to a result in past or future time, and which cannot continue.
There are other uses and meanings for Imperfective and Perfective verbs, but these are the ones you need to know at present.
4) Application to tense forms
Look at the table and see how Present, Past and Future tense forms correspond to a verb of the Imperfective or Perfective Aspect:

	Imperfective Aspect	Perfective Aspect
Infinitive	писа́ть	написа́ть
Present tense	я пишу́	—
Past tense	я писа́л(а)	я написа́л(а)
Future tense	я бу́ду писа́ть	я напишу́

Is there a Present Tense form in the Perfective Aspect column of the table? From your knowledge of the ideas of aspect, can you explain why there cannot be a Present Tense form in the Perfective Aspect in Russian?
In the case of this pair of verbs, where the Perfective verb is formed by the addition of the prefix **на-,** what do you notice about the conjugation in the Present Tense (Imperfective verb) and the Future Perfective tense?
What can you say about the Past Tense endings for the Past Imperfective and the Past Perfective?
Only one form in the table involves the use of an auxiliary verb. Which one?
5) Use of aspect and tense
Although the forms are economical, knowing when to use a verb in the Imperfective or Perfective Aspect will take a bit of getting used to. Remember you cannot equate the use of the Imperfective and Perfective Aspects in Russian wholly and simply with the use of Imperfect and Perfect tenses in English or French.
Look at these examples and figure out which ones contain the idea of:
an action in progress, a repeated action, a completed action, which cannot continue.
Present Imperfective:
Она́ ча́сто пи́шет пи́сьма друзья́м.
Past Imperfective:
Ве́чером она́ писа́ла пи́сьма друзья́м.
Past Perfective:
Ве́чером она́ написа́ла пи́сьма друзья́м.
Future Imperfective:
Она́ бу́дет ча́сто писа́ть пи́сьма друзья́м.
Future Perfective:
За́втра она́ напи́шет пи́сьма друзья́м.

296

I. Письмо́

When the Olympiad ends, many of the participants correspond with the friends they have made in Moscow, with Soviet young people and participants from other countries. Many also write to the Institute.

Here is a letter from an English participant written to the Director of the Pushkin Russian Language Institute, Professor Kostomarov. (It is an actual letter.)

33 The Fairway
Alsager,
Cheshire.

Уважаемый
(Дорогой) Профессор Костомаров!

Мне очень понравилось время в Москве, особенно встречи с другими людьми из разных стран. я очень благодарю вас за всё и хочу (что я смогу) ~~вернуться~~ приехать на будущую Олимпиаду.

~~Теперь~~ я буду заниматься русским языком ещё (осторожнее) прилежнее, и писать всем новым друзьям!

Stephen Johnson (из Англии)

There are some errors in the letter, and these have been corrected. Some of the mistakes are due to different conventions of letter-writing in Russian, others are grammatical. Can you tell which are which?

A formal letter to a Russian person should begin: e. g. **Уважа́емый профе́ссор Костома́ров!** or **Уважа́емый Вита́лий Григо́рьевич!** if you know the person's name and patronymic.

In an informal letter to a Russian friend it is best to begin: e. g. **Здра́вствуй, Та́ня!**

and end the letter with: **Всего́ до́брого!** or **До свида́ния.**

II. Письмо́ Ва́ле

"Send me a postcard, drop me a line..."
You remember Steve promised to write to Valya when he got back to England?
Well, he actually did, and here's his letter to prove it!

Здра́вствуй, дорога́я Ва́ля!

Как ты живёшь?

Я ча́сто вспомина́ю Олимпиа́ду в Москве́ и на́ши встре́чи.

В воскресе́нье я с сестро́й был в Лу́тон Ху. Э́то недалеко́
от Ло́ндона. Там живу́т пото́мки А. С. Пу́шкина. Они́ сде́лали
в Лу́тон Ху ма́ленький музе́й Пу́шкина. Мне он о́чень понра́вился.

Напиши́, как ты у́чишься, что чита́ешь, что у вас идёт в теа́трах
и в кино́.

Приве́т О́ле и И́горю.

Всего́ до́брого.

Стив.

1. Do you understand everything in the letter?
2. Look at the way Steve begins and ends his letter. Are there any differences
   from the way you would write a letter of this kind in English?
3. Which museum does Steve mention in his letter? Have you heard of it, or
   been to it?

✿
**Страноведе-
ние**

THE PIONEERS

Why am I wearing this red neckerchief? Because I'm a
member of the "Pioneers". This is an organisation for children
aged from ten to fifteen.

Дворец пионеров
The Pioneer Palace

Дворец пионеров. Зимний сад
The Pioneer Palace. "The Winter Garden"

The Pioneers have a very extensive and interesting programme of social, sporting and cultural activities. Their summer camps are particularly popular. But as well as enjoying our hobbies, we are also expected to do socially useful work—to help other pupils, to help old or sick people, to conserve nature, to care for animals, and so on.

I go to a Moscow Pioneer Palace. It is a large campus with all kinds of amenities. It has a swimming pool, theatre, cinema and exhibition halls... I particularly enjoy the botanical garden in the main building with its fish pond and tropical plants and trees... We have all kinds of clubs you can join, for sport, modelling, singing, dancing, art and many other pursuits. We can do almost anything you can think of.

I am a member of the drama club which is run by an actress, who is also a good teacher. We organise play-readings and rehearsals and put on our own plays. We recently performed a play about Nadya Rusheva.

I think I'll be sorry when I leave school, because then I will be too old to go to the Pioneer Palace.

28

ПО-МОЕМУ...
IN MY OPINION...

??
Как сказать?

Expressing my opinion:
How do I talk about things I like or dislike? How do I say
what I like most of all?

А ты как думаешь?
And what do you
think?

На Олимпиаде

МЫ ДАЁМ ИНТЕРВЬЮ

Saturday, 27th June. There is one more test in the Olympiad — a written test. But it's optional, and the marks don't count for the medals — it is, after all, a Russian-speaking competition. If you do it, you write an essay from a choice of topics, and I think there are separate prizes for the best...

Anyway, most of us had a go — the test only lasts an hour — then, afterwards, we met this young reporter, Julia, from Moscow Radio who was collecting material for a programme about the Olympiad.

We talked to her over lunch, and then we went up to our rooms to record some short, informal interviews with her...

1 We recorded a good interview on our general impressions of Moscow...

Журналистка. Вы все из Áнглии и Амéрики?

Лáрри. Да.

Фийóна. Нет, не все!

Журналистка. Нет? А откýда ты?

Фийóна. Я из Шотлáндии.

Журналистка. Ребя́та, где вы бы́ли в Москвé? Что вúдели? Что вам бóльше всегó понрáвилось?

Кэ́рол. Мне понрáвилась рýсская архитектýра. Осóбенно понрáвились Кремль и Крáсная плóщадь.

Сью́зан. И мне понрáвилась Крáсная плóщадь... А ещё мне понрáвилось метрó. Онó óчень чúстое и красúвое.

Лáрри. А мне понрáвились нóвые райóны Москвы́.

Журналистка. А тебé, Стив?

Стив. Мы познакóмились и подружúлись с ребя́тами из мнóгих стран. Бы́ло óчень интерéсно.

Журналистка. А что вам не понрáвилось?

Фийóна. Погóда... Бы́ло óчень жáрко...

Стив. ...И нáдо бы́ло рáно вставáть...

Журналистка. Рáно? Во скóлько же вы встава́ли? В шесть?

Стив. Нет, в семь.

29

301

Журнали́стка. В семь? Мне ка́жется, э́то не о́чень ра́но...

Стив. Для меня́ ра́но.

2 Then it was Alan's turn to give a brief outline of the kind of tests we had during the Olympiad...

Журнали́стка. Здра́вствуйте, вы руководи́тель англи́йской гру́ппы?

А́лан. Да.

Журнали́стка. Расскажи́те, пожа́луйста, немно́го об Олимпиа́де... Что ва́ши ребя́та де́лали на Олимпиа́де?

А́лан. Сдава́ли экза́мены.

Журнали́стка. Каки́е?

А́лан. У́стный, чте́ние, странове́дение и сочине́ние.

Журнали́стка. А как они́ сда́ли?

А́лан. Хорошо́. Они́ молодцы́!

Журнали́стка. А что они́ де́лали по́сле экза́менов?

А́лан. Ходи́ли на экску́рсии, в теа́тры, в кино́, бы́ли в пионе́рском ла́гере...

▲ **Образец**

Asking whether someone liked something (e. g. a play). Giving my opinion.

– Тебе́	понра́вился	фильм? спекта́кль? конце́рт? футбо́л?	понра́вился.
– Вам	понра́вилась	пье́са? вы́ставка? переда́ча? кни́га?	– Да, – Нет, не	понра́вилась.
	понра́вилось	метро́?		понра́вилось.
	понра́вились	моде́ли? игру́шки? фотогра́фии? пласти́нки?		понра́вились.

	он		хоро́ший. плохо́й.
– По-мо́ему,	она́	о́чень	хоро́шая. плоха́я.
	оно́		хоро́шее. плохо́е.
	они́		хоро́шие. плохи́е.

⊕

Поговорим,
поиграем

I. Rating

WHAT'S YOUR VIEW?

Give your own personal opinion on, e. g. the best current pop group, film, tennis player, football team, etc.

Work first with your partner and each jot down a name to the headings below. Then compare your opinion with others in your class.

If there are any headings about which you know little, or care even less, ignore them, and concentrate on those for which you do have an opinion.

You can count up votes for your own, e. g. "Sportsman of the Year", "Oscars", or EMI awards if you wish.

Example

лу́чший фильм
— По-мо́ему, э́то ...
— А по-мо́ему, ...

1. Лу́чший фильм.
2. Лу́чший спортсме́н.
3. Лу́чшая спортсме́нка.
4. Лу́чшая гру́ппа (поп-му́зыка).
5. Лу́чший певе́ц.
6. Лу́чшая певи́ца.
7. Лу́чшая киноактри́са.
8. Лу́чший киноактёр.
9. Лу́чшая футбо́льная кома́нда (в Великобрита́нии).
10. Лу́чший англи́йский писа́тель (совреме́нный).
11. Лу́чшая переда́ча (ТВ).
12. Лу́чший спекта́кль (в Ло́ндоне).
13. Лу́чшая теннисйстка (в ми́ре).

29

II. Find out

„ЧТО ИМ ПОНРА́ВИЛОСЬ?"

1. Ask what the characters liked in Moscow and complete your half of the chart.
Example

— Что А́лану понра́вилось в Москве́?
— Музе́й и́мени Пу́шкина.
— А что понра́вилось Сью́зан?

2. Play the parts of the characters and ask each other what you liked most.
Example

— А́лан, что вам бо́льше всего́ понра́вилось в Москве́?
— Мне о́чень понра́вился Музе́й и́мени Пу́шкина.

III. Role playing

"HAVE A GOOD TIME?"

People have been going out on all these trips, soaking up the cultural attractions...
Play the parts of the various characters to the outlines below. Say what you
went to, and whether you enjoyed the performance.
Example

В суббо́ту Ни́на была́ в Музе́е и́мени Пу́шкина и ви́дела
о́чень интере́сную вы́ставку „Москва́—Пари́ж".
— Вы зна́ете, в суббо́ту я была́ в Музе́е и́мени Пу́шкина...
— В Музе́е и́мени Пу́шкина? Что вы там ви́дели?
— Вы́ставку „Москва́—Пари́ж".
— Вам понра́вилась вы́ставка?
— Понра́вилась. По-мо́ему, о́чень интере́сная вы́ставка.

1. В четве́рг Дейв был в Третьяко́вской галере́е. Он там ви́дел
замеча́тельные карти́ны Ре́пина.
2. Вчера́ ве́чером Стив был в кинотеа́тре „Росси́я". Он там ви́дел
прекра́сный фильм Михалко́ва „Не́сколько дней из жи́зни Обло́-
мова".
3. В сре́ду ве́чером Сью́зан была́ в Большо́м теа́тре. Она́ там
слу́шала о́перу „Бори́с Годуно́в".
4. Вчера́ ве́чером Юра был до́ма и смотре́л по телеви́зору инте-
ре́сную переда́чу „Сего́дня в ми́ре".
5. Во вто́рник ве́чером Фийо́на была́ с Та́ней во МХА́Те. Она́
там ви́дела пье́су Че́хова „Дя́дя Ва́ня".
6. В воскресе́нье ве́чером Кэ́рол и Сью́зан бы́ли с Ни́ной в Боль-
шо́м теа́тре. Они́ там ви́дели прекра́сный бале́т „Лебеди́ное
о́зеро".

IV. Find out

„С КЕМ ОНИ́ ПОЗНАКО́МИЛИСЬ?"

1. Complete your charts by asking who the various characters met at the Olympiad, and the name and age of the person, like this:

— С кем познако́милась Сью́зан на Олимпиа́де? Как его́ зову́т? Ско́лько ему́ лет?

— С кем познако́мился Стив на Олимпиа́де? Как её зову́т? Ско́лько ей лет?

2. Play the parts of the characters and enact dialogues like this. (Carol begins.)

— Ты зна́ешь, сего́дня у́тром я познако́милась с ма́льчиком из Фра́нции.

— Из Фра́нции? Как его́ зову́т?

— Жан.

— А ско́лько ему́ лет?

— Семна́дцать. Он о́чень симпати́чный ма́льчик. Я бу́ду с ним перепи́сываться.

— У тебя́ есть его́ а́дрес?

— Коне́чно, есть.

V. Role playing

"DON'T WORRY"

Play the paragon.
You are a model of efficiency, have done all the things that you ought to have done, and have everything under control. Tell your partner not to flap.

Example

— Бори́с, ты по́мнишь, что тебе́ на́до написа́ть письмо́ Ка́те?
— Не беспоко́йся. Я уже́ написа́л ей письмо́.

Тебе́ на́до...

...написа́ть сочине́ние,
...купи́ть хлеб,
...купи́ть фру́кты,
...прочита́ть кни́гу о ру́сской исто́рии,
...сде́лать уро́ки,
...купи́ть чай и са́хар,
...написа́ть письмо́ па́пе,
...купи́ть я́блоки,
...прочита́ть журна́л о компью́терах.

29

VI. Puzzle

COMPLETIONS

Aha! Aspect sneaks into the picture under the guise of a puzzle... You can't fool me, this is a grammar test.
Okay, but do it anyway—just pick out the correct verb form to complete the sentences and write them out. It's quite easy really...

1. Макси́м до́лго ... сочине́ние. Тепе́рь он ... его́. Он сейча́с игра́ет в ша́хматы с бра́том.

2. Света долго … роман „Анна Каренина". Теперь она … его. Она сейчас в библиотеке, берёт новую книгу.

3. Серёжа долго … уроки. Теперь он … их. Сейчас он смотрит телевизор.

делал, читала, сделал, прочитала, писал, написал

Грамматика

1. Verbs

The Past Tense forms of reflexive verbs.

The Past Tense of these verbs is formed in the usual way, but don't forget to add the reflexive particle -ся (-сь).

Masc.	Я/Ты/Он	познакомился	с новым другом.
Fem.	Я/Ты/Она	познакомилась	с русской девочкой.
Plur.	Мы/Вы/Они	познакомились	с русскими школьниками.

Neuter: Мне понравилось русское мороженое.

When does the reflexive particle -ся become -сь?

2. The Instrumental Case: Personal pronoun forms

		я	ты	он	она	мы	вы	они
Nom.	Кто знает?	я	ты	он	она	мы	вы	они
Acc.	Кого он знает?	меня	тебя	его	её	нас	вас	их
Gen.	У кого есть значок?	У	меня	тебя	него	неё	нас	вас	них
Dat.	Кому нравится борщ?	мне	тебе	ему	ей	нам	вам	им
Instr.	С кем он познакомился?	С(со)	мной	тобой	ним	ней	нами	вами	ними
Prep.	О ком он говорит?	О(обо)	мне	тебе	нём	ней	нас	вас	них

306

Со is used just for **со мной.**

You have now met the Personal pronoun forms for all six Cases in Russian. How well do you know them?

Test yourself: cover the boxed part of the table, then try to reproduce all the pronoun forms in answer to the question cues on the left. Do it two ways: down and across, i. e. all the case forms for one pronoun in each vertical column in answer to all the question cues; all the pronoun forms in a horizontal row in answer to one question cue.

3. The Instrumental Case: Possessive pronouns **мой, твой, наш, ваш** and the Demonstrative pronoun **э́тот.**

С кем она́ была́ в кино́? С

мои́м	дру́гом.	Masc.
мое́й	подру́гой.	Fem.
мои́ми	друзья́ми.	Plur.

С кем вы познако́мились?

С

э́тим	симпати́чным ма́льчиком.	Masc.
э́той	краси́вой де́вочкой.	Fem.
э́тими	ру́сскими шко́льниками.	Plur.

4. Aspect and Tense

1) Examples of Perfective verbs formed with prefixes.

Imperfective verb	Perfective verb	Imperfective verb	Perfective verb
писа́ть	**на**писа́ть	нра́виться	**по**нра́виться
рисова́ть	**на**рисова́ть	знако́миться	**по**знако́миться
де́лать	**с**де́лать	смотре́ть	**по**смотре́ть
игра́ть	**сы**гра́ть	слу́шать	**по**слу́шать
чита́ть	**про**чита́ть		

2) You have used the first person plural of the Future Perfective form of some of these verbs in making suggestions:

Дава́й(те) посмо́трим телеви́зор.

Дава́й(те) сыгра́ем в бадминто́н.

Test yourself: look at the following sentences. Can you say which tense is used in them?

1. Мне о́чень понра́вился фильм.
2. Дава́й сыгра́ем в пинг-по́нг.
3. Он познако́мился с де́вушкой из Фра́нции.
4. Я ду́маю, бра́ту бо́льше понра́вится моде́ль самолёта.
5. На чём ты пое́дешь домо́й? На метро́?
6. Я нарисова́ла но́вую карти́ну.

29

7. Дава́й пойдём за́втра в теа́тр.
8. — Вы написа́ли свой а́дрес?
   — Мы сейча́с напи́шем.
9. — Вы прочита́ли э́ту кни́гу?
   — Ещё нет. Я прочита́ю за́втра.
10. — Вы сде́лали уро́ки?
    — Ещё нет. Я сде́лаю ве́чером.

Figure it out

Explain the use of the Past Imperfective or Past Perfective in the following dialogues. Does the verb express an action in progress, a repeated action, or a completed action?

What is the meaning the speaker wants to emphasise?

a) At home. A mother says to her daughter, who has just switched on the television:

— Ле́на, почему́ ты смо́тришь телеви́зор, а не де́лаешь уро́ки?
— Ма́ма, не беспоко́йся. Я уже́ **сде́лала** уро́ки.

b) At school on Monday morning. During break Borya and Misha are swapping information about the weekend:

— Ми́ша, что ты де́лал в суббо́ту и воскресе́нье?
— В суббо́ту я **смотре́л** телеви́зор, а в воскресе́нье до́лго **игра́л** в футбо́л.

c) A student of Moscow University had to prepare for a literature seminar. The teacher asks him:

— Андре́й, вы **прочита́ли** кни́гу о Турге́неве?
— Да. **Прочита́л.** Я **чита́л** её два дня.
— Хорошо́. Расскажи́те, пожа́луйста, что вы узна́ли но́вого.

d) A student had a long, difficult essay to write. Her friend calls to see her:

— И́ра, ты уже́ **ко́нчила** сочине́ние?
— Да. Я о́чень до́лго **писа́ла** его́ — три часа́, но сейча́с я уже́ **написа́ла** его́...
— Хорошо́. Дава́й сыгра́ем в пинг-по́нг.
— Дава́й!

3) The use of verbs with the prefix **по-,** with the meaning 'for a while / for a bit'.

There are a number of Imperfective verbs which essentially describe continuing actions, for example: **игра́ть,** 'to play', **рабо́тать,** 'to work', **говори́ть,** 'to talk', **танцева́ть,** 'to dance'. You will mostly use these verbs in the Present Tense, and the Past and Future Imperfective:

Я ча́сто игра́ю в футбо́л.
Мой па́па рабо́тает на заво́де.
Они́ до́лго говори́ли по телефо́ну.
Ве́чером мы бу́дем танцева́ть в дискоте́ке.

They can also be used in the Perfective Aspect, formed with the prefix **по-,** with the particular meaning of 'for a while':

Бы́ло о́чень жа́рко. Мы поигра́ли в те́ннис, а пото́м сиде́ли, пи́ли пе́пси-ко́лу.

Я порабо́таю, а пото́м бу́ду игра́ть в сквош.

Дава́йте потанцу́ем.

Почита́ем

Телеви́дение на неде́лю
Newspapers usually print TV programmes for the following week. Scan the material to find the following information:

1. Вто́рник.

There's a composition by Shostakovich on. At what time? Who is performing? Which of Shostakovich's works is being performed?

> **Первая программа.** 8.00 — Время. 8.45 — Г. Бергер — ,,Потоп''. Телеспектакль. 11.10 — Новости. 14.50 — Документальные фильмы телестудий страны. 15.40 — Концерт Государственного ансамбля песни и танца ,,Тюльпан'' Калмыцкой АССР. 16.20 — А..Яшин. По страницам произведений. 17.10 — Рассказывают наши корреспонденты. 17.40 — Д. Шостакович — Симфония № 1 в исполнении симфонического оркестра музыкального училища при Московской государственной консерватории им. П. И. Чайковского. 18.15 — Адреса молодых. 18.45 — Сегодня в мире. 19.00 — Наука и жизнь. 19.30 — ,,Мятежная застава''. Художественный фильм. 21.00 — Время. 21.35 — Встреча с директором Государственного музея-заповедника А. С. Пушкина в Михайловском писателем С. С. Гейченко в Концертной студии Останкино. 23.20 — Сегодня в мире.

2. Среда́.

There's an ice-hockey match being shown. Who is playing, and when does the programme start? At what time can you watch a German lesson on this channel?

> **Первая программа.** 8.00 — Время. 8.45 — ,,Мятежная застава''. Художественный фильм. 10.10 — Клуб путешественников. 11.10 — Новости. 14.30 — Новости. 14.50 — ,,Комсомол — моя судьба''. Документальные фильмы. 15.45 — ,,Возвыситься до Вашей дружбы...'' О жизни и творчестве поэта Алексея Кольцова. 16.35 — Отзовитесь, горнисты! 17.20 — М. Равель — Концерт для фортепьяно с оркестром. 17.45 — ,,На земле, в небесах и на море''. 18.15 — Человек и закон. 18.45 — Сегодня в мире. 19.00 — Чемпионат СССР по хоккею. ЦСКА — ,,Спартак''. В перерыве — ,,Если хочешь быть здоров''. 21.00 — Время. 21.35 — Лица друзей. 22.30 — Сегодня в мире. 22.55 — Концерт артистов балета.
>
> **Вторая программа.** 8.00 — Гимнастика. 8.15 — ,,Дельта''. Телефильм. 8.35 — География. 7-й класс. 9.05 — Немецкий язык. 2-й год обучения. 9.35 — География. 7-й класс. 10.05 — Учащимся ПТУ. Физика. 10.35 — А. П. Гайдар — ,,Школа''. 6-й класс. 11.05 — Для вас, родители. 11.40 — А. П. Гайдар — ,,Школа''. 6-й класс. 12.10 — Опера Н. А. Римского-Корсакова ,,Снегурочка''. 5-й класс. 12.40 — География. 5-й класс. Атмосфера. 13.10 — Немецкий язык. 2-й год обучения. 13.40 — История. Русская культура XVII века. 14.10 — Чему и как учат в ПТУ. 14.40 — С. Прокофьев — балет ,,Золушка''. 15.25 — Новости. 18.00 — Новости. 18.20 — ,,Молодость древней земли''. Документальный фильм. 18.30 — Концерт оркестра народных инструментов (Венгерская Народная Республика). 19.00 — Сельский час. 20.00 — ,,Спокойной ночи, малыши!'' 20.15 — Концерт народного хора. 20.35 — ,,Архитектура-83''. 21.00 — Время. 21.35 — ,,Возвращение Василия Бортникова''. Художественный фильм.

29

3. Четве́рг.

At what time is there a programme which will help you to improve your chess? At what time can you see a programme about Tolstoy? Which of his novels will be discussed?

Первая программа. 8.00 — Время. 8.45 — Премьера мультфильма „Мальчик — шел, сова — летела". 9.05 — „Покровские ворота". Художественный телефильм. 1-я и 2-я серии. 11.15 — Новости. 14.30 — Новости. 14.50 — „Строка в анкете". Телефильм. 15.20 — „Сочинение на вольную тему". Телеочерк о народном учителе СССР, директоре средней школы Евлахского района Азербайджанской ССР З. Г. Шоюбове. 15.50 — Концерт народного ансамбля Колыванского сельскохозяйственного техникума Новосибирской области. 16.20 — Чему и как учат в ПТУ. 16.50 — „Салют, пионерия!" 17.35 — Шахматная школа. 18.05 — Выступление народного художника СССР Е. И. Зверькова. 18.15 — Ленинский университет миллионов. О воспитании ответственного отношения к труду. 18.45 — Сегодня в мире. 19.00 — Мультфильм. 19.10 — Песня далекая и близкая. 19.55 — Премьера телефильма „Егор Иваныч". 21.00 — Время. 21.35 — Премьера телефильма „Лекарь Мелиховского участка". Из цикла „Путешествие к Чехову". 22.35 — Сегодня в мире.

Вторая программа. 8.00 — Гимнастика. 8.15 — „Где курится Авача". Телефильм. 8.35 — Общая биология. 10-й класс. 9.05 — Испанский язык. 9.35 — Общая биология. 10-й класс. 10.05 — Учащимся ПТУ. Обществоведение. КПСС — партия рабочего класса, всего советского народа. 10.35 — Л. Н. Толстой. „Война и мир" (история создания романа). 9-й класс. 11.05 — Мамина школа.

4. Суббо́та.

There's a feature film about Tchaikovsky. At what time does it start?

Первая программа. 8.00 — Время 8.45 — Поет лауреат Всесоюзного конкурса Н. Мозговой. 9.05 — 8-й тираж Спортлото. 9.15 — АБВГДейка. 9.45 — Для вас, родители! 10.15 — Премьера фильма-концерта „Старые марши". 10.45 — Движение без опасности. 11.15 — „В памяти народной". Панорама Сталинградской битвы. Телевизионный документальный фильм. 11.45 — Творчество юных. 12.15 — „Ты помнишь, товарищ..." 13.15 — Это вы можете. 14.00 — Международный фестиваль телевизионных программ о народном творчестве „Радуга". Традиционные танцы Эльзаса. Франция. 14.30 — Новости. 14.45 — „Повесть о настоящем человеке". Художественный фильм. 16.20 — Час симфонической музыки. Концерт Государственного академического симфонического оркестра СССР. 17.15 — Мультфильм. 17.30 — Беседа политического обозревателя Ю. А. Летунова. 18.00 — В мире животных. 19.00 — Беседа председателя Советского комитета защиты мира Ю. А. Жукова. 19.45 — „Чайковский". Художественный фильм. 1-я серия. 21.00 — Время. 21.35 — 2-я серия художественного фильма „Чайковский". 23.35 — Новости.

5. Воскресе́нье.

There's quite a lot of sport on this evening.
Which sports can you watch? At what times?

Вторая программа. 8.00 — На зарядку становись! 8.20 — Народные мелодии. 8.35 — „Рассказы об охоте". Телефильм. 9.05 — „Две сестры". Художественный фильм. 10.10 — „От песни к танцу". 10.40 — В гостях у сказки. „Пока бьют часы". 13.10 — Очевидное — невероятное. 14.05 — „Победители". Клуб фронтовых друзей. Встреча ветеранов 2-й гвардейской армии. 15.30 — Рассказывают наши корреспонденты. 16.00 — Чемпионат СССР по плаванию. 16.45 — Стадион — для всех. 17.15 — Концерт Государственного ансамбля песни и танца Дагестанской АССР. 17.50 — „Хождение по мукам". Художественный телефильм. 3-я серия — „Война". 19.00 — Чемпионат СССР по легкой атлетике. 19.45 — „Путевка в лето". Телефильм. 20.00 — „Спокойной ночи, малыши!" 20.15 — Международные соревнования по лыжному спорту. 21.00 — Время. 21.35 — „День семейного торжества". Художественный фильм.

310

PIONEER SUMMER CAMPS

Many Soviet children spend their summer holidays at a Pioneer camp. The most famous Soviet Pioneer camp is called "Artek". It is in the south, on the Crimean coast. Schoolchildren may go to this camp for doing good work at school, for success in sport and so on. It's also an international camp, and lots of children come from overseas.

Артек
Artek (pioneer camp)

В пионерском лагере
In the Pioneer camp

I usually go to a Pioneer camp called "The Green Lake". This one is a big camp in the country not far from Moscow. There are lots of different activities at the camp including dressmaking and embroidery, handicrafts, modelling, flower arranging, hiking and boating, etc. We also have a theatre, where we watch films, have parties or put on plays and puppet shows. We also play football and volleyball on a large sports field, where we organise sports competitions.

29

30
НАДО И ДОЛЖЕН
HAVE TO AND MUST

тридцатый

??
Как сказать?

Expressing necessity or obligation:
How do I tell someone what I have to do: that I need to or must do something?

Трудное задание
A difficult exercise

ЧТО МЫ РАССКАЗА́ЛИ ЖУРНАЛИ́СТКЕ

Julia turns her microphone to us again, and records a series of short interviews with members of our group about the individual tests...

1 She asks Susan about the oral test...

Журнали́стка. Сью́зан, что на́до бы́ло де́лать на у́стном экза́мене?

Сью́зан. На́до бы́ло немно́го рассказа́ть о себе́, о семье́, о го́роде, где я живу́, учу́сь... что я изуча́ю в шко́ле...

Журнали́стка. Тру́дно бы́ло?

Сью́зан. Не о́чень.

2 Steve gives an account of the reading test...

Журнали́стка. Стив, скажи́, пожа́луйста, что на́до бы́ло де́лать на экза́мене по чте́нию?

Стив. Я до́лжен был прочита́ть текст, пересказа́ть его́ и отве́тить на вопро́сы.

Журнали́стка. Интере́сный у тебя́ был текст?

Стив. Да. Отры́вок из рома́на „Пе́рвый учи́тель" Чинги́за Айтма́това.

3 I have to do the bit about the background knowledge test... serves me right, I suppose...

Журнали́стка. Фийо́на, скажи́, пожа́луйста, каки́е вопро́сы бы́ли на экза́мене по странове́дению?

Фийо́на. О геогра́фии СССР... о ру́сской исто́рии, культу́ре, нау́ке... о жи́зни сове́тских люде́й...

Журнали́стка. А како́й у тебя́ был вопро́с?

Фийо́на. Я должна́ была́ рассказа́ть о ру́сском бале́те.

Журнали́стка. А кто твоя́ люби́мая балери́на?

Фийо́на. Гали́на Ула́нова.

4 She would have to pick Carol to talk about the written test!.. but Larry gallantly steps in to save the situation...

Журнали́стка. Кэ́рол, о чём ты писа́ла сочине́ние?

Кэ́рол. Я не писа́ла.

Журнали́стка. Не писа́ла? Почему́?

313

Кэрол. Можно было не писать.
Журналистка. А кто писал?
Ларри. Я.
Журналистка. И на какую тему?
Ларри. „В чём красота человека?"
Журналистка. Сколько времени ты писал?
Ларри. Час.
Журналистка. Так... Ну, ребята, большое вам спасибо. Вы очень хорошо говорите по-русски. Я желаю вам всем получить медали.

Образец

Asking what someone had to do.
Telling.

– Что	(тебе) (вам)	надо было	делать на экзаменах?

– Я	должен был должна была	рассказать о себе. ответить на вопросы.
		прочитать текст.
– Мы	должны были	написать сочинение.

Поговорим, поиграем

I. Find out

„О ЧЁМ ОНИ ДОЛЖНЫ БЫЛИ РАССКАЗАТЬ?"

1. Use your charts to ask each other what the Olympiad participants had to talk about for the test on Soviet history, geography and culture.

Examples

— О чём должен был рассказать Стив?
— О чём должна была рассказать Сьюзан?

2. Play the parts of the characters and practise further like this:

Таня. Кэрол, о чём ты должна была рассказать на экзамене?
Кэрол. О русских композиторах.
Таня. Трудно было?
Кэрол. Не очень.
Нина. Стив, о чём ты рассказывал на экзамене?
Стив. Я должен был рассказать о русских писателях.
Нина. Трудно было?

314

Стив. Да. Óчень!

Юра. Фийóна, что тебé нáдо бы́ло дéлать на экзáмене?

Фийóна. Я должнá былá рассказáть о рýсском балéте.

Юра. Трýдно бы́ло?

Фийóна. Нет, не трýдно. Я люблю́ балéт.

II. Role playing

"I ALREADY HAVE ..."

Oh, it's you again, is it? And I suppose you have fulfilled all your moral obligations? Punctiliously. I thought so. Are you completely infallible? You must be very hard to live with.

Example

    — Ты не забы́л(а), что ты дóлжен / должнá купи́ть подá-
       рок мáме?
    — Не забы́л(а). Я ужé купи́л(а).

Ты дóлжен / должнá...

...написáть письмó бáбушке,

...купи́ть билéты в теáтр,

...сказáть Йре, когдá начинáется спектáкль,

...передáть наш áдрес Вáле,

...рассказáть дéдушке о мáтче,

...написáть откры́тки,

...купи́ть цветы́,

...дать Бори́су Ивáновичу наш телефóн,

...узнáть, когдá день рождéния Óли,

...купи́ть подáрок сестрé.

III. Find out

„ЧТО МНЕ НÁДО КУПИ́ТЬ?"

You are Tanya and her sister, Sasha. You are having some friends round next Saturday evening for a party. You are splitting up the job of buying food for the supper.

1. Look at your charts and tell each other what you have to buy.

Example

    Тáня. Сáша, что мне нáдо купи́ть?

    Сáша. Чай.

    Тáня. Скóлько?

    Сáша. Две пáчки. А что мнé нáдо купи́ть?

    Тáня. Тебé нáдо купи́ть апельси́ны.

    Сáша. Скóлько?

    Тáня. Я дýмаю, два килогрáмма. А что ещё нáдо купи́ть?

2. When you have each made out your shopping list, run through them to check:

    — Мне нáдо купи́ть чай, две пáчки, и ещё кóфе, пáчку. И т. д.

3. Refer to the prices chart to work out how much money you each need, how much you'll each have to pay in the shop.
Ask each other like this:

    — Ско́лько сто́ит чай?

    — Три́дцать во́семь копе́ек па́чка.

чай 38 к. (па́чка)   апельси́ны 2 р. (кг)
ко́фе 3 р. 60 к. (па́чка)   я́блоки 1 р. 50 к. (кг)
са́хар 52 к. (па́чка)   бе́лый хлеб 13 к. (бато́н)
молоко́ 16 к. (паке́т)   пече́нье 30 к. (па́чка)
сыр 3 р. (кг)   ва́фли 22 к. (па́чка)
ма́сло 3 р. 50 к. (кг)   торт 3 р.
колбаса́ 2 р. 90 к. (кг)   конфе́ты 4 р. (кг)

Can you do a lightning calculation in your head, or do you need to use a calculator?
4. Play the parts of the shop assistant and Tanya / Sasha buying the food.
Example

    Т а́ н я. Чай, пожа́луйста, две па́чки.

    П р о д а в щи́ ц а. Пожа́луйста. Что ещё?

    Т а́ н я. Ко́фе. Па́чку. И т. д.

IV. Role playing
"DUTY FIRST"

Decide who is A and who is B. A rings up and suggests a game, or going out somewhere. Unfortunately, B has to do something else at that time, or on that day, and suggests another time.
Example

    — Дава́й сыгра́ем в пинг-по́нг.

    — Извини́, пожа́луйста, но сего́дня мне на́до написа́ть со-чине́ние... Дава́й сыгра́ем за́втра.

    — Ну хорошо́.

A. Ты хо́чешь...	B. Тебе́ на́до... Ты до́лжен / должна́
1) игра́ть в ша́хматы сего́дня ве́чером	рабо́тать
2) пойти́ в кино́ сего́дня ве́чером	де́лать уро́ки
3) игра́ть в сквош за́втра у́тром	быть на ле́кции
4) пойти́ в бассе́йн в два часа́	пойти́ на по́чту
5) игра́ть в те́ннис сего́дня днём	ко́нчить сочине́ние
6) смотре́ть футбо́л по телеви́зору сего́дня ве́чером	прочита́ть кни́гу
7) пойти́ в теа́тр в пя́тницу ве́чером	быть до́ма

316

V. Puzzle

GLIDOGRAM

Can you complete the words in the chart using the clues given below?

Clues

1. Зима́. Хо́лодно. Идёт _____
2. Отку́да она́? Из _____ Она́ живёт в Мадри́де.
3. Сего́дня _____ Я не рабо́таю.
4. Э́то твоя́ ко́шка? О, кака́я к _____!
5. Я не могу́ пойти́ в кино́. Мне на́до _____ сочине́ние.
6. Ю́рий Гага́рин лета́л в _____ на корабле́ „Восто́к".
7. Ру́сское моро́женое мне о́чень _____.
8. Скажи́те, _____, где здесь ста́нция метро́?
9. Ско́лько сейча́с вре́мени? Когда́ н _____ спекта́кль?
10. Ле́на, _____, э́то моя́ подру́га Та́ня.
11. Ты был в кино́? Тебе́ _____ фильм?
12. Ты была́ во Фра́нции? Ты хорошо́ говори́шь по-_____ _____ ?
13. Ты получи́ла золоту́ю меда́ль? Пре_____! Молоде́ц!
14. — Ско́лько вре́мени нам е́хать в теа́тр?
    — На метро́ п____ са́.
15. Я учу́сь в девя́том _____.
16. У меня́ есть хоро́шие откры́тки. Посмотри́те, вот К_____ пло́щадь.
17. Шестьдеся́т пять ми́нус пятьдеся́т пять. Ско́лько бу́дет?
18. Я о́чень люблю́ иск_____, осо́бенно теа́тр и бале́т.
19. Ми́ша, переда́й, пожа́луйста, _____.

(Check your answers in the Keys section.)

30

317

Грамматика

1. На́до and до́лжен + infinitive

These words are used in Russian to express necessity and obligation. As with the use of 'have to' and 'must' in English, there is often not a great deal of difference in meaning between them.

1) На́до

With this word you use nouns and pronouns in the Dative Case for the person who has to perform the action. The sentence pattern in Present, Past and Future Tenses is like this:

Present	Мне Тебе́		прочита́ть кни́гу.
Past	Бори́су Ни́не	на́до	бы́ло	рассказа́ть о себе́.
Future	Шко́льникам Студе́нтам		бу́дет	отве́тить на вопро́сы.

2) До́лжен

This must agree with the subject of the sentence in gender and number. The Present Tense construction is like this:

Masc.	Я/Ты/Он	до́лжен	чита́ть.
Fem.	Я/Ты/Она́	должна́	прочита́ть кни́гу.
Plur.	Мы/Вы/Они́	должны́	

Is there any change of spelling or stress in the feminine and plural forms? The construction in the Past Tense is like this:

Masc.	Я/Ты/Он	до́лжен	был	чита́ть.
Fem.	Я/Ты/Она́	должна́	была́	прочита́ть кни́гу.
Plur.	Мы/Вы/Они́	должны́	бы́ли	

In the future до́лжен is combined with the Future Tense forms of быть like this:

Masc. Fem.	Я	до́лжен должна́	бу́ду	
Masc. Fem.	Ты	до́лжен должна́	бу́дешь	чита́ть. прочита́ть кни́гу.
Masc. Fem.	Он Она́	до́лжен должна́	бу́дет	
Plur.	Мы Вы Они́	должны́	бу́дем бу́дете бу́дут	

318

2. Aspect and tense

Verb pairs in which the Perfective verb is not formed by means of a prefix. Several Imperfective-Perfective verb pairs follow this pattern: the Imperfective verb has the infinitive form **-а-ть**; the Perfective verb has the infinitive form **-и-ть.**

For example, **получа́ть — получи́ть,** 'to receive'.

	Imperfective	Perfective
Infinitive	получа́ть	получи́ть
Present	Я получа́ю	–
Past	Я получа́л(а)	Я получи́л(а)
Future	Я бу́ду получа́ть	Я получу́
		Ты полу́чишь

Which conjugation is used in the Present Tense?
Which conjugation is used in the Future Perfective?
Other verb pairs like this are:

конча́ть — ко́нчить (ко́нчу, ко́нчишь, ко́нчат), 'to finish'
отвеча́ть — отве́тить (отве́чу, отве́тишь, отве́тят), 'to answer'
встреча́ть — встре́тить (встре́чу, встре́тишь, встре́тят), 'to meet'

Don't let this pair confuse you:

покупа́ть — купи́ть (куплю́, ку́пишь, ку́пят), 'to buy'

Why do you think it often causes confusion?

Figure it out

Pick out and explain the use of the Future Imperfective or the Future Perfective in the following dialogues. Do the verbs printed in bold-face type indicate an action that will be in progress? An action that will be repeated? An action that will be carried out and completed in the future?

a) Katya is saying goodbye to Andrei, who is going off to university in another city:

— До свида́ния. Ты **бу́дешь писа́ть** мне?
— Обяза́тельно.
— Ча́сто?
— Коне́чно.

b) Larissa wants to borrow one of Sveta's books:

— Све́та, ты уже́ прочита́ла рома́н Турге́нева?
— Ещё нет. Я ве́чером **прочита́ю** и дам тебе́ за́втра.

c) Boris is asking Vera about her plans for the evening:

— Ве́ра, что ты бу́дешь де́лать ве́чером?
— Я **бу́ду де́лать** уро́ки.
— А пото́м?
— Пото́м, наве́рно, **бу́ду смотре́ть** телеви́зор.

d) Misha is reminding Olya about a present she has to buy:

— О́ля, ты уже́ купи́ла пода́рок па́пе?
— Ещё нет. Я **куплю́** его́ за́втра у́тром.

30

1. Talk about yourself

Make sure you can say everything you want to say on the material included in these topics. The English are widely supposed to be talking about the weather all the time, so you'd better be able to say something about it.

Weather, seasons

1. Как ты ду́маешь, в А́нглии хоро́ший кли́мат?
2. Кака́я пого́да в А́нглии зимо́й? О́чень хо́лодно, как в Москве́?
3. Зимо́й в А́нглии мно́го сне́га?
4. Ты лю́бишь зи́му?
5. В ва́шем райо́не ча́сто идёт дождь?
6. Кака́я обы́чно пого́да в А́нглии ле́том? О́чень жа́рко?
7. Куда́ ты пое́дешь ле́том? На мо́ре? В Шотла́ндию? Во Фра́нцию? В Испа́нию?
8. Како́е вре́мя го́да тебе́ нра́вится бо́льше? Почему́?

Letter-writing

1. Ты ча́сто пи́шешь пи́сьма? Иногда́? Никогда́?
2. Лю́бишь писа́ть пи́сьма?
3. Кому́ ты пи́шешь?
4. Ты перепи́сываешься, наприме́р, с францу́зским шко́льником / с францу́зской шко́льницей?
5. Ско́лько вре́мени ты с ним / ней перепи́сываешься?
6. Ты пи́шешь по-англи́йски?
7. Ты хоте́л(а) бы перепи́сываться с ру́сским шко́льником / шко́льницей?

Routines again

1. Ты ра́но встаёшь у́тром? Во ско́лько?
2. А в суббо́ту и́ли воскресе́нье?
3. Когда́ ты обы́чно за́втракаешь?
4. Что у тебя́ обы́чно на за́втрак?
5. Ты идёшь и́ли е́дешь в шко́лу?
6. Где и когда́ ты обе́даешь?
7. Когда́ ты у́жинаешь ве́чером? Во ско́лько?
8. Когда́ ты обы́чно ложи́шься спать?

Tastes, preferences

1. Ты лю́бишь спорт?
2. Како́й вид спо́рта тебе́ нра́вится бо́льше всего́?
3. Кто твой люби́мый спортсме́н / спортсме́нка?

4. Что ты лю́бишь бо́льше: футбо́л и́ли ре́гби, нетбо́л и́ли хоккей на траве́, кри́кет и́ли те́ннис?
5. Ты лю́бишь моро́женое? Шокола́д? Пе́пси-ко́лу?
6. Тебе́ нра́вится чай с лимо́ном?
7. Что ты лю́бишь бо́льше: чай и́ли ко́фе?
8. Ты лю́бишь чита́ть?
9. Кака́я твоя́ люби́мая кни́га?
10. Тебе́ нра́вятся рома́ны Достое́вского?
11. Каку́ю му́зыку ты лю́бишь?
12. Кака́я твоя́ люби́мая пласти́нка?
13. Тебе́ нра́вится му́зыка Чайко́вского?
14. Ты хо́дишь в теа́тр, в кино́?
15. Кто твой люби́мый актёр / твоя́ люби́мая актри́са?
16. Кака́я пье́са Шекспи́ра тебе́ нра́вится бо́льше всего́?
17. Ты чита́ла пье́сы Че́хова? Они́ тебе́ нра́вятся?

2. What do you say in these situations?

1) You meet a Russian friend you haven't seen for a while. How do you:
   Say 'Hello'.
   Ask how things are with him / her.

2) It's cold and it's pouring with rain, really throwing it down (cats and dogs).
   Comment on the weather.

3) You're thinking about going swimming tomorrow. Maybe Boris has heard the weather forecast.
   Ask whether he knows what the weather will be like tomorrow.

4) You went to the theatre last night. Zina asks what you thought of the play.
   Say whether you enjoyed the play.
   Give your opinion about the play.

5) Alexei tells you about an English film he saw at a film festival in Moscow.
   Say you've seen the film in England.
   Give your opinion of it.

6) You have made friends with Lena and would like to write to her after your return to England.

Say you'd like to correspond with her.　Say you would too.
Ask for her address.　Give / write your address.
Make sure she will write to you.　Promise to write.

7) You are a traditionalist and prefer your tea English style.
Say you need to buy some milk.
Ask where you can buy it.

8) Igor invites you out somewhere, but you have to refuse.
Explain that you have to do something else.

9) You want to, e. g. enter a room / look at a book or ornament on someone's shelf / sit down at a free place in the cafeteria / borrow a chair and take it to your group, etc.
Ask for permission.

30

Почитаем

Олимпиа́да. Экза́мен по странове́дению

As well as speaking Russian in the oral test, the Olympiad participants also have to show what they know about the history and culture of the Russian people. Here are two examination cards for the test on cultural knowledge.

1. This is one of the cards for the younger age-group.
Read through the questions and prepare some answers in Russian. Use information you have picked up in this course-book, and keep your answers short and simple.

Билет № 3

Покажите на карте СССР Москву.
Какие интересные памятники и здания находятся в Москве?
Расскажите о Красной площади.
Расскажите о центре Москвы.
Что вы знаете об истории Москвы?
Какие стихи и песни о Москве вы знаете?
Что вы еще знаете о Москве?

2. Here is a card for the older and more advanced group.
Skim through it and see how much you can understand. Would you be able to say something in answer to some of the questions? You could mention some **достопримеча́тельности** (sights) in the centre of Moscow, couldn't you?

Билет № 5

Посмотрите на план Москвы. Вы находитесь на Красной площади. Вы совершаете прогулку по Москве. Составьте маршрут интересной прогулки.
Что вы можете рассказать о Кремле и Мавзолее?
Какие достопримечательности находятся в центре Москвы?
Какие исторические события связаны с Москвой?
Какие стихи и песни о Москве вы знаете?
Что вы еще знаете о Москве?

Странове́де-ние

NEW HOUSING ESTATES

We've seen some of Moscow's main sights in the city centre. But when we went on a bus tour of Moscow, I was pleased that we were also taken to see some of the new housing developments on the outskirts as well. They're so huge! You begin to realise just how big a city Moscow is, and you begin to appreciate what a population of eight million really means.

Один из новых районов Москвы
A new Moscow area

Hundreds of thousands of Muscovites live in high-rise flats, built in the new areas which we saw. When designing these buildings, the architects tried to conserve the natural environment of the former countryside.

The Pushkin Institute on Volgin Street is situated in such a new area of Moscow, and it's pleasant to go for a walk there. There are benches to sit on, and a children's play area with a sandpit and swings. I had a look at the local shops, and watched some older children playing football and basketball nearby.

A lot of people go in for jogging and there's a running track next to the Institute. And beyond that there's an open space with grassy banks where local people sunbathe, or walk and play with their children. There's a small wood where people can go for a walk or have a game of volleyball in a clearing. So, in spite of the volume of new houses, the feeling of the countryside is still preserved, and you can get away from the hustle and bustle.

Урок

31

**тридцать
первый**

ИДИ СЮДА, ПОСМОТРИ...
COME AND LOOK AT THIS...

??
Как сказать?

Looking at things:
How do I point out something interesting, for example, exhibits
in a museum, and ask someone to come and have a look?
How do I comment on things, admire and express interest or
enthusiasm?

Участники Олимпиады в павильоне «Космос» на Выставке достижений народного хозяйства
The Olympiad participants in the "Cosmos" exhibition hall at the Exhibition of Economic Achievements

324

В ЗВЁЗДНОМ ГОРОДКЕ

This afternoon we're off on an excursion to "Zvyozdny Go-rodok"... Briefly, (I've got some more detailed notes jotted down in my pad), this is a "Space town", where a lot of technical personnel involved in space programmes live and work. Soviet cosmonauts do some of their training preparations here, and they usually come here for a reception when they return from a flight... There's a Space Museum which we visit first... The museum guide gives us a brief introduction, tells us about Yuri Gagarin's historic flight on 12th April, 1961,—the first man in space. Then we can browse over the exhibits in the museum by ourselves...

1 Tanya beckons Steve...

Т а́ н я. Стив, иди́ скоре́е сюда́. Посмотри́. Моде́ль косми́ческого корабля́ „Восто́к“. В э́том корабле́ Ю́рий Гага́рин лета́л в ко́смос.

2 Carol and Yura are looking at a wall display...

К э́ р о л. Что э́то тако́е?

Ю́ р а. Э́то на́ша Земля́ из ко́смоса.

К э́ р о л. Кака́я ма́ленькая на́ша Земля́! И кака́я краси́вая!..

3 Yura points out another model to Larry...

Ю́ р а. Ла́рри, посмотри́, э́то моде́ль корабля́ „Сою́з—Аполло́н“.

Л а́ р р и. Да, ви́жу.

Ю́ р а. Стив, а ты по́мнишь, что сове́тские и америка́нские космона́вты вме́сте лета́ли в ко́смос?

С т и в. Коне́чно, по́мню.

4 As we come out of the museum. Nina gets us together for a group photograph with a real, live cosmonaut...

Н и́ н а. Ребя́та, иди́те сюда́! Дава́йте сфотографи́руемся с космона́втом.

С ь ю́ з а н. С космона́втом?! Как здо́рово!

Н и́ н а. Да. Познако́мьтесь. Э́то космона́вт Ви́ктор Зу́дов. А э́то ребя́та из А́нглии. Они́ здесь на Олимпиа́де шко́льников по ру́сскому языку́.

31

5 Susan asks him for his autograph...

Сью́зан. Извини́те, пожа́луйста, мо́жно попроси́ть у вас авто́граф?

Космона́вт. Коне́чно.

Сью́зан. Спаси́бо большо́е.

Космона́вт. Пожа́луйста.

▲

Образец

Asking someone to come and look at something.

– Иди́ – Иди́те	сюда́.	Посмотри́. Посмотри́те.

⚫

Поговорим, поиграем

I. Role playing

"GET CRACKING ..."

Now here's someone who is a bit more human. Someone who is naturally inclined to put things off until tomorrow if at all possible...

Example

It's not! Tell him / her to get it done today!

— Ко́ля, тебе́ на́до написа́ть письмо́ де́душке. Ты уже́ написа́л?

— Ещё нет. Я, наве́рное, напишу́ за́втра.

— Что ты! Напиши́ сего́дня. Хорошо́?

— Ну ла́дно. Напишу́.

1. Тебе́ на́до прочита́ть кни́гу об англи́йской литерату́ре.
2. Тебе́ на́до купи́ть ма́рки.
3. Тебе́ на́до написа́ть сочине́ние о Че́хове.
4. Тебе́ на́до взять биле́ты в теа́тр.
5. Тебе́ на́до купи́ть пода́рок де́душке.
6. Тебе́ на́до дать Ни́не кни́гу о Чайко́вском.
7. Тебе́ на́до позвони́ть Ива́ну Петро́вичу.
8. Тебе́ на́до сказа́ть Та́не, во ско́лько мы встре́тимся в суббо́ту.
9. Тебе́ на́до дать Бори́су биле́ты.

II. Game

"LOST IN THE JUNGLE"

Your plane has crash-landed in the middle of a dense, tropical jungle (hard luck, chaps!).

Before you set off on the long trek to find your way back to civilisation, you must decide which of these things, salvaged from the plane, you will carry with you, and which you will leave behind.

Shall we take it?	—	Возьмём?
For:	—	Обязáтельно.
	—	По-мóему, нáдо.
	—	Давáйте возьмём.
Against:	—	Что вы!
	—	По-мóему, не нáдо.
Dithering:	—	Я тóчно не знáю.
	—	Мóжет быть.

With your fertile imaginations, you can no doubt think of many reasons for taking or not taking an item. Can you find a way of expressing some of them in Russian? (It so happens that all your fellow survivors are Russians, so it's just as well you can rub along in the language!)

III. Talk about the pictures

The people on the left all gave something to the people on the right, but to whom?

1. Ask each other.
1. Кому́ Макси́м дал каранда́ш?
2. Кому́ Ле́на дала́ кни́гу?
3. Кому́ Серёжа дал ма́рки?
4. Кому́ Ка́тя дала́ кассе́ту?
5. Кому́ Ми́ша дал пласти́нку?

2. Now say who has got the object in question, asking each other like this:
   — У кого́ сейча́с есть каранда́ш?
   — А у кого́ есть кассе́та? И т. д.

IV. Role playing

"PROMISES, PROMISES ... "

1. You ask your friend a favour, e. g. to lend you something, or to do something.
Your friend says he / she will.
(You can look below if you're not sure about the Future Perfective verb forms.)
Example

   — А́ня, ты мне дашь свою́ кни́гу о Пу́шкине?
   — Коне́чно, дам.

1. Ты ку́пишь биле́т в теа́тр?
2. Ты мне дашь свою́ пласти́нку?
3. Ты переда́шь моё письмо́ учи́тельнице?
4. Ты пока́жешь мне свои́ фотогра́фии?
5. Ты возьмёшь биле́ты на хокке́й?
6. Ты напи́шешь письмо́ Ната́ше?
7. Ты позвони́шь Андре́ю?
8. Ты мне дашь свою́ кни́гу о микрокомпью́терах?

2. Now practise giving a really firm undertaking, a promise like this:
Example

   — А́ня, ты мне дашь свою́ кни́гу?
   — Коне́чно. За́втра я тебе́ её обяза́тельно дам.

дам, покажу́, куплю́, переда́м, позвоню́, возьму́, напишу́

V. Puzzle

DEFINITIONS

Can you put an occupation to each of the following brief descriptions?
1. Он рису́ет карти́ны.
2. Она́ рабо́тает в шко́ле.
3. Он пи́шет кни́ги.
4. Она́ танцу́ет в Большо́м теа́тре.
5. Он был в ко́смосе.
6. Она́ берёт интервью́, пи́шет в газе́те.
7. Он рабо́тает в кино́.
8. Он пи́шет стихи́.
9. Она́ у́чится в шко́ле.
10. Он пи́шет му́зыку.
11. Она́ рабо́тает в магази́не.
(Answers are in the Keys section.)

31

VI. Associations
"CLOSE FRIENDS"
Can you match up pairs of words which are closely associated with each other?

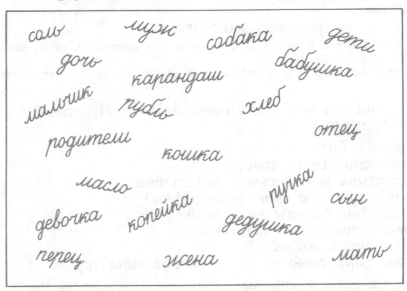

соль   муж   собака   дети
дочь   бабушка
карандаш
мальчик   губы   хлеб
родители   отец
кошка
масло   ручка   сын
девочка   копейка   дедушка
перец   жена   мать

Example

Брат и сестра́.
(Answers are in the Keys section.)

VII. Guessing game

„СКО́ЛЬКО?"

Look briefly at the pictures. Without counting, guess how many objects there are. Then count them, and see who was nearest.

1. Ско́лько здесь конфе́т?

2. Ско́лько здесь я́блок?

3. Ско́лько здесь предме́тов?

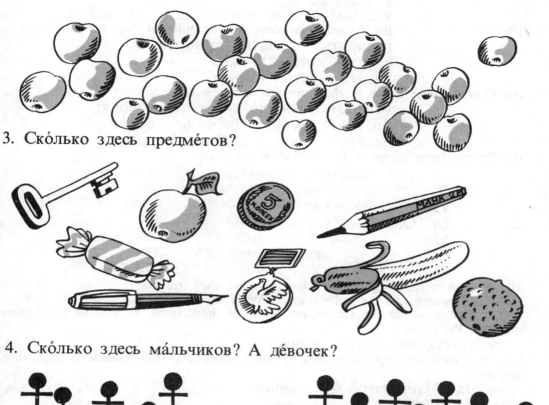

4. Ско́лько здесь ма́льчиков? А де́вочек?

5. Ско́лько здесь книг?

31

1. Aspect and tense

You need to know these frequently used verb pairs where the Perfective infinitive is quite different from the Imperfective:

говори́ть — сказа́ть, 'to say / tell'

брать — взять, 'to take'

дава́ть — дать, 'to give'

The Present Tense forms of the Imperfective verbs are:

говори́ть: говорю́ говори́шь говоря́т

брать: беру́ берёшь беру́т

дава́ть: даю́ даёшь даю́т

The Future Tense forms of the Perfective verbs are:

	сказа́ть	**взять**	**дать**
Я	скажу́	возьму́	дам
Ты	ска́жешь	возьмёшь	дашь
Он / Она́	ска́жет	возьмёт	даст
Мы	ска́жем	возьмём	дади́м
Вы	ска́жете	возьмёте	дади́те
Они́	ска́жут	возьму́т	даду́т

All three verbs are irregular. In what ways are they irregular?

The Past Tense forms are quite normal. What are they?

You will need to use the Imperative forms of these verbs, as well as the Future and Past Perfective:

скажи́(те), возьми́(те), да́й(те)

You have used the Imperative form of the Imperfective verb **дава́ть** in suggesting, proposing:

— Дава́й(те) сыгра́ем в те́ннис.

— Дава́й(те).

Figure it out

Can you find Future Perfective verb forms in these dialogues:

1. — Тебе́ нра́вится бефстро́ганов?

 — О́чень.

 — За́втра я тебе́ дам реце́пт.

2. — Я купи́л мла́дшему бра́ту но́вые ма́рки.

 — Я ду́маю, они́ ему́ о́чень понра́вятся.

3. — Дава́й посмо́трим телеви́зор.

 — Дава́й. Сейча́с идёт о́чень хоро́шая переда́ча.

4. — Слу́шаю.

 — Здра́вствуйте. Ни́на до́ма?

 — Нет. Она́ в университе́те. Она́ бу́дет до́ма в три часа́.

 — Хорошо́. Я позвоню́ ещё раз в три.

5. — Я ду́маю, Сью́зан о́чень хорошо́ говори́т по-ру́сски.

 — Да. Она́, наве́рное, полу́чит меда́ль.

6. — Ты пойдёшь на экску́рсию в воскресе́нье?
   — Ещё не зна́ю. Я скажу́ тебе́ за́втра.
7. — Дава́й потанцу́ем.
   — Хорошо́. Я сейча́с пойду́, возьму́ пласти́нки.
8. — Са́ша, ты уже́ купи́ла хлеб?
   — Нет, я сейча́с пойду́, куплю́.
9. — Где мы встре́тимся?
   — В кафе́ „Ли́ра", полседьмо́го. Хорошо́?
   — Хорошо́.
10. — Я тебе́ дам её а́дрес.
    — Хорошо́. Я сейча́с возьму́ каранда́ш, запишу́ его́.

2. Revision summary

The forms of the Possessive pronouns **мой, твой, наш, ваш** in all six Cases, singular and plural

		Masc.		Fem.		Plur.	
Nom.	Э́то	мой	друг	моя́	подру́га	мои́	друзья́
Acc.	Ты зна́ешь	моего́	дру́га	мою́	подру́гу	мои́х	друзе́й
Gen.	Э́то дом	моего́	дру́га	мое́й	подру́ги	мои́х	друзе́й
Dat.	Она́ пи́шет	моему́	дру́гу	мое́й	подру́ге	мои́м	друзья́м
Instr.	Он игра́ет с	мои́м	дру́гом	мое́й	подру́гой	мои́ми	друзья́ми
Prep.	Они́ говоря́т о	моём	дру́ге	мое́й	подру́ге	мои́х	друзья́х

Figure it out

What would the neuter forms of the Possessive pronouns be in the Nominative and Accusative Cases, e. g. with the noun **ме́сто**?
Are neuter forms the same as the masculine in all other Cases?
Why must the Accusative forms be **моего́, мои́х** in the masculine singular and in the plural?
What do you notice about the feminine forms in the Genitive, Dative, Instrumental and Prepositional Cases?
Are there any other forms which are the same for more than one Case?
The forms for **твой** are exactly the same as those for **мой.**
The forms for **наш, ваш** are exactly the same as for **мой** in the Genitive, Dative, Instrumental and Prepositional Cases, apart from a small spelling variation in one Case. Which?

3. The Possessive pronoun свой

In Russian, Possessive pronouns are often omitted in sentences where the meaning is quite clear without them. For example: **Я люблю́ сестру́** — "I like my sister a lot". The Russian sentence here must mean that I am talking about my own sister, and the word for 'my' can be left out.

However, in cases where there could be misunderstanding, the pronoun **свой** is used in Russian to make the meaning quite clear.

This applies particularly to the third person 'his, her, their', where there could be some confusion.

Look at these two sentences:

Он лю́бит свою́ сестру́.

Он лю́бит его́ сестру́.

In the first sentence the use of **свой** makes it clear that 'his' relates to the subject of the sentence, i. e. that it is 'his own' sister.

In the second sentence **его́** means that it is not 'his own' sister, but someone else's.

Свой can be used in place of any of the Possessive pronouns **мой, твой, наш, ваш, его́, её, их** to make the meaning clear.

Watch out for examples of its use in further Lessons and your reading. The case forms of **свой** are exactly the same as those for **мой, твой.**

Почита́ем

Ко́смос

The words **ко́смос, космона́вт, Вселе́нная** and the name **Гага́рин** have become part of our everyday life and language.

1. You will appreciate this by looking at the photographs.

334

2. This is a puzzle, in which you use the information included in the photograph captions from the previous section. You see here three envelopes with incomplete addresses written on them. You have to complete the addresses by selecting the appropriate information from the photographs.

Москва
дом 9, кв. 15
Петрову Ивану
Сергеевичу

Москва
ВДНХ

Москва,
гостиница

**Страноведе-
ние**

ICE-HOCKEY

Вратарь. Goalkeeper

I'm glad my parents called me Spartak, because "Spartak" is my favourite ice-hockey team. In my opinion there are three outstanding ice-hockey teams: "TsSKA", "Dynamo Moscow" and "Spartak". As for me, I'm a "Spartak" fan.

There are twelve top teams in the first division of the ice-hockey league. That's where all the stars play.

Moscow ice-hockey matches are usually played at the Sports Palace. This is also where childrens' New Year Parties, ice spectaculars and film shows are held.

But I usually come for the ice-hockey. In fact, I never miss a match if I can help it.

31

335

К СОЖАЛЕНИЮ, НЕ СМОГУ...
SORRY, BUT I CAN'T...

??
Как сказать?

Impossibility:
How do I say I am unable to do something, and give
a reason, express regret?

– Ты можешь не
опаздывать?
– К сожалению, не
могу...
"Can you ever be on
time?"
"Sorry, but I can't..."

336

ГОТÓВИМСЯ К КОНЦÉРТУ

Tonight we're not going to the circus, the pictures, the theatre... we're not going anywhere... We're going to stay in and prepare some numbers for the concert-cum-cabaret tomorrow night... Tomorrow is the final day of the Olympiad. In the morning there'll be the awarding of the medals and the closing ceremony, then in the evening there'll be a special farewell dinner, and after that... well... a sort of amateur international cabaret, with a disco dance to finish.

We've got to decide what we're going to do for the cabaret bit, and get ourselves organised...

1 Yura and Tanya have stayed on after supper to give us a helping hand, and Carol's talent is clearly in need of some material support...

Т á н я. Ребя́та, что вы бу́дете де́лать на концéрте?

Лá рри. Ты зна́ешь, Кэ́рол игра́ет на гита́ре. И хорошó поёт...

Кэ́ р о л. Нет, пою́ я плóхо. А гита́ра... Игра́ть я, к сожалéнию, не смогу́. У меня́ нет гита́ры...

Ю́ р а. Ничегó, у меня́ есть гита́ра. Я тóже игра́ю. Я тебé её дам.

Кэ́ р о л. Тогдá хорошó.

2 Larry is in two minds about what to play...

Т á н я. А ты, Ла́рри, что бу́дешь де́лать?

Лá рри. Я бу́ду игра́ть на пиани́но.

Ю́ р а. А что ты бу́дешь игра́ть?

Лá рри. Мóжет быть, „Временá гóда" Чайкóвского? Как ты ду́маешь?

Т á н я. Чайкóвского? Прекрáсно!

3 Yura and Tanya have something already lined up for Susan... They belong to an amateur dramatics club at school...

Ю́ р а. Сью́зан, мы в шкóле де́лали капу́стник на англи́йском языкé...

Т á н я. ...и написáли ру́сский вариáнт для Олимпиáды.

Ю́ р а. Там есть роль для тебя́. Хóчешь игра́ть?

32

Сьюзан. Конечно, хочу. Как хорошо! Давайте! Где текст?

[4] Steve is having his arm twisted... Well, he's been telling all these jokes on the bus, and doing tricks with cards and coins—I think he belongs to some sort of amateur Magic Circle or something... Anyway, Tanya is trying to persuade him to perform a few conjuring tricks...

Таня. Стив, ты должен показать на вечере свои фокусы...

Стив. Ты думаешь?

Таня. Конечно. Ты так прекрасно их делаешь.

Стив. К сожалению, я не смогу... Мне нужно много разных предметов для этого.

Юра. А что тебе нужно?

Стив. Ну, большой чёрный платок... коробка, мяч, яйца... и ещё жёлтая и зелёная бумага...

Юра. Стив, мы это достанем. Это всё?

Стив. А что ещё ты можешь достать? Пару голубей сможешь?

Юра. Попробую!

[5] Never was so much talent... And what am I going to do? I know I'll teach our group a Highland dance... and we'll all do it together... that should really get them all going!..

Фийона. Ребята, давайте на концерте все вместе будем танцевать "Eightsome Reel".

Юра. Что это значит?

Фийона. Reel—это шотландское слово, значит „танец". Танцуют восемь человек...

Юра. Понятно.

Таня. Шотландский танец? Очень хорошо! Давайте!

Стив. Я, к сожалению, не смогу... Я не умею...

Таня. Я тоже не умею. Фийона, ты нас научишь?

Фийона. Конечно.

Стив. А музыка? У нас нет музыки...

Фийона. У меня есть пластинка...

Стив. Хорошо. Давайте!..

Образец

1. Saying I am unable to do something.
Asking why.
Giving a reason.

338

– Я не могу́ сего́дня	игра́ть на гита́ре. писа́ть пи́сьма. купи́ть пода́рок. пойти́ в теа́тр. игра́ть в сквош.

– Почему́?	– У меня́ нет	гита́ры. ру́чки. де́нег. биле́та. вре́мени.

2. Asking whether someone knows how to do something (e. g. drive a car).
Saying whether I can or can't.

– Ты уме́ешь – Вы уме́ете	пла́вать? води́ть маши́ну? де́лать фо́кусы? танцева́ть вальс? рисова́ть?	– Да, уме́ю. – Нет, не уме́ю.

3. Asking what someone will be doing (e. g. tonight). Telling.

– Что	ты бу́дешь вы бу́дете	де́лать	сего́дня за́втра в суббо́ту в воскресе́нье	ве́чером?

– Я бу́ду	де́лать уро́ки. чита́ть. писа́ть пи́сьма. смотре́ть телеви́зор. слу́шать пласти́нки. игра́ть в бадминто́н. игра́ть на пиани́но. рисова́ть. танцева́ть в дискоте́ке. пла́вать в бассе́йне. занима́ться дзюдо́.	А	ты? вы?

32

I. Role playing

Поговорим, поиграем

„У МЕНЯ́ НЕТ ВРЕ́МЕНИ"

Read through the dialogues with your partner. Then make up your own variations of them, suggesting different things, and reasons why you can't...

1. — Дава́й пойдём сего́дня в дискоте́ку.
   — В дискоте́ку? К сожале́нию, не могу́.
   — Почему́?
   — У меня́ нет вре́мени. Я до́лжен / должна́ де́лать уро́ки.
   — Мо́жет быть, пойдём в суббо́ту ве́чером?
   — Мо́жет быть.

2. — Дава́й сыгра́ем в ша́хматы.
   — Когда́?
   — Сейча́с.
   — Нет. Сейча́с не могу́...
   — Почему́?
   — У меня́ нет вре́мени. Я до́лжен / должна́ ко́нчить э́то сочине́ние. Дава́й сыгра́ем за́втра.
   — Хорошо́, дава́й.

3. — Дава́й пойдём за́втра в теа́тр.
   — За́втра? К сожале́нию, не могу́...
   — Почему́?
   — Я до́лжен / должна́ быть на ле́кции.
   — Дава́й пойдём в пя́тницу.
   — Хорошо́, в пя́тницу.

II. Find out

„ЧТО ОНИ́ БУ́ДУТ ДЕ́ЛАТЬ?"

1. Ask how Sveta, Oleg, Valya and Vadim will be spending their evenings during the week.
Example

> — Что бу́дет де́лать Све́та в воскресе́нье ве́чером?
> — Она́ бу́дет игра́ть в волейбо́л.

2. Then play the parts of the characters and ask each other what you will be doing on a particular evening.
Example

> Оле́г. Све́та, что ты бу́дешь де́лать в воскресе́нье ве́чером?
> Све́та. Я бу́ду игра́ть в волейбо́л. А ты?
> Оле́г. Я бу́ду смотре́ть по телеви́зору футбо́л.

3. Play the part of an individual character. Your partner rings you up and suggests playing something or going somewhere. Say you can't, because you will be doing something else on that evening.

Examples

> — Свéта, давáй пойдём в кинó в воскресéнье вéчером.
> — Нет, я не могý. Я бýду игрáть в волейбóл.

III. Role playing

"REHEARSAL"

Imagine you are preparing for the concert at the Olympiad. First read through the dialogues with your partner, and decide on the right verb form to complete each one.

Then try re-enacting the dialogues from your memory of the situation.

The guitar

Кэ́рол. Юра, когдá ты мне ... гитáру? Концéрт зáвтра.

Ю р а. Не беспокóйся, я здесь бýду ýтром в дéвять часóв, и тогдá я тебé ... гитáру. Хорошó?

Кэ́рол. Хорошó. Спасúбо.

The sketch

Тáня. Сьюзан, возьмú, пожáлуйста. Это текст нáшего капýстника.

Сьюзан. Спасúбо. А что мне нáдо дéлать: танцевáть, петь, говорúть?

Тáня. Посмотрú сначáла текст. Это твоя́ роль. Прочитáй её, и тогдá я тебé ..., что тебé нáдо дéлать.

The conjuring tricks

Ю р а. Стив, ты ... фóкусы?

Стив. Да, покажý, éсли ты ... мне нýжные предмéты.

Ю р а. Не беспокóйся. Вéщи обязáтельно бýдут. Я всё достáну и ýтром тебé принесý.

Стив. Хорошó.

The Eightsome Reel

Тáня. Фийóна, когдá ты нас ... танцевáть „Эйтсом рил"?

Фийóна. Мóжно сейчáс. А где мýзыка?

Тáня. Внизý, на трéтьем этажé. Я сейчáс пойдý тудá и ... прóигрыватель.

On the metro afterwards

Тáня. Юра, ты ... достáть для Стúва корóбку, бумáгу, я́йца?

Ю р а. Конéчно, ...

Тáня. А голубéй?

Ю р а. Это трýдно, но я их ... !

32

341

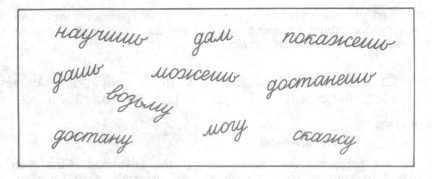

научишь   дам   покажешь

дашь   можешь   достанешь

возьму

достану   могу   скажу

IV. Game
"SPOT THE DIFFERENCE"

You play this game in pairs, without looking at your partner's picture. Both pictures are of Yura's room at home, but there are certain differences: there may be things missing, there may be different objects, there may be more of one thing in one picture than in the other.

There are 14 differences altogether.

How many can you find by talking to each other (in Russian), by saying what is in your picture, and asking about your partner's picture?

V. Role playing
"ONLY DON'T FORGET ... "

1. Requesting and promising

You ask your friend to get something for you at the shops. You haven't time to get it yourself.

Example

> — Борис / Ва́ля, ты не мо́жешь купи́ть хлеб? У меня́ сего́-
> ня нет вре́мени.
> — Коне́чно, могу́.
> — То́лько не забу́дь, пожа́луйста.
> — Нет, не забу́ду. Куплю́ обяза́тельно.

чай, ко́фе, са́хар, ма́сло, сыр, молоко́, фру́кты, я́блоки, апельси́ны

2. Forgetting and apologising

You ask your friend whether he's/she's got what you wanted. (Guess what? Right first time. A memory like a sieve...)

Example

> — Борис / Ва́ля, ты купи́л(а) хлеб?
> — Хлеб? Ах, забы́л(а)!
> — „Куплю́ обяза́тельно"...
> — Ой, извини́, пожа́луйста...
> — Ничего́...

342

VI. Puzzle

TIME EXPRESSIONS

Pick out an expression of time from below which is an appropriate reply to each of these questions.

еще нет   иногда   полчаса
завтра   вчера   в восемь часов
вечером   летом
восемнадцать лет   десять часов

1. Ско́лько вре́мени е́хать отсю́да в центр?
2. Когда́ ты ку́пишь пода́рки?
3. Ско́лько сейча́с вре́мени?
4. Вы уже́ сде́лали уро́ки?
5. Ско́лько вам лет?
6. Когда́ ты игра́ешь в кри́кет и́ли те́ннис?
7. Вы хо́дите в кино́?
8. Когда́ вы бы́ли в теа́тре?
9. Когда́ ты обы́чно встаёшь у́тром?

❗ Грамма́тика

1. The Genitive Case

Its use in the negative construction **У меня́ нет / не́ было / не бу́дет...**

You know that the Genitive Case is used with the preposition **у** in sentences like:

У меня́ есть гита́ра.

You have now also met examples of a further use of the Genitive Case after the negative word **нет** in sentences like:

У меня́ нет гита́ры.

Compare the two sentence patterns in these tables:

Gen.		Nom.	Gen.		Gen.
		брат.			бра́та.
У меня́	есть	сестра́.	У меня́	нет	сестры́.
		письмо́.			письма́.
		де́ньги.			де́нег.

In the Past Tense the patterns are like this:

Gen.		Nom.	Gen.		Gen.
У меня	был была́ бы́ло бы́ли	биле́т. ру́чка. ме́сто. конфе́ты.	У меня	не́ было	биле́та. ру́чки. ме́ста. конфе́т.

And in the Future Tense like this:

Gen.		Nom.	Gen.		Gen.
У меня́	бу́дет	уро́к. ле́кция. вре́мя.	У меня́	не бу́дет	уро́ка. ле́кции. вре́мени. уро́ков.
	бу́дут	уро́ки.			

2. Verbs

1) The Present Tense of the verb **мочь,** 'can / be able to'

Я		могу́	игра́ть на конце́рте.
Ты		мо́жешь	показа́ть фо́кусы.
Он/Она́	(не)	мо́жет	пойти́ в кино́.
Мы		мо́жем	купи́ть биле́ты.
Вы		мо́жете	отве́тить на вопро́сы.
Они́		мо́гут	пойти́ на футбо́л..

This is an irregular verb. Which conjugation do the personal endings belong to?
In which persons does the stem end in **г** or **ж?**
Is the stress in the same place for all persons?
You will use this verb when you say that you are able / unable to do something,
i. e. it will / will not be in your power to do something, for some reason or other.
You do not use it when you say you can / do play a sport or musical
instrument. The Present Tense alone is sufficient for this in Russian.

— Я игра́ю на пиани́но.   'I play / can play the piano'.
— Ты игра́ешь в ша́хматы?   'Do you / can you play chess?'
— Да, игра́ю.   'Yes, I do / can'.

You use the verb **уме́ть** in Russian to say that you can or cannot do something,
when it is a matter of 'knowing how to', i. e. having the necessary skill. It is used
in a limited number of cases.

— Ты уме́ешь пла́вать?   'Can you swim?'
— Нет, не уме́ю.   'No, I can't.' (I haven't learned how to.)

2) Verb 'families'

You know the verb pair **дава́ть — дать,** 'to give'.

By the addition of prefixes to these 'root' verbs, other verbs are formed with a more particular meaning. For example, the addition of the prefix **пере-,** meaning 'across', from one person or place to another, forms the new verb **передава́ть — переда́ть,** which means 'to pass' (the salt) or 'to transmit' (a TV programme).

Once you know the tense forms of one pair of verbs in a particular 'family', then you know the forms for all the others as well.

Example

> дать: Я тебе́ дам реце́пт.
>
> переда́ть: Я переда́м твой а́дрес мое́й учи́тельнице.

You have met uses of this group of related verbs:

> встава́ть — встать, 'to get up'
>
> достава́ть — доста́ть, 'to get, obtain' (tickets)
>
> устава́ть — уста́ть, 'to be, get tired'

The Present and Future Perfective tense forms for **встава́ть — встать** are:

Present Tense: **встаю́, встаёшь, встаю́т.**

Future Perfective: **вста́ну, вста́нешь, вста́нут.**

What are the forms for the other two verb pairs?

Can you give the Past and Future Perfective forms for this group of verbs concerned with speaking:

> говори́ть — сказа́ть, 'to say / tell'
>
> расска́зывать — рассказа́ть, 'to talk about, relate'
>
> переска́зывать — пересказа́ть, 'to retell' (a text, story)

In this lesson you have met the Perfective verb **забы́ть,** 'to forget'.

> Я забы́л(а). 'I forget / have forgotten.'
>
> Я не забу́ду. 'I won't forget.'

Can you say which 'root' verb **забы́ть** is formed from?

Note that the Imperfective verb is **забыва́ть,** but use the Present Tense only with frequency words like 'always, often':

> Я всегда́ / ча́сто забыва́ю.

Use the Past Perfective form **Я забы́л(а)** when you want to say 'I forget' (I've forgotten).

The Imperative form is:

> Не забу́дь(те), пожа́луйста.

What must the Imperative form of the verb **быть** be?

3. Revision summary

The forms of the Demonstrative pronoun **э́тот** in all six Cases, singular and plural.

		Masc.			Fem.
Nom.	Кто	э́тот	ма́льчик?	э́та	де́вочка?
Acc.	Ты зна́ешь	э́того	ма́льчика?	э́ту	де́вочку?
Gen.	Как фами́-лия	э́того	ма́льчика?	э́той	де́вочки?
Dat.	Что она́ написа́ла	э́тому	ма́льчику?	э́той	де́вочке?
Instr.	Мы игра́ли с	э́тим	ма́льчиком?	э́той	де́вочкой?
Prep.	Он говори́т об	э́том	ма́льчике?	э́той	де́вочке?

		Plur.	
Nom.	Кто	э́ти	де́ти?
Acc.	Ты зна́ешь	э́тих	дете́й?
Gen.	Как фами́лия	э́тих	дете́й?
Dat.	Что она́ написа́ла	э́тим	де́тям?
Instr.	Мы игра́ли с	э́тими	детьми́?
Prep.	Он говори́т об	э́тих	де́тях?

Figure it out

What would the neuter forms be in the Nominative and Accusative singular, e. g. with the noun **ме́сто**? And in all other Cases?

What would the masculine singular and plural forms for the Accusative Case be with, e. g. the noun **журна́л?**

What do you notice about the feminine forms in the Genitive, Dative, Instrumental and Prepositional Cases?

Are you eagle-eyed? Can you spot an 'odd' noun spelling in this table?

Почитаем

Анке́та

The daughters of Karl Marx produced a questionnaire for their father to answer. This questionnaire (a sort of "personality test" game) has become well-known among Soviet schoolchildren.

Nadya Rusheva had a friend, who wrote to her and asked her to send him her answers to the questionnaire. Nadya's answers were published in the magazine "Yunost".

Here is what she wrote:

1. Досто́инства, кото́рые вы бо́льше всего́ це́ните в лю́дях?
   ДОБРОТА́, ЧЕЛОВЕ́ЧНОСТЬ, НЕПОСРЕ́ДСТВЕННОСТЬ.

2. В мужчи́не? —,,—

3. В же́нщине? СКРО́МНОСТЬ. —,,—

4. Отличи́тельная черта́? ЛЕГКОВЕ́РИЕ.
5. Представле́ние о сча́стье? ДРУ́ЖБА.
6. О несча́стье? ОДИНО́ЧЕСТВО.
7. Что вы не лю́бите? МАТЕМА́ТИКУ, ФИ́ЗИКУ, ХИ́МИЮ И НЕ́КОТОРЫХ МАЛЬЧИ́ШЕК.
8. Люби́мое заня́тие? РЫ́ТЬСЯ В КНИ́ГАХ, РИСОВА́ТЬ, БОЛ-ТА́ТЬ С ДРУЗЬЯ́МИ.
9. Люби́мый поэ́т? МАЯКО́ВСКИЙ, ПУ́ШКИН.
10. Проза́ик? Л. ТОЛСТО́Й.
11. Геро́й? ПЬЕР БЕЗУ́ХОВ, МА́ЛЕНЬКИЙ ПРИНЦ.
12. Герои́ня? НАТА́ША РОСТО́ВА.
13. Цвет? КРА́СНЫЙ, ЧЁРНЫЙ, ФИОЛЕ́ТОВЫЙ.
14. И́мя? АЛЕКСА́НДР, НАТА́ША, О́ЛЬГА.
15. Блю́до? МОРО́ЖЕНОЕ.
16. Изрече́ние? Ра́зные посло́вицы, наприме́р: „БЕЗ ТРУДА́ НЕ ВЫ́НЕШЬ И РЫ́БКУ ИЗ ПРУДА́“.
17. Деви́з? „ВПЕРЁД, ЛОМА́Я И УГА́ДЫВАЯ“.

1. Read the questionnaire and Nadya's replies. Use a dictionary to look up the meaning of unknown words.
2. Do you think Nadya's replies reveal her personality? How would you interpret her answers?
3. Would you like to try out the questionnaire on yourself, or some of your friends?
4. Natasha Rostova and Pierre Bezukhov are characters in one of Tolstoy's most famous novels. Do you know which one?

Страноведе-ние

NEW YEAR

32

The other day we were talking about holidays, and Steve was telling me how he usually spends Christmas. Fiona joined in and told me about Hogmanay in Scotland.

And in the USSR? Well, I expect you know that December 25th is just an ordinary day in our country, but that January 1st certainly is not. In fact, New Year is my favourite holiday — I like the parties, the presents, the delicious

Новогодняя ёлка
The New Year Tree

food and, of course, the New Year tree. We always have a real fir tree at home — I love the smell of the tree — and I like decorating it with trimmings and lights.

Our school also has a New Year tree and parties. The younger children sing and dance around the New Year tree, and, of course, Santa Claus (our Ded Moroz) comes, with his big white beard and his red cloak. And he's always accompanied by the Snow Maiden, his granddaughter "Snegurochka", who helps him give out the presents from his sack. The older children also have their New Year's school party.

At home we have a New Year's Eve family party, when we invite our friends and relatives, and stay up late to see the New Year in. Just before midnight we turn the TV on, and when the Kremlin Chimes strike, we all raise our glasses, wish each other a Happy New Year, and dance...

33

тридцать
третий

ПОЗДРАВЛЯЮ!
CONGRATULATIONS!

??
Как сказать?

Expressing feelings:
How do I congratulate someone, express admiration, and say how pleased I am about their success?

Поздравляем победителей Олимпиады!
Congratulations to the Olympiad winners!

МЫ ПОЛУЧИ́ЛИ МЕДА́ЛИ!

Sunday, 28th June. Well, this is it... the moment of truth... the Closing Ceremony and the awarding of medals. We're all assembled in the conference hall at the University again, and there are flowers and photographers everywhere, and the hall is buzzing with excited chatter...

There's an expectant hush as the Olympiad Organiser steps forward to speak.

1 He congratulates all the participants on the standard of their performance in the competition, and then comes, finally, to read out the lists of medal winners, country by country in alphabetical order, starting with the gold medal winners...

Председа́тель жюри́. Снача́ла золоты́е меда́ли... А́встрия... Бе́рнхард Вейс и Ка́рин Топф... Болга́рия... Рене́та Дими́трова, Ро́сица Цвета́нова, Ди́ма Алекса́ндров...

Та́ня. Ребя́та, сейча́с бу́дет Великобрита́ния...

Председа́тель. Великобрита́ния... Сти́вен Уи́нтерс... и Фийо́на Маке́нзи...

Ю́ра. Ура́! Фийо́на, ты получи́ла золоту́ю меда́ль!

Фийо́на. Я? Золоту́ю меда́ль? Не мо́жет быть!

Та́ня. Стив, Фийо́на, поздравля́ю! Молодцы́!

Ала́н. Да, молодцы́ ребя́та!

Председа́тель. Ита́лия... Андре́а Доне́сти... Альбе́рто Ве́цци... Румы́ния... Ма́рта Симоне́ску... США... Джейн Зи́глер... Ло́уренс Ро́джерс...

Та́ня. Молоде́ц, Ла́рри. Как я ра́да!

Ю́ра. Поздравля́ю! Я был уве́рен, что ты полу́чишь золоту́ю меда́ль!

2 After the presentations, the hall is buzzing again as everyone shows each other their medals, diplomas and certificates... Susan has found her friend, Sirka...

Си́рка. Сью́зан, у тебя́ кака́я меда́ль?

Сью́зан. Серебряная. А у тебя́?

Си́рка. А у меня́ бро́нзовая...

Сью́зан. Покажи́, пожа́луйста...

[3] Carol asks a Swedish girl whether she got a medal...

Кэ́рол. Кари́на, ты получи́ла меда́ль?

Кари́на. Нет. Но я получи́ла гра́моту. По-смотри́. А ты что получи́ла?

Кэ́рол. Я получи́ла серебряную меда́ль. Вот она́.

[4] Yura looks for Susan in the crowd to congratulate her on her silver medal, and finds her holding an illustrated book on the Bolshoi Ballet...

Ю́ра. Сью́зан, что э́то тако́е?

Сью́зан. Это приз за лу́чшее сочине́ние.

Ю́ра. Ты молоде́ц! Получи́ла и серебряную ме-да́ль, и приз.

▲

Образец

Congratulating someone.
'Thanks'.

— Поздравля́ю. Молоде́ц!
— Поздравля́ем. Молодцы́!   — Спаси́бо.

✪

Поговори́м, поигра́ем

I. Find out

„ЧТО ОНИ́ ПОЛУЧИ́ЛИ?"

1. Ask what medals were received by these individual participants in the Olympiad.
Example

— Что получи́ла Джейн?
— Бро́нзовую меда́ль.

2. Then play the parts of the characters and ask each other what you got.
Example

(Ки́рстен)
— Джейн, что ты получи́ла?
— Бро́нзовую меда́ль. А ты?
— Золоту́ю.

Congratulate each other:
— Поздравля́ю! Молоде́ц!

33

II. Role playing

„ИЗВИНИ́, ПОЖА́ЛУЙСТА … ”

Borrowing and lending, remembering and forgetting, promises and apologies...
Make sure you'll get back what you loaned to your partner. (You can use the
words below to vary the dialogue.) Stay friends!
Example

> Ле́на. Ма́ша, в сре́ду я дала́ тебе́ кни́гу о гимна́стике...
>
> Ма́ша. Да!
>
> Ле́на. Ты сказа́ла, что принесёшь её сего́дня.
>
> Ма́ша. Ах, я забы́ла! Она́ у меня́ до́ма... Извини́, пожа́луйста...
>
> Ле́на. Ничего́... А когда́ ты её принесёшь?
>
> Ма́ша. Я принесу́ её за́втра..
>
> Ле́на. Хорошо́. То́лько не забу́дь, пожа́луйста.
>
> Ма́ша. За́втра я не забу́ду. За́втра я принесу́ кни́гу обяза́тельно.

пласти́нка, журна́л „Спорт в СССР“, кни́га о компью́терах, магнитофо́н

III. Puzzle

RUSSIAN WORDSEARCH

Can you find 20 Russian words in the square and match them up to the clues?
Clues

1. Го́род в СССР.
2. Респу́блика в СССР.
3. Ру́сский суп.
4. Сто копе́ек.
5. Его́ мо́жно пить.
6. Его́ мо́жно есть.
7. Вре́мя го́да.
8. Шко́льный предме́т.
9. Страна́ в Евро́пе.
10. Вид тра́нспорта.
11. Четвёртый день неде́ли.
12. Он рису́ет карти́ны.
13. Фрукт.
14. Вид иску́сства.
15. На́ша плане́та.
16. Ру́сский музыка́льный инструме́нт.

```
а б л е н и н г р а д л м р б
х л е б в ж д о ч ф с т х н а
у ш к п о а н в г р у б л ь л
д л с о м б у к р а и н а в а
о г л и ф ф п х ц н р т а д л
ж д з л м е с т ф ц о п е р а
н с в у я т г в е и щ м п н й
и ш о л п ш т д ю я д в и т к
к н м с в к н з с г с с в б а
в е с к н а м с т а ь л б щ д
з х ш в л н с т в л м к р ж л
к ч е т в е р г е с ш о н т с
д к о х л в н п х ф б х л к в
о ш р с т п а н м о р е г ё с
м н г е о г р а ф и я с в л т
```

17. Зда́ние.
18. Он из Шотла́ндии.
19. Чёрное / Кра́сное / Бе́лое / Жёлтое...
(Solution is in the Keys section.)

IV. Role playing

„КОГДА́?"

A. You ring up your partner in the evening.
You want to fix up a game of tennis for tomorrow.
You suggest playing at 3 o'clock in the afternoon.
You have to be at a lecture in the morning, which doesn't finish until 11.00.
You could play in the evening if your partner wants, at, say, 6 or 7 o'clock.
You start (dzin', dzin')
B. You are at home in the evening watching TV. You have just seen the weather forecast — tomorrow will be sunny in the morning, with rain in the afternoon, clearing up later.
The phone rings — it's a friend you often play tennis with.

You would really like a game tomorrow morning at, say, 10 o'clock.
You need to buy some things in town sometime during the day.

V. Puzzle

SEQUENCES

Say what the next number must be.
Example

2, 4, 6, 8, 10, ...
— Сле́дующий но́мер до́лжен быть двена́дцать.

1) 1, 3, 5, 7, 9, ...
2) 3, 6, 9, 12, ...
3) 6, 12, 18, 24, 30, 36, ...
4) 2, 4, 8, 16, 32, ...
5) 63, 54, 45, 36, 27, ...
6) 1, 8, 3, 6, 5, 4, 7, ...
7) 1, 3, 2, 4, 3, 5, 4, ...
8) 1, 5, 25, ...
9) 1, 2, 6, 24, ...
10) 2, 8, 4, 16, 8, 32, ...
(Answers are in the Keys section.)

VI. Classify

Group the words below into two categories: those which are concrete objects and those which are not.

платок   наука   работа   яйцо
искусство   часы   коробка   жизнь
мяч   культура   музыка   стол
вопрос   бумага   карандаши   время

Грамма́тика

1. Verbs

The Future Tense of the Perfective verb **принести́**, 'to bring'

Я	принесу́	кни́гу	
Ты	принесёшь	пласти́нки	
Он/Она́	принесёт	де́ньги	за́втра.
Мы	принесём	фотогра́фии	у́тром.
Вы	принесёте	откры́тки	
Они́	принесу́т	ма́рки	

354

The corresponding Imperfective verb is: **приноси́ть (приношу́, прино́сишь, прино́сят)** which you will not use at present, but might need to recognise in your reading.

2. Revision summary

Adjective forms in all six Cases, singular and plural

1) Masculine singular

Nom.	Это мой	хоро́ший	но́вый	ру́сский	друг.
Acc.	Ты зна́ешь моего́	хоро́шего	но́вого	ру́сского	дру́га.
Gen.	Это фотогра́фия моего́	хоро́шего	но́вого	ру́сского	дру́га.
Dat.	Она́ пи́шет моему́	хоро́шему	но́вому	ру́сскому	дру́гу.
Instr.	Они́ игра́ют с мои́м	хоро́шим	но́вым	ру́сским	дру́гом.
Prep.	Он говори́т о моём	хоро́шем	но́вом	ру́сском	дру́ге.

2) Feminine singular

Nom.	Это моя́	хоро́шая	но́вая	ру́сская	подру́га.
Acc.	Ты зна́ешь мою́	хоро́шую	но́вую	ру́сскую	подру́гу.
Gen.	Это фотогра́фия мое́й	хоро́шей	но́вой	ру́сской	подру́ги.
Dat.	Она́ пи́шет мое́й	хоро́шей	но́вой	ру́сской	подру́ге.
Instr.	Они́ игра́ют с мое́й	хоро́шей	но́вой	ру́сской	подру́гой.
Prep.	Он говори́т о мое́й	хоро́шей	но́вой	ру́сской	подру́ге.

3) Plural (all genders)

Nom.	Это мои́	хоро́шие	но́вые	ру́сские	друзья́.
Acc.	Ты зна́ешь мои́х	хоро́ших	но́вых	ру́сских	друзе́й.
Gen.	Это фотогра́фия мои́х	хоро́ших	но́вых	ру́сских	друзе́й.
Dat.	Она́ пи́шет мои́м	хоро́шим	но́вым	ру́сским	друзья́м.
Instr.	Они́ игра́ют с мои́ми	хоро́шими	но́выми	ру́сскими	друзья́ми.
Prep.	Он говори́т о мои́х	хоро́ших	но́вых	ру́сских	друзья́х.

Figure it out

What would the masculine Accusative Case forms of these adjectives be when used with an inanimate noun like **фотоаппара́т?**

What would the neuter forms be in the Nominative and Accusative Cases when these adjectives are used with, e. g. **вино́?**

Pick out instances in the three tables where the adjective ending is affected by the spelling rules:

a) ы ——→ и after letters г, к, х, ж, ч, ш, щ;

b) unstressed о ——→ е after letters ж, ч, ш, щ, ц.

33

Look at the feminine singular table. What can you say about the forms in the Genitive, Dative, Instrumental and Prepositional Cases?
Compare the masculine singular endings for the Instrumental Case with the Dative plural endings.
Compare the Genitive plural endings with the Prepositional plural endings.
What conclusions do you come to?
Are there different endings for masculine, feminine and neuter nouns in the plural forms?
In which instances in the three tables can you see forms which result from the 'Animate Accusative' rule?
An adjective like **после́дний, си́ний, сре́дний, ли́шний** would differ slightly from the forms for **хоро́ший** in just two instances. Can you say which? (If not, refer back to the grammar section in Lessons 11 and 14, or maybe just ask your teacher, hm?)
4) You now have a full picture of adjective forms.
Test yourself on the three tables: down the columns through all Cases; across for all forms for each Case. Turn on the brain power. Master them. Show them who's boss around here.

Почита́ем

I. Олимпиа́да. Пи́сьменный экза́мен
You know that the Olympiad includes a written test.
Here is a list of topics from the 2nd and 3rd Olympiads.
The participants select one and write a short essay.

1. Пусть всегда́ бу́дет со́лнце.
2. О Ро́дине, о дру́жбе, о себе́.
3. 2000 год: каки́м ты представля́ешь своё бу́дущее?
4. Изуча́ть язы́к—поня́ть ду́шу наро́да.
5. Нас подружи́ла Москва́.
6. Мой люби́мый ру́сский (сове́тский) писа́тель.
7. Все рабо́ты хороши́—выбира́й на вкус.
8. В чём красота́ челове́ка?

1. Read through the list. Look up unknown words in a dictionary, and ask your teacher to explain anything you cannot understand.
2. How do you like these topics? Which one might you pick if you had to write an essay on one of them in English?

II. Олимпиа́да. Сочине́ние
Rita Engels, from West Germany, chose topic number four in the list, and here is what she wrote in her essay.

Ру́сский язы́к я изуча́ю почти́ три го́да, и, коне́чно, мне нелегко́. Но мой труд уже́ принёс свои́ результа́ты. Владе́ние каки́м-либо иностра́нным языко́м—э́то не то́лько возмо́жность познако́миться с литерату́рой да́нной страны́ в оригина́лах и́ли возмо́жность делов́ых конта́ктов с людьми́. Ведь благодаря́ зна-нию языко́в лю́ди ра́зных стран мо́гут лу́чше понима́ть друг дру́га, а зна́чит — дружи́ть.

А благодаря́ ру́сскому языку́ у меня́ появи́лось мно́го друзе́й в Сове́тском Сою́зе. Мне и да́льше хоте́лось бы соверше́нствовать свои́ зна́ния в ру́сском языке́. Чем лу́чше ты зна́ешь язы́к, тем бо́льше у тебя́ возмо́жностей поня́ть люде́й да́нной страны́ и быть по́нятой. Моё бу́дущее мне соверше́нно я́сно. Я хочу́ стать учи́тельницей, научи́ть свои́х ученико́в доброте́, и́скренности. И я приложу́ все уси́лия, что́бы дости́чь хоро́ших результа́тов.

Молодёжь ка́ждой страны́ должна́ понима́ть свои́х све́рстников во всём ми́ре. Э́то помо́жет сде́лать на́шу плане́ту счастли́вой.

1. Can you extract the main points from the essay without looking up every unknown word?
2. What does Rita consider to be the main purpose of learning a foreign language, and Russian in particular?

NATIONAL HOLIDAYS IN THE USSR

Страноведе-ние

We have a lot of National holidays in the Soviet Union. The most important ones are November 7th, May 1st, May 9th, March 8th and October 7th.

On November 7th we celebrate the anniversary of the Great October Socialist Revolution. This is the only occasion when we have a military parade in Red Square, followed by a civil procession involving people of all ages and occupations — factory workers, office workers, students and schoolchildren.

There is another procession on Red Square on the 1st of May, to mark International Labour Day. This is a bright and colourful procession, because of all the flowers.

May the 9th is Victory Day, when we celebrate the victory of the Soviet people over Nazi Germany. On this occasion people flock out into the streets to celebrate, to walk with their families and friends.

On our major national holidays the night sky is lit up by gigantic firework displays.

The 8th of March is International Women's Day. This is my favourite holiday, and you can probably guess why. This is the day when you find out what the boys think of you. The boys in our class usually give us flowers and small presents. All the men present cards, flowers and presents to the ladies.

Демонстрация на Красной площади
A procession on Red Square

33

357

Урок 34

тридцать четвёртый

ДАВАЙ ПОТАНЦУЕМ
LET'S DANCE

??
Как сказать?

Inviting:
How do I ask someone for a dance, or accept when someone asks me?

Красота и грация
Grace and beauty

На Олимпиаде

ПРОЩАЛЬНЫЙ ВЕЧЕР

And now it's the last night and everyone tries to make it something special. There's the celebration dinner, and then the concert-cabaret... A Dutch boy partners a Bulgarian girl for a waltz, some Greek girls dance the Sirtaki, we do our Eightsome Reel, other groups sing national songs, or sing or recite in Russian...

Susan managed to learn her words in time to perform the sketch with Yura and Tanya, Carol sings some lovely Country and Western, Larry is a smash hit on the piano, and Steve an even bigger smash with his eggs...

Then we round off a really enjoyable evening with a disco-dance.

1 Rolf invites me to dance... Oh, he's so polite!..

Рольф. Мо́жно тебя́ пригласи́ть?

Фийо́на. Пожа́луйста.

2 Yura thinks Carol is a good mover...

Ю́ра. Дава́й потанцу́ем! Как ты хорошо́ танцу́ешь!

Кэ́рол. Ты то́же неплохо́...

Ю́ра. Кэ́рол, ты не хо́чешь пить?

Кэ́рол. Хочу́.

Ю́ра. Пойдём вы́пьем со́ку.

Кэ́рол. Пойдём.

3 Steve and Tanya take a breather, and chat about their favourite pop groups...

Стив. Та́ня, тебе́ нра́вится э́та му́зыка?

Та́ня. Да. Я о́чень люблю́ поп-му́зыку.

Стив. Я то́же. А каки́е твои́ люби́мые гру́ппы?

Та́ня. Англи́йские и́ли ру́сские?

Стив. Англи́йские.

Та́ня. Мне нра́вится „По́лис".

Стив. А ру́сские?

Та́ня. „Мело́дия". А твоя́ люби́мая гру́ппа?

Стив. Я то́же люблю́ „По́лис". Но моя́ са́мая люби́мая—америка́нская гру́ппа „Иглс".

34

Образец

1. Asking someone for a dance.
Accepting.

– Мо́жно	тебя́ вас	пригласи́ть?

– Пожа́луйста.

– Дава́й – Дава́йте	потанцу́ем.

2. Complimenting someone.
"Thank you". Returning the compliment.

– Как	ты	хорошо́	танцу́ешь! поёшь! игра́ешь! говори́шь по-ру́сски!
	вы		танцу́ете! поёте! игра́ете! говори́те по-ру́сски!

– Спаси́бо.	Ты Вы	то́же	хорошо́. неплóхо.

Поговорим, поиграем

I. Talk about yourself
Do you have a favourite colour, pop group, filmstar?
Make out a list of your personal preferences to the headings below.
If you have no especial liking for an individual particular item, write: „Нет".
Then compare notes with your partner, other people in your class. Try to give a reason for your choice, and comment on your partner's. If you don't know how to say something, ask your teacher: „Как по-ру́сски ... ?"
Example

    — Мой люби́мый цвет — жёлтый. А твой?
    — Зелёный.

1. Мой люби́мый цвет ...
2. Моя́ люби́мая гру́ппа ...
3. Моя́ люби́мая кинозвезда́ ...
4. Моя́ люби́мая кни́га ...
5. Мой люби́мый вид спóрта ...
6. Моя́ люби́мая пласти́нка ...

7. Мой люби́мый предме́т ...
8. Моё люби́мое вре́мя го́да ...
9. Моя́ люби́мая футбо́льная кома́нда ...
10. Мой люби́мый фильм ...
11. Моя́ люби́мая телепереда́ча ...
12. Мой люби́мый день неде́ли ...
13. Мой люби́мый певе́ц ...
14. Моя́ люби́мая певи́ца ...
15. Мой люби́мый компози́тор ...
16. Мой люби́мый худо́жник ...

II. Role playing

„НЕ МОГУ́ ... "

A. You ring up your partner and suggest going out somewhere this evening (Monday). Decide where you want to go—something interesting you think your partner will want to go to. You have a pretty uneventful and ˙boring week ahead, so if it doesn't work out for tonight, keep trying—suggest other evenings. You start (dzin', dzin').

B. You are at home Monday evening. You are just about to start writing an essay which you must have finished by tomorrow when the phone rings. You answer it. Your diary is pretty full for this week: On Tuesday evenings you always go to gym club. On Wednesday you are going to a party. On Thursday you're playing badminton with... On Friday you usually have a piano lesson at 8 o'clock. On Saturday you want to watch your favourite TV programme, which starts at 9.00. You will have guests all day on Sunday (friends from another city?) You could miss, e. g. your TV programme, but that depends whether your partner is suggesting going somewhere you really want to go, doesn't it?

III. Puzzle

"MIND THE STEPPES"

Use the clues below to solve the puzzle. All the words are the first person singular of a verb in the Present tense or the Future Perfective, and they all end in -y.

Clues

1. — Библиоте́ка и́мени Ле́нина? Вот она́. Ви́дите?
   — О, да. ..... Большо́е спаси́бо.
2. Я из А́нглии. Я .... в Ма́нчестере.
3. — Ты уже́ была́ в Большо́м теа́тре?
   — Ещё нет. Но я ..... за́втра. Та́ня доста́ла биле́ты.
4. Я ещё не зна́ю, когда́ начина́ется хокке́й, но я позвоню́ вам за́втра и ......
5. — Дава́й послу́шаем пласти́нки.
   — Хорошо́, я сейча́с пойду́ и ...... прои́грыватель.

34

6. У меня́ есть о́чень краси́вые ви́ды Ки́ева. Хо́чешь, я тебе́ их ------ ?

7. Вы хоти́те пойти́ в консерва́торию? Хорошо́, я сего́дня ------- биле́ты.

8. Я ду́маю, что я о́чень пло́хо расска́зывал на экза́мене по странове́дению. Наве́рно, я не ------ меда́ль.

9. — Ты уже́ написа́л сочине́ние?
   — Ещё нет. Я ------ ве́чером.

10. Вы не уме́ете игра́ть в дартс? Тогда́ я вас ------. Это не тру́дно.

11. — А́ня, где ты бу́дешь отдыха́ть ле́том?
    — Ле́том? Я, наве́рное, ----- в Приба́лтику, на мо́ре.

12. Я не ---- пойти́ в магази́н. У меня́ нет вре́мени.

13. Я о́чень люблю́ пла́вать, и ча́сто ---- в бассе́йн.

1				У		
2				У		
3					У	
4				У		
5						У
6						У
7							У
8						У
9						У
10					У	
11					У	
12				У		
13				У		

(Check your answers in the Keys section.)
Can you say which are Present tense forms and which are Future Perfective?

IV. Completions

Can you select the appropriate verb from the box below to complete the dialogues? Write them out.

1. — Ты зна́ешь, я ... с о́чень симпати́чным ма́льчиком из Фра́нции. Его́ зову́т Пьер.
   — Ты бу́дешь с ним ... ?
   — Да. Он уже́ дал мне свой а́дрес.

2. — Что тебя́ ... журнали́стка?
   — Каки́е экза́мены нам на́до бы́ло ... и что нам бо́льше всего́ ... в Москве́.

3. — Во ско́лько вы обы́чно ... у́тром?
   — О́чень ра́но. В семь часо́в.

4. — ..., пожа́луйста, что вы должны́ бы́ли де́лать на у́стном экза́мене?
   — Нам на́до бы́ло ... на вопро́сы.

расскажи́те, встава́ли, отве́тить, перепи́сываться, понра́вилось, познако́милась, спроси́ла, сдава́ть

V. Chain

"KEY TO THE DOOR"

Can you get to the door by solving the puzzle?
Clues

1. День неде́ли.
2. Москва́ — о́чень большо́й ... .
3. Познако́мьтесь, э́то моя́ жена́, а э́то мой ... .
4. Как вас зову́т? Как ва́ше ... ?
5. Нью́тон люби́л э́тот фрукт.
6. — Э́то письмо́?
   — Нет, ... Посмотри́. Вот вид Ленингра́да.
7. — Ла́рри, ты отку́да?
   — Из США.
   — Ты ... ?

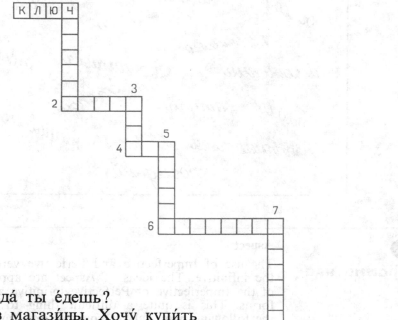

8. — Та́ня, куда́ ты е́дешь?
   — В ... , в магази́ны. Хочу́ купи́ть
     пода́рок ма́ме.
9. (В теа́тре)
   — Где на́ши места́?
   — Деся́тый ... , места́ шесть и семь.

(Solution is in the Keys section.)

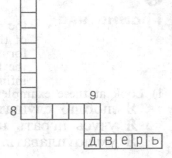

VI. Puzzle

ANTONYMS

Can you pair up words which are the opposite to each other in meaning?
Example

хорошо́ — пло́хо

(Answers are in the Keys section.)

много   первый   вход

большой   просто   жарко

лето   помнить   хорошо

выход   новый   холодно

правильно   мало

маленький   кончаться   забыть

плохо   трудно   старый

начинаться   зима   неправильно

последний

Грамматика

Aspect

The use of Imperfective and Perfective verbs in the form of the infinitive. The ideas of Aspect are applicable to the use of the Imperfective or Perfective infinitive as well as to tense forms. This is quite a difficult thing to get used to, but the following notes, about constructions involving uses of the infinitive which you have met in the course, should help.

1) Look at these examples:

Я люблю́ слу́шать поп-му́зыку.

Я учу́сь игра́ть на гита́ре.

Я уме́ю пла́вать.

In sentences like this, where the infinitive expresses doing something—listening, playing, swimming—an action which continues over a period of time, the Imperfective infinitive is bound to be used.

2) Similarly, to start or to finish 'doing something' means that the infinitive again expresses an action, continuing over a period of time.

Он начина́ет писа́ть.

Он ко́нчил чита́ть.

The verbs **начина́ть — нача́ть, конча́ть — ко́нчить** are always followed by an infinitive of the Imperfective Aspect. (Don't let the word 'finished' lead you into any confusion about 'completed action' here: it is the following infinitive that we are concerned with.)

3) Now look at these sentences:

Нам на́до бы́ло прочита́ть текст.

Мне на́до бу́дет купи́ть хлеб.

Она́ забы́ла купи́ть фру́кты.

Он забы́л написа́ть письмо́.

These examples are about 'getting something done': either the necessity of getting something done, or forgetting to do it.

In sentences like this you will use a Perfective infinitive.

4) In the following constructions it is possible to use either an Imperfective or a Perfective infinitive.

Compare the meaning of each pair of examples:

Мы хоти́м чита́ть.

Мы хоти́м прочита́ть э́ту кни́гу.

Я до́лжен писа́ть пи́сьма.

Я до́лжен написа́ть письмо́ подру́ге.

Я не могу́ писа́ть. (У меня́ нет ру́чки.)

Я не могу́ написа́ть сочине́ние сего́дня. (У меня́ нет вре́мени.)

Which infinitives express a continuing action, and which contain the idea of completion, getting something done?

Почитаем

Зада́чи по фи́зике

Academician Kapitsa is an outstanding contemporary Soviet physicist and a Nobel prize-winner. He is also famous among Soviet schoolchildren for the series of physics "puzzlers" he composed for them. All senior grade pupils with an interest in physics know about Kapitsa's puzzlers, which approach the known laws of physics from an unusual angle.

34

How would you like to sharpen your perception of the physical world and pit your originality of thought against these puzzlers?

Well, here they are.

1. Почему́ не́бо си́нее, а заря́ кра́сная?

2. Почему́ челове́к мо́жет бежа́ть по то́нкому льду?

3. Мóжет ли космонáвт в невесóмости вы́рыть я́му?
4. Мóжно ли в кóсмосе писáть авторýчкой?
5. Почемý дыхáнием мóжно согрéть рýку и остудúть чай?
6. Почемý киноэкрáн не дéлают зеркáльным?
7. Почемý близорýкие лю́ди щýрятся?
8. Почемý трýдно идтú по пескý?
Use a dictionary to look up unknown words.

DISCO DANCING

Страноведение

Our disco is not far from our flats. It's held nightly on weekdays from 7.30, and on Sundays from 6.30 till 11 p. m.

You have to buy a ticket to get into the disco, but it does not cost much. You can dance all evening, have refreshments, eat or just sit and talk with your friends. There's a nice, cosy atmosphere. We've got hi-fi equipment, disco lights, a big dance floor, and a projection screen...

Oh, I nearly forgot. We don't just enjoy ourselves at the disco. We start off with lectures... well, actually just talks about dancing and music, mainly dance music. We've had talks about ballroom, jazz and rock music. We have slide shows and see excerpts from demonstration films in which a particular dance is performed. Sometimes professional dancers come and demonstrate the steps, then join in and dance with us.

35

ДО СВИДАНИЯ!
GOODBYE!

??

Как сказать?

Parting:
How do I say farewell, express regret, give my good wishes?
What do I say when I give or receive a farewell present?

До встречи на следующей Олимпиаде!
Until we meet at the next Russian language competition!

ДО СВИДА́НИЯ, МОСКВА́!

Monday, 29th June. The celebrations and festivities of last night are over, and now the time has come to say goodbye... Nina, Tanya and Yura have come to the hostel to see us off, and we have a last chance to thank them for all their kindness during our stay...

People are saying goodbye, exchanging small gifts, promising to write...

1 Steve is giving Tanya an illustrated book about York...

Сти́в. Та́ня, у меня́ есть для тебя́ ма́ленький пода́рок. Вот, смотри́.

Та́ня. Э́то го́род, где ты живёшь?

Сти́в. Да. Альбо́м с ви́дами Йо́рка.

Та́ня. Како́й краси́вый! Спаси́бо большо́е!

2 Carol is delighted with a present from Yura...

Кэ́рол. Юра, ты мне да́ришь э́ту матрёшку? Кака́я больша́я!

Ю́ра. Откро́й её и посмотри́, что там внутри́.

Кэ́рол. О, там ещё одна́... и ещё... и ещё... Как интере́сно!

3 Larry is saying goodbye to Reneta...

Ла́рри. Рене́та, когда́ ты уезжа́ешь?

Рене́та. За́втра. А ты?

Ла́рри. Я сего́дня ве́чером. Как жаль уезжа́ть...

Рене́та. Мо́жет быть, мы ещё когда́-нибудь уви́димся?

Ла́рри. Коне́чно. Ты бу́дешь мне писа́ть?

Рене́та. Обяза́тельно.

4 We climb into the bus and wave goodbye as we set off for the airport...

— До свида́ния!

— До свида́ния!

— Счастли́вого пути́!

— Пиши́те!

— Обяза́тельно!

Образец

1. Giving someone a present.
Thanking. Expressing delight.

– У меня́ есть для | тебя́ / вас | ма́ленький пода́рок.

– Большо́е спаси́бо. | Матрёшка! Кака́я краси́вая! / Кни́га! Кака́я интере́сная!

2. Expressing regret at not being able to do something. "What a shame/pity"

– К сожале́нию, я не могу́ пойти́ | в кино́. / в теа́тр. / на футбо́л. / на конце́рт. | – Как жаль!

3. Saying goodbye.

— До свида́ния. — До свида́ния.

Поговорим, поиграем

I. Role playing

"HARD LUCK"

You fixed up to go out somewhere with your partner, but you have to call it off. Say you're very sorry about it, and explain why you can't go (think up your own reasons.) Your partner suggests going on another day.

Example

— К сожале́нию, я не могу́ пойти́ с тобо́й в дискоте́ку в пя́тницу.
— Как жаль! А почему́?
— Я до́лжен / должна́ быть до́ма. У нас бу́дут го́сти из Ки́ева.
— Тогда́ дава́й пойдём в сре́ду.
— Дава́й.

1. Я не могу́ пойти́ с тобо́й на футбо́л.
2. Я не могу́ пойти́ на конце́рт.
3. Я не могу́ пойти́ в теа́тр.
4. Я не могу́ пойти́ в бассе́йн. И т. д.

II. Game

"DESERT ISLAND DISCS"

You have been cast away on a desert island. (I suppose there is still one left somewhere—or at least there was, until you were cast away on it.)
A hi-fi stereo music centre awaits you in your little wooden hut. Make your choice.

Что вы возьмёте с собо́й?

1. Каки́е люби́мые пласти́нки ты возьмёшь? (Мо́жно взять то́лько три.)
2. Каки́е люби́мые кни́ги ты возьмёшь? (Мо́жно взять то́лько две.)
3. Каки́е предме́ты ты возьмёшь? (Мо́жно взять четы́ре.)

III. Puzzle

VERBOGLIDE

The words in this puzzle are all first person singular forms of first conjugation verbs ending in **-ю.**
Can you solve the puzzle, then pick out which are the Future Perfective forms?

1. Я о́чень люблю́ петь. В шко́ле я _ _ _ в хо́ре.
2. Я не хожу́ в бассе́йн. Я не _ _ _ _ пла́вать.
3. Я обы́чно _ _ _ _ _ полвосьмо́го.
4. Я _ _ _ _ _ _ в шко́ле в час.
5. В газе́тном кио́ске я обы́чно _ _ _ _ _ _ _ газе́ту „Сове́тский спорт“.
6. — Вы уже́ прочита́ли э́ту кни́гу?
   — Ещё нет. Я _ _ _ _ _ _ _ _ ве́чером.
7. Я хорошо́ учу́сь, всегда́ хорошо́ де́лаю уро́ки, никогда́ не _ _ _ _ _ _ _ _ _ в шко́лу.
8. — Ты зна́ешь, я получи́ла золоту́ю меда́ль.
   — О, _ _ _ _ _ _ _ _ _ _ _! Молоде́ц!
9. Я _ _ _ _ _ _ _ _ _ фотогра́фии ру́сским шко́льникам:
   — Э́то вид го́рода, где я живу́. А э́то мой дом.

10. — Я бо́льше не хочу́ де́лать уро́ки. Мо́жет быть, -- ------ ра́дио.

11. Когда́ они́ говоря́т по-япо́нски, я ничего́ не _____.

12. — До свида́ния. За́втра я _____.

— Как жаль! Ты бу́дешь мне писа́ть?

13. Я о́чень люблю́ футбо́л: я _____ за „Ли́верпуль".

14. Она́ не хо́чет пойти́ со мной в кино́. Не ____ почему́.

15. Я ___ друзья́м чита́ть свои́ кни́ги.

(Solution is in the Keys section.)

1			Ю						
2				Ю					
3					Ю				
4						Ю			
5							Ю		
6								Ю	
7	о	п	а	з	д	ы	в	а	Ю
8									Ю
9								Ю	
10								Ю	
11							Ю		
12							Ю		
13						Ю			
14					Ю				
15				Ю					

IV. Role playing

"YOU'RE THE GREATEST"

Take it in turns to compliment each other. See who can sound the most impressed in admiring the other's skill and talent (and the most sincere?)
Example

— Как ты хорошо́ игра́ешь в бадминто́н! Како́й / Кака́я ты молоде́ц!

Where appropriate, return the compliment:

— Спаси́бо. Ты то́же.

In which instances below would it be rather ridiculous to do so?
Your partner...
1. Nods / cracks in the winner from your precision pass (in the last minute of extra time).
2. Serves yet another clean ace straight past you.
3. Glides up to you in the pool doing a smooth, effortless crawl.
4. Puts you into checkmate after three moves.
5. Strums mellifluous chords / puts Johnny B Goode right in the shade.
6. Breaks into song like a nightingale.
7. Casually produces coins from her left ear.
8. Gives a moving interpretation of Beethoven's "Moonlight Sonata".
9. Flashes a blistering forehand loop across the table.

35

371

10. Dashes off lightning cartoon sketches of everyone on the bus.
11. Is clearly the twinkletoes of the ballroom or the king/queen of the disco floor.

V. Connections

Match up the questions with the replies.

VI. Puzzle

RUSSIAN WORDSEARCH

How many items of food and drink can you find in the square? There are 24 altogether.

(Solution is in the Keys section.)

VII. Completions

Can you select the appropriate verb to complete the dialogues?
Write them out.

1. — Ребя́та, дава́йте танцева́ть „Хо́ки-ко́ки“.
   — „Хо́ки-ко́ки“? Что э́то тако́е? Мы не уме́ем его́ танцева́ть.
   — Ничего́. Мы вас ....
2. — Стив, что у тебя́ в э́той коро́бке?
   — ... её и посмотри́.
   — Ой! Го́луби!

35

3. — Сьюзан, когда ты ... домой в Англию?
   — Во вторник.
   — Как жаль.
4. — Ребята, посмотрите, Юра мне ... матрёшку.
   — Какая красивая!
5. — Я думаю, что Кэрол очень хорошо играет на гитаре.
   — Да. И она прекрасно ... .
6. — Жарко! Я очень хочу пить.
   — Я тоже. Давай пойдём в кафе ... апельсиновый сок.
   — Давай.
7. — Я не могу открыть эту бутылку.
   — Я тебе ... . Дай сюда. Вот!
   — Спасибо.
8. — Таня, у тебя есть ноты Чайковского?
   — Есть. Я ... их завтра.

поёт, подарил, научим, выпьем, уезжаешь, помогу, принесу, открой

Грамматика

Revision summary: Imperfective—Perfective verb pairs
Here is a check list of the main pairs of Imperfective and Perfective verbs which you have used in the course.

Imperfective	Perfective	Imperfective	Perfective
читать	прочитать	встречать(ся)	встретить(ся)
писать	написать	отвечать	ответить
рисовать	нарисовать	покупать	купить
делать	сделать	говорить	сказать
играть	сыграть	рассказывать	рассказать
слушать	послушать	показывать	показать
смотреть	посмотреть	брать	взять
звонить	позвонить	давать	дать
нравиться	понравиться	передавать	передать
знакомить(ся)	познакомить(ся)	вставать	встать
дарить	подарить	доставать	достать
получать	получить	уставать	устать
кончать(ся)	кончить(ся)	забывать	забыть
		приносить	принести

I. Talk about yourself

It's round-up time. See how well you can talk to each other on the main topics of personal conversation included in this book.

Only this time cue questions are not provided. Can you do it mostly off your own bat?

1. **О себе́:** как тебя́ зову́т, ско́лько тебе́ лет, отку́да ты, где живёшь.

2. **О твое́й семье́:** есть ли у тебя́ бра́тья и́ли сёстры, что они́ де́лают, ско́лько им лет, есть ли у тебя́ соба́ка и́ли ко́шка.

3. **О языка́х:** каки́е языки́ ты зна́ешь, ско́лько вре́мени изуча́ешь, как говори́шь, был(а́) ли ты в СССР, Фра́нции, Испа́нии. И т. д.

4. **О твои́х увлече́ниях:** что ты лю́бишь де́лать ве́чером, в суббо́ту и́ли воскресе́нье, ле́том.

5. **О спо́рте:** каки́е ви́ды спо́рта ты лю́бишь, во что ты игра́ешь, где, когда́, с кем.

6. **О му́зыке:** каку́ю му́зыку ты лю́бишь, где, когда́ ты её слу́шаешь, на чём ты игра́ешь, лю́бишь ли ты петь.

7. **О чте́нии:** каки́е кни́ги, журна́лы, газе́ты ты лю́бишь, хо́дишь ли ты в библиоте́ку, каки́е писа́тели тебе́ нра́вятся бо́льше.

8. **О та́нцах:** лю́бишь ли ты танцева́ть, где, когда́, с кем, хо́дишь ли ты в дискоте́ку.

9. **О телепереда́чах:** что ты смо́тришь, когда́, как ча́сто, каки́е переда́чи тебе́ нра́вятся бо́льше.

10. **О жи́вописи:** лю́бишь ли ты рисова́ть, каки́е худо́жники тебе́ нра́вятся, каки́е музе́и и́ли карти́нные галере́и есть в ва́шем го́роде.

11. **О кино́, теа́тре:** хо́дишь ли ты в кино́, теа́тр, как ча́сто, когда́, с кем, каки́е фи́льмы и́ли спекта́кли ты лю́бишь бо́льше, каки́е твои́ люби́мые актёры и актри́сы, когда́ был(а́) в кино́ и́ли в теа́тре в после́дний раз, что ви́дел(а), понра́вилось ли.

12. **О перепи́ске:** лю́бишь ли ты писа́ть пи́сьма, с кем ты перепи́сываешься, ско́лько вре́мени.

13. **О пого́де:** кака́я обы́чно пого́да в райо́не, где ты живёшь, зимо́й и ле́том, како́е вре́мя го́да тебе́ нра́вится бо́льше.

14. **О шко́ле:** в како́й шко́ле ты у́чишься, что ты изуча́ешь, каки́е предме́ты тебе́ нра́вятся бо́льше, ско́лько вре́мени ты их изуча́ешь.

35

II. What do you say in these situations?

1. Olya invites you out somewhere but, unfortunately, you have to decline. How do you:
   Say you're afraid you can't.
   Explain why not.
   Suggest another time.
2. Oleg offers you a game of chess, but there are other things you must do.
   Say you're sorry you can't.
   Say you haven't got time.
   Say you have to do something else.
3. Andrei wants to take you to the open-air swimming pool 'Moskva'.
   Say you're sorry, but you can't swim.
4. Tamara is unwell and won't be able to go with you to the circus tonight.
   Say "What a pity".
5. Enough of all this gloomy, negative stuff! Let's have some good news: Natasha has just passed her entrance exams to Moscow University.
   Congratulate her.
   Say how pleased you are.
6. That's better, isn't it? Now you're looking at Ivan the Terrible's jewelled crown in the museum in the Kremlin.
   Call Yura over to come and have a look at it.
7. You are at a disco dance. There's a handsome boy/attractive girl over there.
   Ask if he/she would like to dance.
8. Sveta is really good on the guitar and sings you some Russian songs.
   Compliment her.

Почитаем

I. Ю́рий Гага́рин

The first cosmonaut, Yuri Gagarin, travelled all over the world after his historic space flight. But the first country he visited was Britain.
Now read what Yuri Gagarin said in one of his interviews:

„При взгля́де на на́шу Зе́млю с косми́ческой высоты́ поража́ет не то́лько красота́ того́ и́ли ино́го контине́нта. Броса́ется в глаза́ их бли́зость друг к дру́гу, их еди́нство. Все ча́сти све́та слива́ются в одно́ це́лое.

И как прекра́сна ста́ла бы жизнь на на́шей плане́те, е́сли бы молоды́е лю́ди всех контине́нтов Земли́ уви́дели, почу́вствовали свою бли́зость, по́няли, что у них есть о́бщие интере́сы, кото́рые мо́гут созда́ть чуде́сную по́чву для ми́ра и дру́жбы!

Ведь и́менно в пе́рвую о́чередь молодёжь заинтересо́вана в за́втрашнем дне. Ведь и́менно молоды́е бу́дут за́втра реша́ть судьбу́ ми́ра".

II. Карти́на из ко́смоса

Nadya Rusheva was the first artist on Earth who had a picture that could be seen by the whole planet.

On her birthday, January 31, 1975, the cosmonaut Georgi Grechko transmitted one of her pictures from the orbital space station "Salyut-4". The illustration was of "Mal'chish-Kibal'chish", the hero of a story by Gaidar.

35

Странове́де-
ние

THE USSR–GB SOCIETY

I'm a member of the USSR — GB Society. We hold our meetings in the House of Friendship on Kalinin Prospect which is called "Dom Druzhby".

Дом дружбы
The Dom Druzhby — The House of Friendship

THE ARMS OF THE BOROUGH

KINGSDALE SCHOOL DANCE BAND

presents a programme of

'Big Band' Music

during their visit to the SOVIET UNION

It is the aim of the USSR—GB Society to promote contacts between our two countries. I've been a member for about five years now, and through the Society I've met a lot of people from Britain. Sometimes I meet groups and act as a guide, showing visitors around Moscow and telling them about the USSR. Theatrical or musical groups, like the Kingsdale School Dance Band, often perform at the "Dom Druzhby".

I love English literature, and I go to all the Society's literary meetings. We've had some really interesting evenings about Byron, Shakespeare, Bernard Shaw, Oscar Wilde, Somerset Maugham, and many others.

I was very pleased when I was asked to help out with the Olympiad and look after the British and American contestants. I've really enjoyed it. It's a pity it only takes place every three years... But if you work hard at your Russian, who knows? I may see you in the finals of the next competition. Of course, you don't have to be brilliant at Russian to come to Moscow. Maybe you'll come on a school trip, or a package tour? Anyway, you know where the "Dom Druzhby" is — Kalinin Prospect, Moscow. You're always welcome!

LESSON 1
IV. Crossword
По горизонтали:

1. Володя. 4. Катя. 6. Нина. 7. Маша. 9. Наталья. 11. Ира.

По вертикали:

2. Оля. 3. Дима. 5. Татьяна. 8. Анна. 10. Николай.

LESSON 2
II. Family tree
1. Сергей Иванович. 2. Анна Борисовна. 3. Николай Сергеевич. 4. Татьяна Сергеевна. 5. Юрий Николаевич. 6. Наталья Алексеевна.
III. Puzzle: „Семафор"
Здравствуйте.

LESSON 3
II. Puzzle: „Что это такое?"
1. Магазин. 2. Вокзал. 3. Ресторан. 4. Почта. 5. Стадион. 6. Памятник. 7. Кинотеатр. 8. Станция. 9. Кафе. 10. Гостиница.

LESSON 4
V. Puzzle: „Что это такое?"
1. Магнитофон. 2. Ресторан. 3. Калькулятор. 4. Магазин. 5. Телевизор. 6. Гостиница. 7. Пластинка. 8. Улица. 9. Проигрыватель. 10. Почта. 11. Общежитие. 12. Фотоаппарат.

LESSON 5
II. Puzzle: „Как их зовут?"
1. Иван. 2. Николай. 3. Фёдоровна.
III. Do you know ... ? „Кто это?"
1. Л. Н. Толстой. 2. П. И. Чайковский. 3. Ю. А. Гагарин. 4. У. Шекспир. 5. И. Ньютон. 6. Ч. Дарвин.
IV. Quick quiz: „Кто это?"
1. Л. Н. Толстой. 2. Ю. А. Гагарин. 3. А. П. Чехов. 4. В. В. Терешкова. 5. А. С. Пушкин. 6. Г. К. Каспаров. 7. Ф. М. Достоевский. 8. П. И. Чайковский.
V. Puzzle: „Что это такое?"
1. Фотоаппарат. 2. Телевизор. 3. Слайды. 4. Кассета. 5. Магнитофон. 6. Проигрыватель. 7. Кинокамера. 8. Микрофон. 9. Калькулятор. 10. Пластинка.

LESSON 6
III. Puzzle: Russian Wordsearch.
Кинотеатр, стадион, музей, почта, магазин, ресторан, кафе, гостиница, общежитие, театр, станция, метро.

LESSON 7
III. Puzzle: „Какое это слово?"
1. Дом. 2. Телевизор. 3. Конфеты. 4. Калькулятор. 5. Проигрыватель. 6. Пластинка.
Слово: деньги.
IV. Puzzle: „Семья"
1—м, 2—к, 3—а, 4—ж, 5—у, 6—п, 7—д, 8—е, 9—ч, 10—б, 11—о, 12—с, 13—ы, 14—т, 15—р, 16—ь, 17—н, 18—ш.

LESSON 8
III. Puzzle: „Какое это слово?"
1. Памятник. 2. Ключ. 3. Значок. 4. Кассета. 5. Газета. 6. Велосипед. 7. Телефон. 8. Студентка. 9. Проигрыватель.
Слово: пластинка.

LESSON 11
III. Puzzle: „Где живёт Алан Джонсон?"
1. Лондон. 2. Сан-Франциско. 3. Москва. 4. Бухарест. 5. Йорк. 6. Париж. 7. Эдинбург. 8. Дели. 9. Нью-Йорк. 10. Ливерпуль.

LESSON 12
VI. Do you know ... ? „Откуда эта машина?"
F—из Франции. USA—из США. IND—из Индии. YU—из Югославии. CDN—из Канады. SU—из СССР. DDR—из ГДР. J—из Японии. CS—из Чехословакии. S—из Швеции.

LESSON 13
IV. Do you know ... ? „Какие это страны?"
1. Испания. 2. Дания. 3. Советский Союз. 4. Великобритания. 5. Италия. 6. Австрия. 7. Голландия. 8. Франция.

LESSON 15
IV. Puzzle: „Анна Ребус"
Вино, часы, гитара, девушка.
Она играет в сквош.

LESSON 16
III. Puzzle: Кроссворд
По горизонтали:

1. Живу. 3. Слушает. 6. Хожу. 8. Рисую. 9. Изучаю. 14. Работаю. 15. Беру. 16. Делают.
По вертикали:

2. Вижу. 3. Смотрю. 4. Учится. 5. Танцую. 7. Поют. 9. Играют. 10. Читаю. 11. Болею. 12. Люблю. 13. Учусь.

LESSON 18
V. Puzzle: Russian Wordsearch
1. Подруга. 2. Общежитие. 3. Магнитофон. 4. Копейка. 5. Сестра. 6. Собака. 7. Великобритания. 8. Москва. 9. Француз. 10. Студенты. 11. Математика. 12. Теннис. 13. Шахматы. 14. Чай. 15. Яблоко. 16. Роман. 17. Концерт. 18. Пианино. 19. Команда. 20. Передача. 21. Ручка.
VII. Puzzle: "How many squares?"
There are 30 squares.

LESSON 19
IX. Puzzle: "Broken vase"
1—и, 2—б, 3—м, 4—г, 5—в, 6—ж, 7—н, 8—д, 9—л, 10—е, 11—а, 12—к, 13—з.
X. Puzzle: "Crack the code"
Слово: лимон.

LESSON 21
V. Guessing game: „Что это такое?"
1. Ключ. 2. Калькулятор. 3. Кассета. 4. Микрокомпьютер. 5. Фотоаппарат. 6. Телефон.

LESSON 23
IV. Classic quiz: „Кто написал?"
1. Ф. М. Достоевский. 2. А. П. Чехов. 3. И. С. Тургенев. 4. А. С. Пушкин. 5. П. И. Чайковский. 6. А. М. Горький. 7. Л. Н. Толстой. 8. И. Ф. Стравинский. 9. М. А. Шолохов. 10. А. П. Бородин.

LESSON 24
IV. Puzzle: "Copecks to rouble"
1. Автобус. 2. Симфония. 3. Яблоко. 4. Отец. 5. Цена. 6. Адрес. 7. Сахар.

LESSON 26
VI. Puzzle: "Find the places"
1. Кафе. 2. Театр. 3. Почта. 4. Бассейн. 5. Галерея. 6. Стадион. 7. Ресторан. 8. Дискотека. 9. Кинотеатр. 10. Библиотека. 11. Консерватория. 12. Газетный киоск.

LESSON 27
V. Puzzle: Glidogram
1. Лимоном. 2. Улица. 3. Больше. 4. Сколько. 5. Купил. 6. Настольный. 7. Понедельник. 8. Понравился. 9. Виолончель. 10. Документальные. 11. Руководитель. 12. Проигрыватель.

13. Рассказывал. 14. Горизонтали. 15. Замечательный. 16. Неправильно. 17. Писатель. 18. Повезло. 19. Недели. 20. Тепло. 21. Жёлтый. 22. Алло. 23. Лишний.

LESSON 28
V. Puzzle: "Egg to chicken"
1. Обед. 2. Девушка (девочка). 3. Альбом. 4. Мальчик. 5. Кухня. 6. Язык. 7. Как.

LESSON 30
V. Puzzle: Glidogram
1. Снег. 2. Испании. 3. Воскресенье. 4. Красивая. 5. Написать. 6. Космос. 7. Нравится. 8. Пожалуйста. 9. Начинается. 10. Познакомься. 11. Понравился. 12. Французски. 13. Прекрасно. 14. Полчаса. 15. Классе. 16. Красная. 17. Десять. 18. Искусство. 19. Соль.

LESSON 31
V. Puzzle: Definitions
1. Художник. 2. Учительница. 3. Писатель. 4. Балерина. 5. Космонавт. 6. Журналистка. 7. Режиссёр. 8. Поэт. 9. Школьница. 10. Композитор. 11. Продавщица.
VI. Associations: "Close friends"
Соль — перец, муж — жена, собака — кошка, родители — дети, сын — дочь, ручка — карандаш, дедушка — бабушка, мальчик — девочка, рубль — копейка, хлеб — масло, отец — мать.

LESSON 33
III. Puzzle: Russian Wordsearch
1. Ленинград. 2. Украина. 3. Борщ. 4. Рубль. 5. Кофе. 6. Хлеб. 7. Зима. 8. География. 9. Франция. 10. Самолёт. 11. Четверг. 12. Художник. 13. Апельсин. 14. Опера. 15. Земля. 16. Балалайка. 17. Дом. 18. Шотландец. 19. Море.
V. Puzzle: Sequences
1. Одиннадцать. 2. Пятнадцать. 3. Сорок два. 4. Шестьдесят четыре. 5. Восемнадцать. 6. Два. 7. Шесть. 8. Сто двадцать пять. 9. Сто двадцать. 10. Шестнадцать.

LESSON 34
III. Puzzle: "Mind the Steppes"
1. Вижу. 2. Живу. 3. Пойду. 4. Скажу. 5. Возьму. 6. Покажу. 7. Достану. 8. Получу. 9. Напишу. 10. Научу. 11. Поеду. 12. Могу. 13. Хожу.
V. Chain: "Key to the door"
1. Четверг. 2. Город. 3. Дети. 4. Имя. 5. Яблоко. 6. Открытка. 7. Американец. 8. Центр. 9. Ряд.
VI. Puzzle: Antonyms
Первый — последний, новый — старый, много — мало, трудно — просто, вход — выход, большой — маленький, помнить — забыть, жарко — холодно, правильно — неправильно, зима — лето, начинать — кончать, хорошо — плохо.

LESSON 35
III. Puzzle: Verboglide
1. Пою. 2. Умею. 3. Встаю. 4. Обедаю. 5. Покупаю. 6. Прочитаю. 7. Опаздываю. 8. Поздравляю. 9. Показываю. 10. Послушаю. 11. Понимаю. 12. Уезжаю. 13. Болею. 14. Знаю. 15. Даю.
VI. Puzzle: Russian Wordsearch
Вино, вода, сок, кофе, лимонад, чай, пепси, суп, борщ, щи, колбаса, хлеб, масло, яйцо, сыр, сахар, соль, перец, фрукты, яблоко, лимон, конфеты, мороженое, шоколад.

Словарь

А

а and, but
австра́лиец Australian (man, boy)
австрали́йка Australian (woman, girl)
Австра́лия Australia
австри́ец Austrian (man, boy)
австри́йка Austrian (woman, girl)
А́встрия Austria
авто́бус bus
авто́граф autograph
а́дрес address
актёр actor
актри́са actress
Алло́! Hello! (on telephone)
альбо́м album
Аме́рика America
америка́нец American (man, boy)
америка́нка American (woman, girl)
америка́нский American
англи́йский English
англича́нин English (man, boy)
англича́нка English (woman, girl)
А́нглия England
анса́мбль, *m.* group, band
апельси́н orange
апельси́новый orange, *adj.*
аплоди́ровать (аплоди́рую, аплоди́руешь) to applaud
архитекту́ра architecture
аэропо́рт airport

Б

ба́бушка grandmother
бадминто́н badminton
балала́йка balalaika
балери́на ballerina
бале́т ballet
баскетбо́л basketball
бассе́йн swimming baths
бато́н loaf
бейсбо́л baseball
бе́лый white
бельги́ец Belgian (man, boy)
бельги́йка Belgian (woman, girl)
Бе́льгия Belgium
беспоко́иться to worry
бефстро́ганов beef Stroganoff
библиоте́ка library
биле́т (в теа́тр, в кино́) ticket (a theatre ticket, cinema ticket)
    экзаменацио́нный биле́т exam card

биогра́фия biography
биоло́гия biology
бифште́кс steak
бокс boxing
болга́рин Bulgarian (man, boy)
Болга́рия Bulgaria
болга́рка Bulgarian (woman, girl)
боле́ть (за кома́нду) to support (a team)
бо́льше more
    бо́льше всего́ most of all
большо́й big
борщ borshch (beetroot soup)
Брази́лия Brazil
брат (*pl.* бра́тья) brother (brothers)
брать (беру́, берёшь) to take
бро́нзовая меда́ль bronze medal
бу́ква letter (of alphabet)
бу́лочка roll
бума́га paper
бума́жный paper, *adj.*
бутербро́д sandwich
буты́лка bottle
буфе́т snack bar
бы́стро quickly
быть (бу́ду, бу́дешь) to be
    бу́дет (два плюс два бу́дет...) makes (2 + 2 makes 4)

В

в in, at; on (a day)
вальс waltz
вариа́нт version
ва́фли, *pl.* waffles
ваш (ва́ша, ва́ше, ва́ши) your
ведь isn't it?
вели́кий great
Великобрита́ния Great Britain
велосипе́д bicycle
ве́чер evening; party
ве́чером in the evening
вещь, *f.* thing
взять (возьму́, возьмёшь), *perf.* to take
    взять с собо́й to take (with)
вид (спо́рта) kind (of sport)
вид (Ки́ева) view (of Kiev)
видеомагнитофо́н video recorder
ви́деть (ви́жу, ви́дишь) to see
вино́ wine
виолонче́ль, *f.* cello
вку́сно nice, tasty
вку́сный tasty
вме́сте together
вниз down
внизу́ down/downstairs/below
внутри́ inside
вода́ water
води́ть (маши́ну) to drive (a car)
вокза́л station
волейбо́л volleyball
вон (там) over there

вопрос question
восемнадцатый eighteenth
восемнадцать eighteen
восемь eight
восемьдесят eighty
воскресенье Sunday
восьмидесятый eightieth
восьмой eighth
вот there
время time
   время года season
все all, everyone
всё all, everything
всегда always
вставать (встаю, встаёшь) to get up
встретить(ся) (встречусь, встретишься), *perf.* to meet
встречать to meet
вторник Tuesday
второй second
вход entrance
входить to go / to come in
вчера yesterday
вы you
выпить (сок) to drink (fruit juice)
выставка exhibition
высшая школа college
выход exit

Г

газета newspaper
газетный киоск newspaper kiosk
галерея gallery
гараж garage
гастроном grocery shop
где where; Где здесь … ? Where is … ?
ГДР GDR, German Democratic Republic
география geography
гимнастика gymnastics
гитара guitar
говорить to speak; say; talk
год year
голландец Dutch (man, boy)
Голландия Holland
голландка Dutch (woman, girl)
голубой, blue
голубь, *m.* dove, pigeon
город (*pl.* города) city / town
гостиница hotel
гость guest; ходить в гости to visit friends
готовить (готовлю, готовишь) to prepare; cook
готовиться (к концерту) to get ready (for the concert)
грамматическая школа Grammar school
грамота certificate
грек Greek (man, boy)
Греция Greece
гречанка Greek (woman, girl)
гроза thunderstorm
группа group

Д

да yes
давать (даю, даёшь) to give
   давай на ты let's use ты
   давай (потанцуем, сыграем…) let's (dance, play at…)
далеко (отсюда) a long way (from here)
Дания Denmark
дарить to give as a present
дартс darts
датчанин Dane
датчанка Dane (woman, girl)
дать (дам, дашь, даст, дадим, дадите, дадут), *perf.* to give
два (две) two
двадцатый twentieth
двадцать twenty
двенадцатый twelfth
двенадцать twelve
девочка girl
девушка girl (maiden)
девяносто ninety
девяностый ninetieth
девятнадцатый nineteenth
девятнадцать nineteen
девятый ninth
девять nine
дедушка grandfather
дежурный (дежурная) person on duty
делать уроки to do ones school work
день (*pl.* дни) day
   день рождения birthday
деньги, *pl.* money
дерево tree
десятый tenth
десять ten
детектив detective novel
дети, *pl.* children
детский children's, *adj.*
джаз jazz
дзюдо judo
диван sofa
дискотека disco (club)
для for
днём in the afternoon
добрый вечер good evening
довольно много quite a lot
дождь, *m.* rain
до завтра till tomorrow
документальный documentary
долго for a long time
должен (должна, должно, должны) have to, must
дом (*pl.* дома) block of flats
дома at home
домашнее хозяйство domestic science
домой home
до свидания goodbye
достать (достану, достанешь), *perf.* to get, obtain
дочь, *f.* daughter
друг (*pl.* друзья) friend

другóй another (different one)
дýмать to think
дýшно close, sultry

Е

Еврóпа Europe
егó/её зовýт... his, her name is...
есть (ем, ешь, ест, едúм, едúте, едя́т) to eat
éхать (éду, éдешь) to go
ещё again; another; else; still
    ещё не... not yet
    ещё одúн one more
    ещё раз again, once more
    Какúе ещё языкú ... ? What other languages ... ?
    Кто ещё ... ? Who else ... ?
    Что ещё ... ? What else ... ?
    Я ещё учýсь I still study

Ж

жáркий hot
жáрко it's hot
ждать to wait (for)
же (*emphatic particle*)
желáть to wish
жёлтый yellow
женá wife
жúвопись, *f.* art, painting
жизнь, *f.* life
жить (живý, живёшь) to live
журнáл magazine
журналúстка reporter, journalist
жюрú, *indecl.* jury

З

забывáть to forget
забы́ть (забýду, забýдешь), *perf.* to forget
завóд factory, plant
зáвтра tomorrow
зáвтрак breakfast
зáвтракать to have breakfast
задáть (задáм, задáшь, задáст, зададúм, зададúте, зададýт), *perf.*; задáть вопрóс to ask a question
закрывáться to shut, to close
зал hall
замечáтельный remarkable
занимáться спóртом to go in for sport
записáть (запишý, запишешь), *perf.*; записáть áдрес to write down an address
звать to call; Меня зовýт... My name is...
звонúть to ring
здáние building
здесь here
здрáвствуй(те) hello
зелёный green
Земля́ Earth
зимá winter

зимóй in winter
знакóмиться (знакóмлюсь, знакóмишься) to get to know
знакóмые friends, acquaintances
знаменúтый famous
знать to know
знáчит means
значóк badge
золотáя медáль, *f.* gold medal
зрúтель, *m.* spectator

И

и and
и... и... both... and...
игрáть (на пианúно, в téннис) to play (the piano, tennis)
игрýшка toy
идтú (идý, идёшь) to go (on foot)
    Что идёт в кинó? What's on?
из from
извинú(те) Sorry!
изучáть to study, learn
úли or
úмя (*pl.* именá) name
    úмени... named after
индúйский Indian, *adj.*
Úндия India
иногдá sometimes
инострáнный foreign
институт institute
инструмéнт instrument
интервью, *indecl.*, *n.* interview
интерéсно interesting
интерéсный interesting, *adj.*
искáть (ищý, úщешь) to look for
искýсство art
испáнец Spaniard
Испáния Spain
испáнка Spanish (woman, girl)
испáнский Spanish
истóрия history
Итáлия Italy
италья́нец Italian (man, boy)
италья́нка Italian (woman, girl)
италья́нский Italian
их (зовýт) their (names are...)

К

к (ко мнé) to (to me, to my place)
    к сожалéнию... Sorry, but...
кáжется (мне кáжется) I think
как how
    Как вас зовýт? What's your name?
    Как делá? How are you?
    Как жаль! What a shame!
    Как здóрово! Great!
    Как я рáд(а)! I'm so glad!
какóй which, what kind of...? What...?
калькуля́тор calculator

Кана́да Canada
кана́дец Canadian (man, boy)
кана́дка Canadian (woman, girl)
капу́стник humorous sketch, play
каранда́ш pencil
ка́рта (географи́ческая) map
карти́на picture
карти́нная галере́я art gallery
ка́рты (игра́льные) playing cards
кассе́та cassette
кафе́, indecl., n. cafe
квадра́т square
кварти́ра flat
килогра́мм kilogram
кино́, indecl., n. cinema
киноактёр film actor
киноактри́са film actress
кинозвезда́ film star
кинока́мера cinecamera
кинотеа́тр cinema
кио́ск kiosk
киоскёр salesperson in kiosk
кита́йская ку́хня Chinese food
класс class, grade, form
класси́ческая му́зыка classical music
кли́мат climate
клуб club
ключ key
кни́га book
ковбо́йский фильм Western, cowboy film
когда́ when
когда́-нибудь at some time
колбаса́ sausage (continental)
колле́кция collection
кома́нда team
коме́дия comedy
ко́мната room
ко́мпас compass
компози́тор composer
компью́тер computer
коне́чно of course
консервато́рия Conservatoire
конфере́нц-зал conference hall
конфе́та sweet
конце́рт concert
конча́ть(ся) to finish, end
ко́нчить(ся), perf. to finish, end
копе́йка copeck
кори́чневый brown
ко́рнфлекс cornflakes
коро́бка box
косми́ческий кора́бль, m. space craft
космона́вт cosmonaut, astronaut
ко́смос space
ко́фе, indecl., m. coffee
ко́шка cat
краси́вый beautiful
кра́сный red
красота́ beauty, attractiveness
кре́сло armchair
кри́кет cricket

крича́ть (кричу́, кричи́шь) to shout
кроссво́рд crossword
кто who
  Кто э́то? Who is it?
  У кого́ есть … ? Who's got … ?
куда́ where
ку́кла doll
культу́ра culture
купи́ть (куплю́, ку́пишь), perf. to buy
ку́хня food, cuisine

Л

ла́дно okay
ле́кция lecture
лет (pl. of год) years
лета́ть (лечу́, лети́шь) to fly
ле́то summer
ле́том in summer
лимо́н lemon
лимона́д lemonade
литерату́ра literature
лифт lift
ли́шний (биле́т) extra, spare (ticket)
ло́дка boat
ложи́ться спать to go to bed
лу́чше better
лу́чший best
люби́мый favourite
люби́ть (люблю́, лю́бишь) to like
любо́вь, f. love
лю́ди, pl. people

М

магази́н shop
магнитофо́н tape recorder
ма́ленький little, small
ма́ло a little, a few
ма́льчик boy
ма́ма mum
ма́рка stamp
ма́сло butter
матема́тика maths
матрёшка matryoshka doll
матч match
мать, f. mother
маши́на car
ме́жду between
мемуа́ры, pl. memoirs
ме́ньше less
меню́ menu
ме́сто seat
мета́лл metal
метро́, indecl., n. tube, underground
меха́ник mechanic
микрокомпью́тер micro-computer
микрофо́н microphone
ми́нус minus
мину́та minute
мир world

мла́дший younger
мно́го a lot
многосери́йный фильм serial
могу́чий mighty
моде́ль, *f.* model
мо́жет быть perhaps
мо́жно May I? Can I?
    Мо́жно тебя́ пригласи́ть? Can I invite you (to dance)?
мой (моя́, моё, мои́) my
молоде́ц Well done!
молоко́ milk
мо́ре sea
моро́женое ice-cream
моско́вский Moscow, *adj.*
мост bridge
мотоци́кл motorbike
мочь (могу́, мо́жешь) to be able (I can, you can)
муж husband
музе́й museum
му́зыка music
музыка́льный центр music centre
мультфи́льм cartoon film
мы we
мяч ball

Н

на on, at, in
    на ру́сском языке́ in Russian
наве́рное maybe
надева́ть to put on
на́до to have to, one must
найти́ (найду́, найдёшь), *perf.* to find
написа́ть (напишу́, напи́шешь), *perf.* to write
наприме́р for example
нарисова́ть (нарису́ю, нарису́ешь), *perf.* to draw
наро́дная му́зыка (наро́дные пе́сни) folk music (folk songs)
насто́льный те́ннис table tennis
натюрмо́рт still life painting
нау́ка science
научи́ть (научу́, нау́чишь), *perf.* to teach
начина́ть(ся) to begin, start
наш (на́ша, на́ше, на́ши) our
не not
недалеко́ (отсю́да) not far (from here)
неде́ля week
недо́лго not long
неме́цкий German, *adj.*
немно́го a little
непло́хо not badly
непра́вильно wrong
не́сколько some, a few
нет no
нетбо́л netball
нетру́дно not difficult, easy
никако́й no, none
никогда́ never
никуда́ nowhere
ничего́ nothing; that's alright; never mind

но but
Но́вая Зела́ндия New Zealand
новозела́ндец New Zealander (man, boy)
новозела́ндка New Zealander (woman, girl)
но́вости, *pl.* news
но́вый new
нож knife
ноль, *m.* nil
но́мер number, room
норма́льно OK, alright
ночь, *f.* night
нра́виться (нра́влюсь, нра́вишься) to please
    мне нра́вится I like
ну́жно need
ну́жный necessary, the one I need

О

обе́д lunch
обе́дать to have lunch
общежи́тие hostel
общеобразова́тельная шко́ла comprehensive school
обы́чно usually; как обы́чно as usual
Обяза́тельно. Of course I will!
оди́н one
одина́ковый the same
оди́ннадцатый eleventh
оди́ннадцать eleven
о́зеро lake
окно́ window
Олимпиа́да Olympiad
олимпи́йский Olympic
омле́т omelette
он (она́, оно́, они́) he (she, it, they)
опа́здывать (опа́здываю, опа́здываешь) to be late
опозда́ть (опозда́ю, опозда́ешь), *perf.* to be late, miss
ора́нжевый orange
орке́стр orchestra
осо́бенно especially
от from
    далеко́ от long way from
отве́тить (отве́чу, отве́тишь), *perf.* to answer
    отве́тить на вопро́с to answer a question
отвеча́ть (отвеча́ю, отвеча́ешь) to answer
отдыха́ть (отдыха́ю, отдыха́ешь) to have a rest
оте́ц father
откры́тие opening
откры́тка postcard
откры́ть (откро́ю, откро́ешь; откро́й), *perf.* to open
отку́да where from
    Отку́да ты? Where are you from?
отры́вок excerpt
отсю́да from here
отту́да from there
о́тчество patronymic, second name
официа́нтка waitress
о́чень very (very much)
    О́чень прия́тно! Pleased to meet you!

П

павильóн exhibition hall
пакéт packet
пáмятник statue
пáпа Dad
пáра pair
пáрень, *m.* chap
парк park
партнёр partner
пáчка packet
певéц singer (man)
певи́ца singer (woman)
пейзáж landscape
пéпси-кóла pepsi-cola
пéрвый first
передáть (передáм, передáшь), *perf.* to pass
передáча (по рáдио, по телеви́дению) programme (TV, radio)
перепи́ска correspondence
перепи́сываться (перепи́сываюсь, перепи́сываешься) to correspond
пересказáть (перескажу́, перескáжешь), *perf.* to re-tell
перехóд
  дéлать перехóд to change (lines)
пéрец pepper
пéсня song
петь (поeú, поёшь) to sing
печéнье, *sing.* biscuits
пешкóм on foot
пиани́но, *indecl.* piano
пинг-пóнг pingpong
пионéрский лáгерь Pioneer camp
писáтель, *m.* writer
писáть (пишу́, пи́шешь) to write
письмó letter
пить (пью, пьёшь) to drink
плáвать to swim
план plan, map
планéта planet
пласти́нка record
платóк head scarf
пломби́р vanilla (ice-cream)
плóхо badly
плохóй bad
плóщадь, *f.* square
плюс plus
по
  по-англи́йски in English
  по вертикáли down, vertically
  по горизонтáли across, horizontally
  по Москвé around Moscow
  по рáдио, по телеви́зору, по телефóну on the radio, on the television, on the phone
повезлó
  мне повезлó I was lucky
поговори́ть (поговорю́, поговори́шь), *perf.* to talk, speak, have a chat
погóда weather
подáрок present

подру́га friend
подружи́ться (подружу́сь, подру́жишься), *perf.* to make friends
поду́мать (поду́маю, поду́маешь), *perf.* to think
подходи́ть (подхожу́, подхóдишь) to fit
пóезд train
поéхать (поéду, поéдешь), *perf.* to go
пожáлуйста please; don't mention it; here you are
позвони́ть (позвоню́, позвони́шь), *perf.* to ring
поздравля́ть (поздравля́ю, поздравля́ешь) to congratulate
познакóмиться (познакóмлюсь, познакóмишься), *perf.* to get to know one another, introduce oneself
поигрáть (поигрáю, поигрáешь), *perf.* to play
пойти́ (пойду́, пойдёшь), *perf.* to go
покá ещё нет not so far, yet
Покá! So long! Cheerio!
показáть (покажу́, покáжешь), *perf.* to show
покáзывать (покáзываю, покáзываешь) to show
покупáть (покупáю, покупáешь) to buy
пóлдень, *m.* midday
пóлночь, *f.* midnight
полпéрвого half past twelve
получáть (получáю, получáешь) to receive
получи́ть (получу́, полу́чишь), *perf.* to receive
полчасá half an hour
пóмнить (пóмню, пóмнишь) to remember
помогáть (помогáю, помогáешь) to help
по-мóему in my opinion, I think
помóчь (помогу́, помóжешь), *perf.* to help
понедéльник Monday
понимáть (понимáю, понимáешь) to understand
понрáвиться (понрáвлюсь, понрáвишься), *perf.* to like
поня́тно I see, that's understood
поп-гру́ппа pop group
поп-му́зыка pop music
попрóбовать (попрóбую, попрóбуешь), *perf.* to try
попроси́ть (попрошу́, попрóсишь), *perf.* to ask for
  попроси́ть автóграф to ask for someone's autograph
порабóтать (порабóтаю, порабóтаешь), *perf.* to work
портрéт portrait
пóсле after
послéдний last
послу́шать (послу́шаю, послу́шаешь), *perf.* to listen to
посмотрéть (посмотрю́, посмóтришь), *perf.* to have a look at
потанцевáть (потанцу́ю, потанцу́ешь), *perf.* to have a dance
потóм then
потому́ что because
похóж (похóжа, похóже, похóжи) на... like (similar to)
почему́ why
почитáть (почитáю, почитáешь), *perf.* to read
пóчта post office
почтальóн postman

поэт poet
пояс belt
правильно right, correct
предмет subject; object
председатель, *m.* chairman
прекрасно wonderful
прекрасный marvellous
пригласить (приглашу, пригласишь), *perf.* to invite
приз prize
принести (принесу, принесёшь), *perf.* to bring
приносить (приношу, приносишь) to bring
приятно
    Очень приятно! Pleased to meet you! (greeting)
приятный pleasant
продавщица shop assistant
продукты, *pl.* groceries
проза prose
проигрыватель, *m.* record player
проспект avenue
просто simple, easy, just
    Или просто ... You can call me ...
против
    Ты не против? How do you feel about it?
профессия occupation
прочитать (прочитаю, прочитаешь), *perf.* to read
прощальный вечер farewell party
прыгать (прыгаю, прыгаешь) to jump
пьеса play
пятидесятый fiftieth
пятнадцатый fifteenth
пятнадцать fifteen
пятница Friday
пятый fifth
пять five
пятьдесят fifty

Р

работа work; работа по дереву, по металлу wood-work, metal-work
работаешь (работаю, работаешь) to work
рабочий worker
радио, *indecl.* radio, radio set
раз time
разговаривать (разговариваю, разговариваешь) to talk, have a chat
разница difference
разные different
район district
рано early
рассказать (расскажу, расскажешь; расскажи), *perf.* to tell, relate
рассказывать (рассказываю, рассказываешь) to tell, relate
ребята, *pl.* "lads" (way of addressing friends)
революция revolution
регби, *indecl.* rugby
режиссёр director
религия religion
республика republic

ресторан restaurant
рецепт (кулинарный) recipe
рисовать (рисую, рисуешь) to draw
рисунок drawing
родители, *pl.* parents
рок-н-ролл rock'n'roll
роль, *f.* role
роман novel
рубль, *m.* rouble
руководитель, *m.* leader
румын Rumanian (man, boy)
Румыния Rumania
румынка Rumanian (woman, girl)
русская Russian (woman, girl)
русский Russian (man, boy)
ручка pen
ряд row

С

с with
садиться (сажусь, садишься) to sit down
сам
    я сам I myself
самовар samovar
самолёт plane
самый любимый the one I like best of all
сахар sugar
свет light
свободное время spare time
свой one's own
сдавать (сдаю, сдаёшь); сдавать экзамен to take an exam
сдать (сдам, сдашь, сдаст, сдадим, сдадите, сдадут), *perf.*; сдать экзамен to pass an exam
сделать (сделаю, сделаешь), *perf.* to do
себя oneself; о себе about myself
сегодня today
    сегодня вечером tonight, this evening
седьмой seventh
сейчас now, at the moment
секция (спортивная) (sports) club
семнадцатый seventeenth
семнадцать seventeen
семь seven
семьдесят seventy
семья family
сентябрь, *m.* September
серебряный silver
сестра (*pl.* сёстры) sister
сидеть (сижу, сидишь) to sit
симпатичный nice
симфония symphony
синий blue
сказать (скажу, скажешь), *perf.* to say, tell
сквош squash
сколько how much, many?
    Сколько времени? What's the time?
    во сколько? at what time?
скорее quickly
скрипка violin

слабый weak
слайд slide
следующий next
слово word
слушать (слушаю, слушаешь) to listen to
   Слушаю! Hello!
слышать (слышу, слышишь) to hear
смотреть (смотрю, смотришь) to watch, see
смочь (смогу, сможешь), *perf.* to be able to
сначала at first
снег snow
снова again
снукер snooker
собака dog
советский Soviet
совсем не люблю I hate it
сок fruit juice
солнце sun
соль, *f.* salt
сорок forty
сосиска sausage
сочинение composition, essay
спасибо thank you
   большое спасибо thank you very much
   спасибо за... thank you for...
спектакль, *m.* play, show
спецшкола special school
спорт sport
спортивный sports, *adj.*
спортсмен sportsman
спортсменка sportswoman
спрашивать (спрашиваю, спрашиваешь) to ask
спросить (спрошу, спросишь), *perf.* to ask
спутник sputnik
среда Wednesday
средняя школа secondary school
СССР USSR
стадион stadium
станция метро metro station
старший elder
старый old
стена wall
стихи, *pl.* poetry
сто hundred
стоить to cost
   Сколько стоит? How much is it?
стол table
страна country
страноведение background information
студент student (boy)
студентка student (girl)
суббота Saturday
сувенир souvenir
суп soup
сфотографироваться (сфотографируюсь, сфотографируешься), *perf.* to have one's photograph taken
Счастливо! Good luck! All the best!
Счастливого пути! Have a good journey!
США USA

сыграть (сыграю, сыграешь), *perf.* to play
сын son
сыр cheese
сюда here (to)

Т

табак tobacco
таблица table
так so
такой so, such
такси, *indecl.*, *n.* taxi
талантливый talented
там there
танец (*pl.* танцы) dance
танцевать (танцую, танцуешь) to dance
твой (твоя, твоё, твои) your
театр theatre
текст text
телевизор television
телефон telephone
тема topic, theme
теннис tennis
теннисист tennis player (man, boy)
теннисистка tennis player (woman, girl)
теперь now
тепло it's warm
тёплый warm
техник technician
тогда then
тоже also, as well
только only
торт cake
тосты, *pl.* toast
точно exactly
трамвай tram
транспорт transport
третий third
три three
тридцатый thirtieth
тридцать thirty
тринадцатый thirteenth
тринадцать thirteen
троллейбус trolleybus
трудно it's difficult
туда there
турист tourist
ты you

У

у
   У вас есть ... ? Have you got ... ?
   у входа by the entrance
уверен (уверена, уверено, уверены) sure, certain
увидеться (увижусь, увидишься), *perf.* to see each other
увлечение hobby, interests
уезжать (уезжаю, уезжаешь) to leave
уже already
ужинать (ужинаю, ужинаешь) to have supper, tea

389

узна́ть (узна́ю, узна́ешь), *perf.* to find out
Украи́на Ukraine
украи́нец Ukrainian (man, boy)
украи́нка Ukrainian (woman, girl)
у́лица street
уме́ть to know how to
университе́т university
ура́ hurrah!
уро́к lesson
успе́ть (успе́ю, успе́ешь), *perf.* to get somewhere in time, to have time to do smth.
уста́ть (уста́ну, уста́нешь), *perf.* to be tired
у́стный oral
у́тро morning
у́тром in the morning
учи́тель, *m.* teacher (man)
учи́тельница teacher (woman)
учи́ться (учу́сь, у́чишься) to go to school, study, learn

Ф

фами́лия surname
фигу́рное ката́ние figure skating
фи́зика physics
физкульту́ра physical education
фильм film
Финля́ндия Finland
фи́нка Finn (woman, girl)
финн Finn (man, boy)
флаг flag
фле́йта flute
фо́кус magic trick
   показа́ть фо́кус to do a magic trick
фо́рма uniform
фотоаппара́т camera
фотогра́фия photograph
Фра́нция France
францу́женка French (woman, girl)
францу́з French (man, boy)
францу́зский French, *adj.*
ФРГ FRG, Federal Republic of Germany
фрукто́вое моро́женое fruit-flavoured ice-cream
фру́кты, *pl.* fruit
футбо́л football, football match
футболи́ст footballer
футбо́льная кома́нда football team

Х

хи́мия chemistry
хлеб bread
ходи́ть (хожу́, хо́дишь) to go to
   ходи́ть в го́сти to visit friends
   ходи́ть на бале́т to go to see ballet
хокке́й ice-hockey
   хокке́й на траве́ hockey
хо́лодно it's cold
хо́лодный cold
хор choir
хоро́ший good, *adj.*
хорошо́ well, good, well done

хоте́ть (хочу́, хо́чешь, хо́чет, хоти́м, хоти́те, хотя́т) to want to хоте́л бы would like to
худо́жник artist

Ц

цвет colour
цветы́ flowers
центр centre
цирк circus

Ч

чай tea
час hour
   час дня 1 p. m.
   час но́чи 1 a. m.
ча́сто often
часть, *f.* part
часы́, *pl.* watch, clock
челове́к (*pl.* лю́ди) person; man
чемпиона́т championship
чёрный black
четве́рг Thursday
четвёртый fourth
че́тверть (ча́са) quarter (of an hour)
четы́ре four
четы́рнадцатый fourteenth
четы́рнадцать fourteen
чех Czech (man, boy)
Чехослова́кия Czechoslovakia
че́шка Czech (woman, girl)
чи́стый clean
чита́ть (чита́ю, чита́ешь) to read
член семьи́ member of the family
чте́ние reading
что what
   Что вы! Oh, come on! Really!
   Что э́то тако́е? What is it?
что́-нибудь something

Ш

шар ball, globe
ша́хматы, *pl.* chess
ша́шки, *pl.* draughts
швед Swede (man, boy)
шве́дка Swede (woman, girl)
швейца́рец Swiss (man, boy)
Швейца́рия Switzerland
швейца́рка Swiss (woman, girl)
Шве́ция Sweden
шестидеся́тый sixtieth
шестна́дцатый sixteenth
шестна́дцать sixteen
шесто́й sixth
шесть six
шестьдеся́т sixty
шко́ла school
шко́льник schoolboy
шко́льница schoolgirl

шко́льный school, adj.
шокола́д chocolate
шотла́ндец Scotsman, Scot
Шотла́ндия Scotland
шотла́ндка Scotswoman, Scot

Щ

щи shchi (cabbage soup)

Э

экза́мен examination
    экза́мен по чте́нию reading exam
экзамена́тор examiner
эконо́мика economics
экску́рсия excursion
электрогита́ра electric guitar
эскимо́, *indecl.* Eskimo (ice-cream)
эта́ж floor, storey
э́то this, this is
э́тот (э́та, э́то, э́ти) this (this, these)

Ю

югосла́в Yugoslav (man, boy)
Югосла́вия Yugoslavia
югосла́вка Yugoslav (woman, girl)
юмористи́ческий humorous
ю́ность, *f.* youth
ю́ноша a youth, young lad

Я

я I
    Меня́ зову́т ... My name is ...
    У меня́ есть ... I've got ...
я́блоко apple
я́блочный apple, adj.
язы́к language
яйцо́ egg
япо́нец Japanese (man, boy)
Япо́ния Japan
япо́нка Japanese (woman, girl)
япо́нский Japanese, adj.

АЛФАВИТ

Аа *А а* [а]	Кк *К к* [ка]	Хх *Х х* [ха]
Бб *Б б* [бэ]	Лл *Л л* [эль]	Цц *Ц ц* [цэ]
Вв *В в* [вэ]	Мм *М м* [эм]	Чч *Ч ч* [че]
Гг *Г г* [гэ]	Нн *Н н* [эн]	Шш *Ш ш* [ша]
Дд *Д д* [дэ]	Оо *О о* [о]	Щщ *Щ щ* [ща]
Ее *Е е* [е]	Пп *П п* [пэ]	Ъ *ъ* [твёрдый знак]
Ёё *Ё ё* [ё]	Рр *Р р* [эр]	Ы *ы* [ы]
Жж *Ж ж* [жэ]	Сс *С с* [эс]	Ь *ь* [мягкий знак]
Зз *З з* [зэ]	Тт *Т т* [тэ]	Ээ *Э э* [э оборотное]
Ии *И и* [и]	Уу *У у* [у]	Юю *Ю ю* [ю]
Йй *Й й* [и краткое]	Фф *Ф ф* [эф]	Яя *Я я* [я]

CONTENTS

Д

DIALOG

Диалог

первый

Dia

ДИ

ДИАЛОГ

Dialogue

ONE

DIALOGUE

ONE

Dialogue

Диалог

ONE

ПЕРВЫЙ

ДИАЛОГ

ПЕРВЫЙ

Dialogue

ПЕРВЫЙ ДИАЛОГ

Ди